traduit par Jacqueline Bourget~Huel, BSc. Inf.

NURSING PSYCHO-SOCIAL EN PÉDIATRIE

Madeline Pétrillo, R.N.M.Ed.
Sirgay Sanger, M.D.

Les Éditions HRW Ltée,
Montréal, Toronto.

Nursing psycho-social en pédiatrie
traduction de:
Emotional Care of Hospitalized Children
    An Environmental Approach
de Madeline Petrillo, R.N. MEd.
Sirgay Sanger, M.D.
Copyright © 1972 by
J.B. Lippincott Company

Maquette de couverture: Suzanne Lapointe-Auger

**Les Éditions HRW Ltée
8035 est, rue Jarry
Montréal, Québec**

ISBN 0-03-928215-5

Dépôt légal 1er trimestre 1976
Bibliothèque nationale du Québec

Imprimé au Canada
1   2   3   4   5   80   79   78   77   76

Préface

Grâce à notre travail auprès des enfants, des parents et du personnel, nous avons mis au point, à travers des essais et des erreurs, une méthode pour améliorer le sort des enfants hospitalisés.

Observant les effets de l'hospitalisation sur les enfants, nous avons pensé qu'un guide de travail s'imposait. Un guide explicite et en profondeur qui déterminerait la façon d'agir devant les problèmes communs tels: a) les effets d'un stress sévère et b) la capacité de résistance quotidienne des enfants et des parents.

Cet exposé se divise en plusieurs éléments importants qui s'unissent pour former un milieu favorable à la santé.

Ces éléments sont: une connaissance générale de la croissance et du développement, les nécessités de la famille et sa culture, les réactions humaines au stress, à la perte et à la séparation.

Nous incluons aussi dans le protocole effectif des approches préventives ayant pour effet de diminuer le traumatisme chez les enfants et leurs parents.

Cet ouvrage a pour but de combler la brèche entre la compréhension et l'action. Il offre une connaissance pratique et essentielle ainsi que son application, sans sacrifier la subtilité et la recherche acquises depuis plus de 30 ans par plusieurs travailleurs individuels dans ces disciplines.

Ce livre est conçu à l'intention de tous ceux qui participent aux soins des enfants et des professionnels qui voient dans l'hospitalisation de l'enfant une occasion de promouvoir la croissance, la santé et la maturité.

Plus spécifiquement, il devrait s'avérer utile aux étudiants en médecine, aux pédiatres, aux infirmières, aux étudiants en nursing, aux responsables de la pédopsychiatrie et de la psychologie, aux administrateurs d'hôpitaux, aux diététiciennes, aux travailleurs sociaux et à tous ceux qui, de près ou de loin, sont impliqués dans les soins de l'enfant. Certaines parties devraient être utiles comme manuel de techniques de communication avec les enfants, d'autres pour l'éducation des parents.

Dans le but d'aider les enfants, le livre appuie finalement des théories d'approche qui sont partout mises en valeur par l'emphase sur l'interaction des dynamismes individuels et collectifs.

Des vignettes cliniques illustrent graphiquement les succès et les échecs du travail.

Madeline Petrillo, R.N., M.Ed.
Sirgay Sanger, M.D.

Table des matières

IV

Introduction

Bien qu'aujourd'hui nous soyons très préoccupés par la réponse psychologique des enfants devant la maladie et l'hospitalisation, il est surprenant de noter la contradiction qui existe entre la théorie et la pratique dans le milieu hospitalier. En réalité, nos connaissances sont insuffisantes et nous devons encourager davantage la recherche. Mais, actuellement, nous croyons que le besoin le plus urgent est l'application des connaissances déjà existantes par ceux qui sont le plus impliqués dans le soin des malades.

À quelques exceptions près, les politiques et la routine de la majorité des unités pédiatriques de ce pays ont très peu évolué depuis plusieurs décades. Les recherches ont apporté des changements drastiques dans les soins physiques, mais n'ont eu que très peu d'influence sur les soins intégraux des malades. Notre philosophie générale est que seule une utilisation adéquate des connaissances disponibles, quant aux nombreux aspects du développement de l'enfant, peut rendre de grands services aux enfants qui, à l'occasion de la maladie, nous offrent l'avantage de regarder plus loin que la maladie actuelle et de voir à leur adaptation générale.

Les premières études du comportement étaient orientées vers la maladie. Aussi, les conclusions furent-elles présentées dans le langage de la pathologie plutôt qu'en termes d'adaptation. De façon très caractéristique, les théories exprimées dans le jargon psychiatrique étaient compréhensibles pour quelques personnes d'élite, mais n'atteignaient pas un vaste auditoire.

Quand l'enfant normal devint le sujet d'étude, la situation fut plus encourageante. Le personnel paramédical — infirmières, travailleurs sociaux, physiothérapeutes — reçut plus souvent des cours sur les sciences du comportement. Malgré tout, cet enseignement ne se reflétait pas dans les soins donnés aux enfants. Les théories ne se traduisaient pas encore par des techniques pratiques, applicables aux enfants hospitalisés. Le comportement des professionnels s'était peu modifié depuis qu'ils avaient reçu un enseignement spécifique sur le développement humain.

Des travailleurs spécialisés dans différentes disciplines, œuvrant indépendamment, ont tenté de promouvoir une approche par une vue d'ensemble de la conduite de l'enfant, mais ils ont trouvé difficile d'atteindre un changement durable sans l'appui important des collègues. D'autres, comme volontaires ou étudiants, ont obtenu du succès en travaillant d'une manière créative avec des enfants particuliers, mais ne réussirent qu'à créer une impression passagère sur le milieu. Par exemple, l'étude de Prugh et de ses collaborateurs sur les réactions émotionnelles des enfants et des familles devant l'hospitalisation, étude qui devait être considérée comme un classique, a été publiée dans l'*American Journal of Orthopsychiatry*, en janvier 1953, et est aujourd'hui complètement étrangère au personnel infirmier et médical. Dans ces circonstances, quelques malades seulement ont bénéficié d'une approche modifiée dans le soin des enfants.

Ce qui a fait défaut, c'est que le changement escompté dans la philosophie de base de la plupart des unités pédiatriques qui aurait pu influencer l'environnement entier des enfants hospitalisés ne s'est pas produit. Cette modification ne peut s'accomplir qu'avec un appui administratif.

Une transformation de l'environnement exige que le personnel permanent en pédiatrie, dans toutes les disciplines, soit informé de l'application d'une théorie, qu'il devienne sensible à l'idée qu'ont les enfants de l'hospitalisation et du traitement, qu'il développe des techniques de travail constructives et une habileté de communication avec les enfants et leurs familles, et qu'il utilise sa compréhension de la croissance et du développement de manière à identifier les problèmes présents avant l'hospitalisation aussi bien que ceux causés par la maladie. Spécifiquement, tous doivent savoir comment travailler auprès des enfants des différents groupes d'âge, comment expliquer les conditions médico-chirurgicales et le traitement. Ils doivent connaître des moyens d'aider les enfants à maîtriser le stress de l'hospitalisation et savoir reconnaître ce qui fait obstacle à une meilleure santé. D'après notre thèse, un professionnel en pédiatrie doit en connaître autant sur l'esprit que sur le corps.

Avec ces notions acquises, les membres du personnel pédiatrique deviennent des modèles de rôles qui sont capables d'indiquer aux nouveaux membres comment se comporter dans certaines situations. Ils indiquent la sorte d'approche appréciée et récompensée. En résumé, ils démontrent que les concepts de la santé mentale peuvent être appliqués tangiblement aux soins des enfants. D'ici là, nous verrons dans le traitement des malades la continuation des pratiques arbitraires et orientées vers la maladie.

Comment le retard entre notre compréhension et notre action peut-il être comblé, sinon en envisageant directement le problème? Ce livre est une tentative pour atteindre ce but, dans ce sens qu'il décrit un programme conçu en vue de créer un environnement thérapeutique pour le soin des enfants hospitalisés.

Genèse

Pour comprendre le programme actuel, il importe d'examiner son élaboration. Il s'est formé à partir de deux disciplines classiques — le nursing et la psychiatrie — et s'est développé en une entité distincte en même temps qu'il retenait quelques caractéristiques de base de chacune et se déployait pour inclure d'autres disciplines.

POINT DE VUE PERSONNEL DE L'INFIRMIÈRE-CONSULTANTE EN SANTÉ MENTALE

Mon intérêt pour les soins pédiatriques intégraux commença lors de mon expérience comme professeur en nursing pédiatrique. Pendant cette période, j'ai été frappée par la facilité avec laquelle je pouvais faire comprendre aux jeunes étudiants les besoins essentiels, tant physiques qu'émotionnels, des enfants hospitalisés. Dans le champ clinique, les étudiants démontraient de l'empressement et du talent dans l'application de la théorie. Cependant, il était évident qu'après leur départ, la pratique clinique retournait à l'emphase habituelle mise sur le traitement physique plutôt que sur les soins de l'enfant considéré comme un tout.

C'était décevant de constater que plusieurs de ces mêmes étudiants, retournant en pédiatrie comme nouveaux diplômés, ne fonctionnaient plus au même niveau. Au moment de leur rencontre initiale avec les enfants malades, c'est de leur instructeur que les étudiants recevaient orientation et assistance. Comme les étudiants obtenaient aussi des points pour leur habileté à atteindre les objectifs du cours, les valeurs du professeur prenaient donc plus de poids. Également, dans leur statut de nouveaux membres du personnel, ils rencontrèrent un système de valeurs différent — toutes ces valeurs étaient incontestablement importantes, mais l'efficacité des techniques de travail de même que les talents de direction et d'administration étaient prioritaires.

L'avancement professionnel et le bon accueil social constituaient la récompense tangible de ceux qui propageaient le système et perpétuaient les rôles établis. Dans ce contexte, une approche thérapeutique centrée sur l'enfant n'a pu progresser, non pas qu'elle fut manifestement découragée, mais simplement parce qu'elle n'était pas fortement considérée et qu'elle n'était pas encouragée.

Il m'apparut de plus en plus évident qu'un changement dans la façon de donner des soins à l'enfant ne se concrétiserait pas seulement en préparant un personnel enthousiaste et bien formé. Un changement devait avoir comme conséquence la création d'un nouvel environnement clinique de même que le développement, à tous les niveaux, d'un personnel pédiatrique permanent. Cela assurerait le maintien d'une atmosphère favorisant les soins compréhensifs tout en fournissant des modèles de rôles pour la formation de tout le personnel, nouveau et transitoire.

Bien qu'ayant une idée des moyens à prendre pour parvenir à ce changement, je n'imaginais pas pouvoir être moi-même l'agent de ce changement. Cela m'est venu plus tard, au cours de l'été de 1966, quand j'ai travaillé durant quelque temps à titre de surveillante clinique dans l'unité pédiatrique du « New York Hospital-Cornell Medical Center » en attendant de retourner, à l'automne, à une situation d'enseignante-consultante. Des études en santé mentale et en nursing psychiatrique m'ont amenée à être souvent appelée auprès des enfants dont le comportement était perturbé. En quelques semaines, le nombre de cas qui me furent soumis s'est tellement accru que je travaillais presque exclusivement avec ce groupe de malades. À mesure que les mois s'écoulaient, les membres du personnel en sont venus à dépendre de ce service pour s'occuper des malades et des parents qu'ils trouvaient ennuyeux. Plus tard, on m'a demandé de me joindre au personnel à titre de consultante en santé mentale, au service de nursing pédiatrique. En cette qualité, je suis devenue un membre de l'équipe ayant la possibilité de susciter des changements à partir de l'intérieur.

Le personnel infirmier a clairement établi que le besoin n'était pas dans la consultation pour savoir comment s'y prendre avec les enfants, mais plutôt le soulagement de l'exaspération que les malades « problèmes » provoquaient. Selon leur jugement, quelques enfants exigeaient de l'attention au-delà de leur aptitude à en fournir, et mon rôle était d'y pourvoir.

De cette façon, certains enfants étaient isolés pour des soins spéciaux par la consultante en santé mentale pendant que le personnel infirmier assumait la responsabilité de leur bien-être physique. Agissant sur le principe que quelqu'un commence où cela lui est permis, j'ai accepté cette orientation et j'ai travaillé indépendamment pendant plusieurs mois avec les malades qu'on m'envoyait.

Pour deux raisons, j'aurais pu tolérer indéfiniment ce compromis. Premièrement, la profonde satisfaction que j'éprouvais à travailler de cette façon était presque assez forte pour me détourner de mon but principal: motiver l'implication active du personnel dans un programme plus étendu. Deuxièmement, j'avais prévu qu'en allant au-delà du rôle qu'on m'avait assigné, cela précipiterait une résistance plus grande envers le travail en cours.

En effet, les difficultés commencèrent quand le point d'intérêt passa d'une méthode d'attaque du problème en période de crise à une méthode préventive. Le changement fut délicat et laborieux. Au début, même si le personnel manifestait peu d'intérêt, il fut régulièrement informé des progrès réalisés par les malades. De cette façon, tous les membres du personnel furent initiés aux concepts fondamentaux du travail auprès de chaque enfant. Progressivement, quelques infirmières commencèrent à incorporer des approches semblables et à copier les comportements observés et les façons de procéder avec l'enfant, sans en rappeler la source. Cela indiquait que le processus d'identification au nouveau rôle était commencé; mais ce n'était qu'un départ, très loin encore de l'intégration complète de nouvelles attitudes et d'un fonctionnement autonome.

Le chapitre premier décrit la rééducation du personnel qui conduit subséquemment aux soins des enfants par la méthode d'approche du milieu.

POINT DE VUE DU PERSONNEL SUR LA LIAISON ENFANT-PSYCHIATRE

Très vite, au cours de mes consultations pédiatriques routinières, je m'intéressai aux méthodes nouvelles de liaison. Les défauts dans la relation courante pédiatrie-psychiatrie étaient les suivants: les demandes de consultation venant du personnel pédiatrique étaient essentiellement faites pour se soulager des enfants fomentateurs de troubles. On tenait compte des seuls problèmes psychiatriques s'accompagnant d'importantes manifestations au niveau du comportement. Une atmosphère d'urgence entourait les demandes de consultation amenant ainsi un potentiel de friction entre les membres des services respectifs. Il existait une différence d'orientation entre les deux disciplines; le temps de la pédiatrie se définissait en termes d'heures, de jours et de semaines, tandis que celui de la psychiatrie s'échelonnait sur des semaines et des mois. L'application des méthodes préventives en santé mentale se résumait à un programme infirmier pilote qui s'élaborait depuis un an, mais qui demeurait inconnu aux autres membres du personnel. La plupart du temps, on laissait le syndrome se développer plutôt que de tenter de le prévenir et de le modifier.

En raison de leurs horaires chargés, les résidents et les pédiatres traitants étaient ordinairement intéressés à ce qu'un psychiatre voit l'enfant et remette un rapport. Ils affichaient, envers les problèmes psychiatriques, la même attitude qu'envers la physiothérapie et la radiothérapie. Ils n'étaient pas motivés à acquérir une compétence à faire des diagnostics et à élaborer une thérapie dans ce domaine. Par conséquent, au début, le personnel journellement présent auprès des enfants de personnalité différente a été le groupe le plus motivé et le plus intéressé dans le secteur préventif de la santé mentale. Ce personnel se composait d'infirmières, de jardinières, d'institutrices et de physiothérapeutes.

Il était évident que le travail individuel avec ces groupes, bien qu'il fût valable, serait rempli de répétitions et qu'il ne déboucherait pas sur un travail d'équipe dans l'exécution des soins auprès des enfants. L'infirmière-consultante en santé mentale représentait le groupe le plus important et elle occupait une position pivotante entre les médecins et les autres professionnels. Les discussions avec elle ont rapidement conduit à l'utilisation des concepts d'environnement et à l'intégration de tous ceux qui, dans l'hôpital, étaient liés d'une façon quelconque au soin des enfants. Même si le nursing et la psychiatrie utilisaient des méthodes préventives, celles-ci ne s'appliquaient pas à l'environnement. Il fallait donc que tous les membres de chaque discipline qui se heurtent à la personnalité de l'enfant s'engagent dans un programme global.

Les conférences subséquentes, grandes ou petites, qui furent tenues dans chaque unité pédiatrique étaient ouvertes à tous, sauf aux parents; occasionnellement, à mesure que les professionnels abandonnaient leurs prérogatives, les parents étaient aussi admis. Plusieurs surprises se dégagèrent de ces rencontres « démocratiques ». Quelques médecins étaient peu disposés à accepter des informations et des formulations des personnes non-médecins. La psychopathologie de la vie quotidienne était une notion étrangère pour à peu près tout le monde, de même que l'était l'application des facteurs culturels et familiaux à la compréhension des enfants particuliers.

Que la psychiatrie pût personnellement s'occuper du monde « normal » fut bien accueilli par quelques-uns et appréhendé par d'autres. Ces rencontres étaient les seules conférences non structurées et non stratifiées dans lesquelles les personnes de disciplines différentes pouvaient se parler d'égal à égal. Ces échanges avaient de fréquentes répercussions; souvent, il s'avérait difficile de s'occuper du cas d'un enfant particulier, parce qu'il y avait des conflits urgents entre les membres du personnel au sujet du diagnostic et de la manière d'agir avec les enfants, et des ressentiments personnels qu'évoquait le malade et qui se devaient d'être résolus.

Il existait d'évidentes tensions internes dans la pratique pédiatrique à l'intérieur de l'hôpital. Les jeunes médecins, imbus de leur science, se plaisaient dans leur position d'autorité et venaient souvent en conflit avec les infirmières qui devaient se débattre pour assumer une plus grande responsabilité dans l'exécution des ordres et dans l'exercice de leur idéal maternel. Les médecins paraissaient suridentifiés à une sorte de remède magique et affichaient une attitude de « la fin justifie les moyens », la fin étant ici la guérison. L'infirmière était identifiée à l'enfant victime de maladie et aux méthodes curatives souvent douloureuses, sans la reconnaissance ancillaire des médecins. Les jardinières, les institutrices, les aides-infirmières et les surveillantes, dont on avait négligé l'avis depuis des années, n'étaient pas habituées à communiquer leurs observations valables et leurs innovations aux professionnels dont le statut était plus élevé. Donc, quelques personnes travaillant auprès des enfants devaient « dégonfler » leur concept de rôle, d'autres devaient être revalorisées tant en elles-mêmes que dans leur travail. Un nouveau concept s'était établi: personne ne pouvait prétendre au mérite exclusif de l'amélioration des enfants. L'agitation suscitée par l'approche de l'environnement fit ressortir le besoin d'intégrer cette approche dans l'éducation et l'orientation de tous ceux qui travaillaient auprès des enfants.

En définitive, le but de cette philosophie était d'aller au-delà des méthodes préventives les plus progressives, de façon à diriger l'expérience de l'hospitalisation dans le sens de promouvoir et d'augmenter la maturité.

Chapitre 1

Rééducation du personnel en vue d'une approche de l'environnement

Le changement dans le milieu ne peut être accompli par une seule personne ni par une seule discipline. Pour provoquer des changements significatifs, on doit orienter l'attention de façon à influencer les attitudes de tout le personnel devant les besoins de l'enfant hospitalisé et sur les politiques qui déterminent la pratique des soins pédiatriques.

Durant les premiers mois de l'application de notre programme de santé mentale, nous ne travaillions pas en fonction d'une approche de l'environnement. L'attention était concentrée uniquement sur les enfants visiblement angoissés — ceux qui avaient manifestement régressé[1] — et qui occasionnaient des difficultés au personnel. Les écrits traitant de pédiatrie décrivaient l'hospitalisation comme stressante pour tous; mais en raison du nombre limité de malades qui pouvaient être vus en santé mentale par la consultante travaillant indépendamment, seules les situations les plus explosives étaient abordées.

L'expansion du programme en vue d'inclure un plus grand nombre d'enfants et de déplacer le foyer du traitement palliatif vers une approche préventive exigeait l'implication des infirmières. Elles jouèrent un rôle de premier plan pour déterminer l'environnement et les expériences auxquelles les ·enfants étaient exposés. En plus, sur une période de 24 heures, c'est le personnel infirmier qui était présent en plus grand nombre. Des cours sur la croissance et le développement de même que sur la façon d'agir devant les problèmes les plus fréquemment observés chez les enfants hospitalisés leur furent dispensés afin d'obtenir leur aide auprès des enfants difficiles. Comme résultat, leur capacité de déceler les malades ayant besoin de soins particuliers s'est accrue appréciablement, mais la situation n'a fait qu'accentuer le flot de demandes de consultations qui en découla.

Il était évident qu'on devait trouver d'autres ouvertures qui im-

---

[1]La régression est un retour à une ou des phases antérieures du développement comme l'énurésie, le langage de bébé, le geignement, suçer son pouce, se bercer, etc.

pliqueraient le personnel régulier. Le consentement des infirmières à faire appel à une consultante fut le premier pas. Cependant, pour rejoindre le nombre d'enfants et de familles ayant besoin d'aide et pour influencer durablement la philosophie des soins pédiatriques, il était essentiel de s'assurer la participation formelle du nursing. Aussi, dans un milieu où plusieurs professionnels se partagent la responsabilité du soin des enfants, il était important de planifier une acceptation plus étendue parmi les différents groupes paramédicaux.

L'occasion d'étendre le programme, de manière à inclure tous les malades sur une base préventive, s'est présentée à la suite d'un incident impliquant Paul, un enfant de 5 ans. Il avait déjà vécu plusieurs hospitalisations et subi la chirurgie, et, à chaque occasion, il devenait de plus en plus difficile à tenir. Sa réputation le précédait et l'anticipation de son arrivée provoquait la consternation. À sa dernière admission pour la correction d'une obstruction au col de la vessie et la réimplantation d'un uretère, son comportement postopératoire fut caractéristique. Il arracha ses perfusions, tira sur ses tubes de drainage urinaire, régurgita ses médicaments et eut recours à de fréquents accès de colère. Il démontrait une angoisse de séparation typique aux tout-petits. Peu après que sa mère eût décidé qu'elle pouvait, en toute tranquillité, le laisser pour un court temps, nous eûmes une requête demandant de l'aide pour cet enfant. Sa réaction était désorganisée, il invectivait l'infirmière harassée qui essayait de le distraire et il frappait avec bruit la porte de l'ascenseur. Le personnel, dans son cas, était impatient d'abdiquer ses responsabilités.

Au début, pour gagner la confiance du garçon, nous l'avons approché par la compassion plutôt que par la distraction. Nous l'avons encouragé à raconter ses problèmes, à verbaliser ses sentiments en regard de ce qu'il percevait comme un « abandon » de la part de sa mère (convenant qu'il lui était difficile de porter ce poids), à parler de sa mère — pourquoi elle était partie, où elle était, et combien de temps elle serait là; nous lui avons offert de rester avec lui, à sa place, jusqu'à son retour. Nous avons orienté nos efforts afin de l'assurer que nous comprenions ses sentiments et que nous les jugions importants. Il se calma et parla de sa famille, de sa maison, de ses amis et d'autres intérêts non reliés à l'hospitalisation. Peu après, il semblait heureux de ses nouvelles relations avec autrui.

Le fait que Paul commençait à répondre à cette approche devint évident peu après quand il demanda à uriner. D'abord, nous avons tenté de connaître ses impressions sur ce qui lui était arrivé, mais il demeura silencieux. On réitéra souvent au personnel l'importance d'aider l'enfant à verbaliser les fantasmes qu'il se crée de ses épreuves. On donne ainsi à l'enfant une chance d'acquérir une maîtrise de soi devant un secteur problème en exprimant ses pensées par des mots, et l'on fournit aussi une occasion de rétablir les faits réels. Dans le cas de Paul, la confusion était manifeste, encore qu'il ne pouvait pas en parler directement. En d'autres occasions, on lui avait dit le pourquoi des tubes de drainage, mais il ne semblait pas avoir très bien compris. Cette fois, l'explication lui fut donnée de façon audiovisuelle. On dessina la silhouette d'un corps incluant le système génito-urinaire. Cette séance fut suivi d'une explication simple de l'anatomie et de la physiologie, des malformations congénitales, de la correction chirurgicale, de la mise en place et du but des tubes. Plus spécifiquement dans son cas, nous nous sommes occupés des fantasmes de mutilation et de castration qui sont fréquents à la période du développement où se trouvait Paul. « Dans la phase phallique... quelle que soit la partie du corps opérée, elle tiendra, par déplacement, le rôle de la partie génitale mutilée[2]. » On procéda par des répétitions enjouées pour clarifier sa compréhension dans ce domaine. « C'est ici que se trouve ton opération, juste ici sur ton ventre. Aucune autre partie de ton corps n'a été opérée. » (Ensuite, montrant les parties du corps) « pas ta tête, pas tes oreilles, pas tes yeux, ni ton nez et ta bouche, pas tes bras ni ta poitrine, pas ton pénis, ni tes jambes, tes pieds ou tes orteils ».

On profita de l'occasion pour donner à Paul une poupée rembourrée sur laquelle il plaça, avec notre aide, des tubes et des bandages dans les régions appropriées à son genre de chirurgie. Subséquemment, on l'aida à prétendre administrer des médicaments (oraux et intramusculaires) à cette poupée et à effectuer les autres opérations faisant partie de son traitement.

La réaction de Paul fut saisissante; il devint coopératif dans ses traitements, accepta le personnel et fut intéressé au jeu. Ce changement de comportement devint le sujet de la conférence d'équipe du nursing le lendemain. L'unanimité se fit autour du fait que les difficultés de Paul résultaient de traumatismes d'hospitalisations antérieures et que beaucoup de ses troubles auraient pu être prévenus si on avait appliqué la nouvelle approche lors de sa première admission. Alors, les infirmières proposèrent que chaque malade pourrait profiter de méthodes d'approche similaires de la part du personnel infirmier; i.e., en rationnalisant le traitement à l'enfant, en lui témoignant de la chaleur humaine et en lui parlant de ses expériences comme un moyen de surmonter la peur. Le personnel se sentit alors activement impliqué. Un changement marqué apparut dans les activités de soins à l'enfant sur une large échelle à travers toute l'unité de soins.

---

[2]Freud, A.: The role of bodily illness in the mental life of children. In Eissler, R., et al. (éds.): The Psychoanalytic Study of the Child. Vol. 7, pp. 74-75, New York, International Universities Press, 1952.

Une fois, les infirmières elles-mêmes démontrèrent comment elles pourraient contribuer. L'intérêt étant à son comble, il était important d'établir rapidement un programme. Plusieurs conférences furent données afin de déterminer la façon de procéder. En premier lieu, en raison de leur expérience avec Paul, l'attention fut dirigée essentiellement vers la préparation des enfants à la chirurgie urologique. On a tenu compte des besoins spéciaux d'enseignement à un groupe d'âge spécifique — le développement intellectuel et émotionnel de l'enfant, les fantasmes, les préoccupations et la sorte d'explications nécessaires dans un problème médical ou chirurgical particulier. Au début, le nombre de malades et le genre de problèmes considérés furent intentionnellement limités dans le but de permettre le développement des connaissances et d'obtenir plus de satisfaction.

Chaque malade nouvellement admis devenait la responsabilité d'une seule infirmière dont l'horaire de travail lui permettait d'en prendre soin pendant plusieurs jours consécutifs et ainsi parvenir à le bien connaître. Pour se préparer à cette fonction, chaque participante revoyait tous les traitements que l'enfant devait subir et traçait un plan de la marche à suivre. Elle recevait alors de l'aide pour présenter la matière à l'enfant et la lui expliquer.

La surveillance constante et l'appui accordés aux infirmières, au début, se sont avérés efficaces pour diminuer l'anxiété éprouvée devant les sentiments négatifs et les fantasmes (reliés à l'abandon, à la mutilation et à la mort). La signification de la maladie pour les enfants et leurs réponses variées devant les menaces de l'hospitalisation furent les sujets de nombreuses conférences individuelles et collectives. La compréhension dans ces secteurs a accru la tolérance des membres du personnel devant les comportements difficiles, les a aidés à maintenir l'objectivité et leur a enseigné à ne pas présumer de l'acceptation facile des traitements par l'enfant.

Quand les infirmières se sentirent à l'aise dans cette approche, elles permirent aux parents d'assister et de participer aux séances réelles (voir chapitre 4). À mesure que le personnel devenait plus expérimenté et satisfait de ses progrès, le programme fut étendu de manière à inclure une variété de problèmes génito-urinaires. En moins d'un mois, les nouvelles du travail se propagèrent et des requêtes nous arrivèrent de quelques médecins traitants et d'infirmières d'autres unités demandant de l'aide pour la préparation des enfants à plusieurs pratiques chirurgicales différentes.

Il fut plus facile à ce stade de diriger des classes d'orientation permanentes pour l'unité entière. Le personnel de la radiologie, des soins intensifs, des salles d'opération et de recouvrement, secteurs où nous avions besoin d'appui et de coopération afin de continuer notre étroite relation avec les enfants, fut inclus dans ces séances d'orientation. L'étroite supervision clinique des nouveaux participants était encore praticable parce qu'il était possible de compter sur l'aide du personnel plus expérimenté. À l'occasion, l'enseignement était dispensé par des étudiants en médecine, des pédiatres, des chirurgiens et des thérapeutes en récréation qui s'intéressaient au sujet. Cependant, le groupe des infirmières était mieux placé pour offrir logiquement cet aspect du programme et il demeura de sa compétence.

Au départ, le programme était mal exploité. Jamais on n'avait eu l'intention d'inclure des expériences que l'enfant ne vivait pas concrètement; par exemple, aucun détail de la salle d'opération et des pratiques opératoires n'était inclus. Très souvent les informations sur l'aspiration, les tubes endotrachéaux et l'équipement d'écoute et de contrôle étaient exclus parce que l'accessoire était trop provocateur. Malheureusement, les sujets supprimés devinrent les préoccupations de nos malades. Quand on demandait aux enfants de raconter leurs expériences, soit par la parole, l'écriture ou le dessin, les thèmes concernaient souvent les secteurs inexpliqués ainsi que leurs craintes, leur confusion et leur colère d'avoir été déçus. Il était clair que nous n'aidions pas les enfants en les protégeant de l'inévitable. Toute omission dans l'information signifiait qu'on leur laissait assumer tout le fardeau. Cela indiquait que les cas se devaient d'être présentés, sous une forme atténuée, de manière à ce qu'ils puissent être envisagés avec moins d'anxiété, d'imminence et de surprise.

Quelques enfants étaient effrayés au point de ne pouvoir répondre immédiatement à l'enseignement ou le rejetaient d'un bloc. Cela était essentiellement vrai pour ceux qui n'avaient pas été préparés par leurs parents avant l'admission. La perspective de demeurer à l'hôpital était déjà suffisamment alarmante. Pour ceux-là, la meilleure présentation consistait à parler des nombreux autres enfants hospitalisés avec eux — les raisons de leur admission, leur traitement et l'équipement utilisé pour leurs soins. Ainsi, il était possible d'aborder indirectement les secteurs pertinents. De plus, beaucoup de l'information essentielle était transmise à travers le jeu et à l'aide de poupées, permettant aux enfants de jouer le rôle des médecins et des infirmières. Ils devenaient « les responsables des soins » plutôt que les « victimes ».

Une des difficultés majeures fut de trouver le temps pour travailler avec l'enfant avant que les traitements prescrits ne prennent effet. Pour les traitements mineurs (du point de vue médical, non celui de l'enfant), les aspects essentiels de la pratique pouvaient être couverts, même quand l'enfant était admis dans l'après-midi précédant l'événement. Le temps n'était pas suffisant cependant pour permettre l'adaptation à l'hôpital ou pour réfléchir aux questions à poser sur les indications données.

Pour les interventions compliquées comme la chirurgie cardiaque, la matière ne pouvait pas être expliquée d'une manière concentrée; il y en avait trop et il aurait fallu l'expliquer trop rapidement, ce qui aurait été accablant pour le malade. Les enfants ayant aussi besoin de préparation physique intensive, il existait beaucoup de concurrence entre les médecins et les techniciens d'autres unités — radiologie, hématologie et cardiologie. Par conséquent, il était nécessaire d'expliquer aux pédiatres et aux chirurgiens l'importance de disposer d'un temps suffisant pour la préparation des malades et de gagner leur coopération pour qu'ils admettent les malades plus tôt.

Après plusieurs révisions et essais, un guide pour l'enseignement aux enfants de tous les âges fut fourni. Il contenait des indications spécifiques relatives à la méthode d'approche des groupes d'âge variés, quand commencer l'enseignement, le contenu à couvrir, la quantité d'informations recommandée pour une session, des explications concrètes et la terminologie de chaque intervention.

Au fur et à mesure que se développait notre programme, nous avons adopté un attrayant jeu de silhouettes corporelles et nous avons fourni nombre d'instruments mettant en valeur nos efforts. Des poupées malades (mâles et femelles, vêtues en Jeannot) furent confectionnées pour nous par les bénévoles et des maquettes de l'équipement le plus souvent utilisé furent construites (voir chapitre 6).

Pendant la première année, les plus grands progrès dans la rééducation du personnel furent réalisés dans plusieurs secteurs qui opposaient le moins de résistance. Au début, la répartition du temps et des énergies était inégale et cela était intentionnel. Les secteurs où le personnel était désintéressé et hostile furent temporairement évités. Cependant, le temps et la mobilité du personnel (un heureux mélange) ont éventuellement amené les membres d'autres étages, jusque-là indifférents, à participer.

Quelques membres du personnel se plaignirent que leurs malades avaient été négligés par l'équipe de santé mentale; cela indiquait clairement qu'ils étaient prêts à participer au programme. Le fait se produisait quand les infirmières étaient déjà persuadées de l'importance de la nouvelle approche. Conséquemment, cette attitude contribua grandement au succès de leur participation. Plusieurs de nos infirmières affirmèrent qu'elles avaient été encouragées en observant les succès remportés par des collègues travaillant auprès des enfants. Elles furent impressionnées par les démonstrations concrètes de techniques et par la discussion des principes impliqués. Étudiantes, elles s'étaient entendu répéter combien il importait de soutenir les enfants et leurs familles et de les aider à surmonter les expériences difficiles. Toutefois, on ne leur avait pas enseigné comment le faire et elles ne l'avaient pas vu faire non plus.

D'autres furent convaincues par les excellents et fréquents résultats ainsi atteints. Les enfants démontrèrent une plus grande acceptation des membres du personnel, la capacité de participer aux traitements et plus d'aisance dans l'expression de leurs sentiments. Il y avait moins de préoccupations pour les pratiques thérapeutiques et la maladie, une plus grande aptitude de socialisation et d'intérêt au jeu et plus de tolérance devant une période raisonnable de séparation d'avec les parents. Le processus d'adaptation des malades chroniques souvent hospitalisés devint plus facile parce qu'ils avaient déjà maîtrisé plusieurs des craintes que présente l'hospitalisation.

RÉSISTANCE

Il aurait été renversant de voir s'établir et se développer le programme sans opposition. La résistance se manifesta sous plusieurs formes. Au commencement, tant que la consultante en santé mentale travailla indépendamment, il y eut peu d'opposition. Bien entendu quelques-uns commentèrent en termes de dénigrement le besoin d'un service de santé mentale, mais cette attitude fut en grande partie compensée par ceux qui se montrèrent franchement satisfaits de l'aide obtenue. Le personnel infirmier démontra un ressentiment plus évident encore quand on lui demanda un essai de participation franche pour s'occuper des enfants qui présentaient des problèmes de comportement. De l'animosité fut aussi manifestée en réponse à la suggestion que beaucoup de comportements régressifs et de problèmes disciplinaires pourraient être éliminés ou modifiés par les membres du personnel eux-mêmes. L'excuse classique invoquée était celle-ci: comment pouvait-on espérer que les infirmières assument de telles fonctions quand déjà la tension du travail était énorme?

Bien qu'on ne les obligeât jamais à assumer des rôles qu'elles refusaient, on s'efforça de les influencer indirectement. Cependant, quelques infirmières ne pouvaient pas tolérer cette nouvelle approche, même si elles n'y étaient pas activement engagées. Donc, elles résignèrent leur fonction. Ces démissions furent contrebalancées par l'adhésion d'autres infirmières particulièrement intéressées à apprendre de nouvelles techniques pédiatriques.

Plusieurs enfants vus en santé mentale marquèrent le point de départ des premières manifestations d'opposition. Un exemple se rapporte à un enfant de 9 ans, Mario. Il fut admis pour de multiples opérations en vue de corriger des difformités faciales. Avant son admission et au début de son hospitalisation, il manifesta une grave perturbation émotionnelle. Il était intenable, physiquement et socialement repoussant pour la plupart, quand il nous fut envoyé. Il a été possible, au cours d'une période de cinq mois, de gagner sa confiance et de l'aider à modifier son comportement selon des normes plus acceptables. Comparativement à son comportement antérieur, il contrôlait remarquablement sa violence et pouvait verbaliser ses sentiments et différer un plaisir immédiat. Son revirement entraîna des répercussions malheureuses. Alors qu'à l'origine le plan de travail élaboré pour cet enfant rencontrait l'assentiment du personnel médical et infirmier, son amélioration provoqua de la résistance ouverte. Sans discussion préalable, on ordonna un changement d'attitude envers lui. Des ressources particulières et des activités aidant à ses soins furent éliminées. En plus, il fut exposé à plusieurs incidents provocateurs de nature à briser la maîtrise nouvellement acquise.

La situation était analogue du côté des membres de la famille et cela mettait obstacle au progrès de la thérapie — par exemple, le personnel de l'hôpital prenant le parti des membres de la famille. Le personnel était peu disposé à accepter le changement évident chez Mario. Pendant quelque temps, il avait été un utile bouc-émissaire; et comme c'est souvent le cas dans le traitement des enfants perturbés, la famille était peu disposée à abandonner les satisfactions provenant du comportement négatif de l'enfant. On voit souvent les parents tenter de dévaloriser la thérapeute ou l'agent du changement en s'opposant à ses initiatives. On observait une attitude similaire de la part du personnel.

Dans le cas de Mario, il fut possible de contourner la situation en recrutant l'aide des membres du personnel qui comprenaient les dynamismes et qui acceptaient de partager la responsabilité de ses soins. Cependant, dans les autres cas où l'aide ne s'annonçait pas, il fallut abandonner le travail avec les enfants plutôt que d'augmenter la résistance du personnel, la tension chez l'enfant ou de compromettre davantage le programme (voir l'histoire de Catherine, chapitre 8).

La plus sérieuse résistance vint du personnel médical. Au début, aucun effort organisé ne fut fait pour l'inclure dans le programme, si ce n'est au niveau administratif. Nous avions espéré que l'appui acquis au sein du groupe infirmier influencerait favorablement le corps médical et qu'un psychiatre se joindrait au programme. Cette stratégie entraîna les résultats escomptés. Chaque fois que les infirmières recevaient des commentaires dérogatoires sur la « futilité » du travail de la consultante en santé mentale ou sur son ingérence dans les soins médicaux, elles firent valoir l'intégralité des soins et leur conformité aux buts médicaux. Déjà, pendant la montée de l'opposition, un petit nombre d'infirmières, de médecins traitants et de pédiatres résidents défendaient le programme. Ils furent prompts à saisir l'utilité des changements pour aider les enfants et les parents pendant les périodes de crises.

Cependant, longtemps après que les principes préventifs de santé mentale eurent été introduits dans le programme, les plus sérieuses résistances étaient encore à venir. Elles commencèrent de plein fouet quand le programme, encore une fois, subit un changement de point de mire; il passa d'une approche préventive à une approche ambiante. Avec la venue du psychiatre de liaison, des conférences multidisciplinaires centrées sur le malade furent instituées et eurent comme conséquences d'exposer des points de vue divergents et des difficultés fondamentales dans les relations de travail.

Durant plusieurs mois, contrairement à ce que laissaient prévoir les rôles traditionnels, les infirmières se révélèrent des participantes confiantes, intelligentes et capables de communications verbales. Elles perdirent leur réticence habituelle à présenter des idées et revendiquèrent fièrement les résultats et la créance de leur travail. Les parents partageaient cette façon de voir et ils accordaient un éloge enthousiaste aux infirmières quand ils discutaient de leurs enfants avec le personnel médical.

La tension s'accrut parmi un groupe restreint, mais actif, de médecins résidents qui refusaient de reconnaître le rôle élargi des infirmières dans l'aspect psycho-social des soins aux malades. Ils accusèrent les infirmières de vouloir tout prendre à leur charge, de s'opposer à l'autorité des médecins. Les infirmières réfractères au changement les encouragèrent dans ce sens. Ensemble, ils persuadèrent un nombre de pédiatres ayant déjà accepté le programme de retirer leur appui. Cette phase de résistance fut très préjudiciable car elle influençait le traitement de plusieurs malades couramment sujets à controverse (voir les histoires de Serge et de Michel, chapitre 8), polarisait les groupes et affaiblissait l'influence de la nouvelle équipe de santé mentale formée par l'infirmière en santé mentale et le psychiatre de liaison.

Le secteur délaissé de la pédiatrie commença à devenir intéressant et, une fois les techniques développées, il fonctionna bien. Cependant, les médecins saisirent la contribution des autres au traitement psychosomatique des malades comme une perte de contrôle sur les soins médicaux; et l'appréciation croissante des facteurs psychosociaux fut perçue comme une dévalorisation de leur propre travail sur le plan des soins physiques. Ils cherchèrent alors à discréditer l'autorité de l'équipe de santé mentale et, de ce fait, minimisèrent l'importance du secteur dans lequel ils se sentaient menacés.

L'équipe de santé mentale prit conscience qu'elle travaillait dans une institution semblable à beaucoup d'autres où les innovateurs sont perçus comme des personnes essayant d'acquérir de la puissance aux dépens des autres. L'équipe constata aussi qu'un changement dans le comportement d'une discipline (nursing) était voué à affecter sa relation avec tout autre groupe qui lui était étroitement relié — comme le traitement d'un membre provoque un mouvement opposé dans toute la famille.

Il y avait danger que la discorde dans les relations de travail, consécutive à la croissance professionnelle des infirmières, entraîne la dissolution du programme, néanmoins des énergies se déployaient pour l'aider. Les deux administrations, médicale et infirmière, donnaient leur appui. Quelques pédiatres persuadèrent leurs collègues récalcitrants de l'apport intégral du personnel paramédical aux soins complets.

Par ailleurs, les infirmières se groupèrent pour réaffirmer leur confiance dans le programme et pour appuyer sa continuation.

Bien que le programme soit maintenant en opération, cela ne signifie pas qu'on doive le prendre pour acquis. Tant que les professionnels ne seront pas préparés dans leur éducation de base à penser en termes de soins intégraux, l'approche par l'environnement aura sans cesse à lutter pour sa survie. Paradoxallement, elle est plus en danger quand elle réussit car elle s'expose à l'envie et à la crainte qui mènent à la résistance.

Chapitre 2

Une connaissance active de l'enfance

Le défi, dans les soins aux enfants, consiste à prendre conscience de chaque enfant ainsi que de toutes les actions et théories valables des 75 dernières années, afin de réaliser une synthèse qu'on pourrait appeler évaluation souple du développement.

On ne peut pas tout savoir au sujet de l'enfant. L'observation, l'histoire et l'entrevue fournissent seulement une partie de l'image; ce sont les premières données. Il est possible de parvenir à une « esquisse » d'ensemble plus complète d'un individu quand les données sont expliquées dans le contexte de l'expérience et des connaissances théoriques.

La connaissance générale agit de deux façons: elle nous indique ce que nous devons chercher et nous aide à comprendre ce que nous avons trouvé. Les différentes théories exposées dans ce chapitre, additionnées à l'expérience clinique acquise avec le temps, apporteront les connaissances générales structurées, nécessaires aux professionnels. L'expérience non structurée, bien que fascinante, peut mener au chaos. Les connaissances théoriques, seules, peuvent devenir monotones et vides. Quand la théorie et l'expérience se combinent, il existe une plus grande possibilité d'une évaluation créative et progressive des enfants.

Dans les chapitres ultérieurs, nous verrons que cette combinaison est une des composantes de base qui influence cette nouvelle méthode de travail auprès des enfants, méthode qui consiste à tenir compte de l'environnement de chacun.

Plusieurs théories importantes sur la croissance et le développement sont exposées dans les pages suivantes. Sont aussi présentées les amorces d'une approche de base structurée des enfants de différents âges. La bibliographie contient les critiques et les écrits les plus récents des théoriciens. Cependant, aucun résumé ne peut rendre justice à la riche matière théorique et clinique que le lecteur retirera de ce chapitre.

La première année

POINTS DE REPÈRE DU DÉVELOPPEMENT MATURATION DU SYSTÈME NERVEUX CENTRAL (Gesell)	INTERRELATION DES THÉORIES DES SYSTÈMES ET DE L'ESPACE (Spitz, Escalona, Sander)	ÉTAPES DU DÉVELOPPEMENT INTELLECTUEL (Piaget)
1 jour à 1 mois Réagit au bruit de la sonnette; couché sur le ventre, fait des mouvements de reptation. 1 mois Suit un objet d'un côté de la position médiane; émet plusieurs vocalises, ferme son poing; réflexe tonique du cou. 2 mois Commence à sourire aux visages familiers, suit des yeux un objet ou une personne qui se déplacent, réflexes transitoires de Moro, suce, saisit. 4 mois Commence un mouvement de préhension dirigé vers l'objet qu'il veut saisir. 5 mois Se retourne sur lui-même. 6-8 mois Préhension palmaire; s'asseoit, se traîne. 9 mois Joue à jeter des objets par terre. 10 mois Saisit comme avec une pince. 10-14 mois Marche, sait 3 à 4 mots.	Quand le bébé envoie un message à sa mère (cris de détresse), la réponse de celle-ci est-elle adéquate? On peut appeler cela le degré d'ajustement entre la mère et l'enfant. Développement d'une communication réciproque entre la mère et l'enfant; v.g., synchronisme du sommeil, nourriture, élimination — entre la mère et le bébé. Dans les premiers mois, le bébé démontre progressivement plus d'initiative dans l'expression de ses besoins. Avec le temps, l'intensité dans l'expression des besoins de l'enfant s'accroît.	Étape sensori-motrice de la naissance à 2 ans 1. Sous-étape du réflexe néo-natal: le bébé, à sa naissance, n'a aucune conscience d'exister en tant qu'être différencié, il est équipé de réflexes grâce auxquels il agit sans penser. 2. Sous-étape « primaire circulaire »: il y a répétition des actes simples. 3. Sous-étape « secondaire circulaire »: il y a répétition des actes qui influencent un objet; les actions se font de mémoire; l'enfant apprend à organiser le monde autour d'images globales aisément reconnaissables.

La première année

TÂCHES OU CRISES PSYCHOSOCIALES (Erikson)	DIFFÉRENCES INDIVIDUELLES (Chess)	ÉTAPES PSYCHOSEXUELLES (Sigmund Freud)
Confiance ou méfiance fondamentale: pendant la première année, le bébé acquiert la certitude que ses besoins seront comblés et devient confiant, un sentiment de sécurité s'établit alors. Quand les besoins sont contentés de manière stable, l'anticipation de la satisfaction apparaît: l'optimisme en est le résultat; quand l'enfant anticipe de la frustration, il devient pessimiste à l'égard du monde.	Vers 3 mois, il est possible d'établir des différences dans l'activité et le tempérament qui ne changent pas pendant les quelques années qui suivent. Les 9 différences sont: actif/passif régularité/irrégularité du rythme intensité du mouvement (faible/fort) rapprochement/retrait adaptation/mésadaptation réponse au stimulus faible/forte humeur positive/négative sélectivité forte/faible, courte portée d'attention, obstination irritabilité faible/forte Certaines combinaisons sont mauvaises; v.g. passivité, acharnement intense ou retrait et défaut d'adaptation. D'autres combinaisons sont bonnes; v.g., humeur positive, forte adaptation et solide approche.	L'enfant veut sa mère et craint que sa perte n'entraîne l'insatisfaction de ses besoins et cela augmente la tension. La mère donne de la satisfaction et abaisse la tension. De la naissance à 18 mois (étape du nourrisson), c'est le stade oral. Cela inclus les réponses respiratoires, sensorielles et kinesthésiques. Le mode de relation est « incorporatif ». Avec une bonne mère, les énergies du bébé en convergence vers le moi décroissent progressivement et sont de plus en plus dirigées vers la mère. La menace de perdre la mère provoque l'accroissement de la tension chez l'enfant laissé sans l'objet (mère) vers qui il a dirigé toutes ses énergies. C'est de l'anxiété primaire. L'imitation, l'évitement et la négation sont les défenses qu'utilisent les nourrissons et les tout-petits.

La première année

PSYCHOLOGIE DU MOI (Anna Freud *et al.*)	LIGNES D'ADAPTATION RELATIVES AU DÉVELOPPEMENT ENTRE LE MOI ET L'INSTINCT (Anna Freud)
0-3 mois Autisme normal: entièrement absorbé en lui-même sans conscience du monde extérieur. 4-18 mois Étape symbiotique (Mahler); la mère est perçue comme un prolongement du corps de l'enfant et de ses besoins (et vice versa). 6-10 mois Anxiété devant l'étranger; cela démontre que l'enfant peut faire la différence entre l'objet symbiotique (mère) et tous les autres. 8-24 mois Angoisse de séparation: n'aime pas perdre sa mère de vue; débuts de transposition d'objets (Winnicott) — représentant partiellement la mère, partiellement lui-même (v.g., un animal ou une couverture de sécurité).	A. De la dépendance à l'indépendance émotionnelle et les rapports avec les adultes Pendant la 1re année, il existe une unité biologique avec la mère; par la suite cette symbiose évolue vers la séparation et l'individualisation. B. De la dépendance à l'indépendance corporelle 1. Peut présenter des difficultés pour l'alimentation et la réalisation d'un synchronisme avec la mère; v.g., la privation orale peut être consécutive à un sevrage brusque et s'accompagner d'un rejet de nourriture nouvelle. Vers la fin de la 1re année, l'enfant commence à s'alimenter seul. 2. Aucun contrôle vésical ou intestinal. 3. Aucune responsabilité pour les soins de son corps — la mère fait tout; les sentiments positifs qu'il éprouve face à son propre corps empêche le bébé de s'auto-mutiler. 4. Le nourrisson est totalement égocentrique (égoïste ou narcissique); les autres personnes dérangent les rapports du bébé avec la mère et sont considérées comme des objets inanimés. 5. Le corps du nourrisson est une source d'orientation et de jeu; v.g., intérêt pour les sensations de la bouche et de la peau chez lui-même et la mère. Les objets de transition commencent à cette étape.

Un an à trois ans et demi

POINTS DE REPÈRE DU DÉVELOPPEMENT MATURATION DU SYSTÈME NERVEUX CENTRAL (Gesell)	INTERRELATION DES THÉORIES DES SYSTÈMES ET DE L'ESPACE (Bowlby, Lorenz)	ÉTAPES DU DÉVELOPPEMENT INTELLECTUEL (Piaget)
1½ an Tour de 2 cubes; griffonnage avec un crayon; connaît 10 mots; peut être entraîné pour contrôle intestinal. 2 ans Tour de 6 cubes. 2½ ans Phrases de 3 mots; peut nommer 6 parties de son corps; les pronoms. 3 ans Se promène en tricycle; copie des 0; assortit 4 couleurs. 3½ ans Se parle à lui-même et aux autres; fait plusieurs choses tour à tour; marche sur une ligne droite.	La mère est le centre et la presque totalité des expériences du bébé. Elle est, par la somme de toutes ses sensations, l'aliment essentiel du développement mental. L'angoisse de l'étranger, à 24 mois, coïncide avec le niveau d'adaptation à la mère. L'agression est le contraire de l'attachement et doit être découragée et non punie. L'agression est accentuée par l'exemple de la mère ou un sevrage brusque.	À 2 ans, l'enfant procède par essais et erreurs. Il a une organisation sensori-motrice relativement cohérente. L'enfant apprend que certaines actions ont des effets spécifiques sur l'environnement. Les activités symboliques commencent. Il reconnaît la constance des objets extérieurs. Le monde est représenté élémentairement. Les symboles et les personnes tiennent lieu d'objets. Les pensées égocentriques prédominent. (L'enfant rapporte tout à lui-même; v.g., si la mère part, c'est à cause de ce qu'il a fait.)

Un an à trois ans et demi

TÂCHES OU CRISES PSYCHOSOCIALES (Erikson)	ÉTAPES PSYCHOSEXUELLES (Sigmund Freud)	PSYCHOLOGIE DU MOI (Anna Freud et al.)
Vers l'âge de 3¹/₂ ans, il s'établit, sur la base de l'adaptation antérieure, une attitude générale d'initiative illustrée par — « Je suis ce que je pense être ». Tout effort est précédé de jeu fantaisiste. L'échec, à ce stade, est démontré par une hésitation coupable à explorer, par le doute, par le sentiment d'inutilité.	De 1¹/₂ an à 3¹/₂ ans, c'est le stade anal et urétral. Ses modes sont l'élimination et la rétention. Les muscles sont utilisés pour exprimer le contrôle et l'inhibition. Les sentiments sont déplacés sur les objets ou les symboles, et projetés sur les autres; v.g., « Si je me sens comme cela, les autres doivent se sentir de même ».	De 12 à 28 mois, le nourrisson et le tout-petit traversent la phase de séparation-individualisation (Mahler). On observe cela quand l'enfant mange seul, entre 17 et 30 mois. C'est l'apogée du syndrome d'opposition (assurance dans l'apprentissage de différenciation de l'enfant d'avec sa mère [Levy]. De 2 à 3 ans, il y a salissage, exploration, jeu de comparaison, plaisir à voir et à être vu. Vers 3 ans environ, il commence à avoir un concept de soi. La conscience initiale apparaît, par l'identification avec les parents. La discipline, le dégoût, la masturbation et la curiosité sont des expressions de l'instinct du développement. Il y a aussi le jeu coopératif, jeu fantaisiste et compagnons de jeu imaginaires basés sur la façon magique de penser (que les choses arrivent quand elles sont désirées).

Un an à trois ans et demi

LIGNES D'ADAPTATION RELATIVES AU DÉVELOPPEMENT ENTRE LE MOI ET L'INSTINCT
(Anna Freud)

A. De la 2e à la 4e année, la mère était l'objet essentiel de la relation, à cause des besoins de l'enfant. Vers la 3e année, l'enfant se fait une représentation mentale constante de la mère sans égard à son absence ou au manque de gratification. L'enfant agit comme s'il se rappelait, si elle lui manquait et s'il doutait de son retour. Vers la fin de la 3e année, l'étape d'ambivalence est marquée par l'alternance de l'amour et de la haine, de l'attachement excessif et de la méfiance (étape anale-préoedipienne).

B. 1. Même si l'enfant mange seul, la nourriture constitue le champ de bataille de la différenciation d'avec la mère — (« bataille de la cuillère » Levy). Il y a appétit insatiable de sucreries, marotte de nourriture ou refus de nourriture qui sont toujours dirigés vers la mère.

2. Les produits de son corps, ressentis comme sa propre création, deviennent investis d'énergie sexuelle et agressive. Il y a balancement entre l'amour et la haine, la curiosité et l'indifférence, l'ingestion et l'évacuation. Les pulsions instinctuelles de la zone orale à la zone anale conduisent à un comportement de plus en plus contradictoire (entêtement).

3. Avec l'affirmation du moi et la conscience de la cause et des effets, le corps est protégé et les désirs dangereux sont maîtrisés par le principe de la réalité; v.g., le feu, les hauteurs, l'eau sont des faits qui doivent être respectés.

4. De 1 an à 3½ ans, le tout-petit voit les autres personnes comme des moyens de réaliser ses désirs. Vers 4 ans, ces mêmes personnes deviennent des partenaires et des objets de sa propriété — qu'il doit craindre et admirer. En même temps, les premières amitiés commencent.

5. Progressivement, le tout-petit détourne son attention exclusive de son corps et va de l'objet de transposition vers d'autres objets inanimés qu'il traite avec amour et haine et qu'il investit d'énergie sexuelle et agressive.

Trois ans et demi à six ans et demi (âge préscolaire)

POINTS DE REPÈRE DU DÉVELOPPEMENT (Gesell)	ÉTAPES DU DÉVELOPPEMENT INTELLECTUEL (Piaget)	ÉTAPES PSYCHOSEXUELLES (Sigmund Freud)
4 ans Reproduit des X; lance; commence l'orientation gauche-droite. 4½ ans Reproduit des ▢. 5 ans Reproduit des △ ; fait des nœuds dans une corde. 6 ans Écrit son nom; boucle ses souliers; exécute des analogies fonctionnelles individuelles; conduit une bicyclette; reproduit des ◇ .	On appelle « préopérationnel » ou « préconceptuel », le stade entre 3 et 7 ans. La pensée est intuitive, prélogique (magique). Ici débutent les premières tentatives, relativement non organisées et maladroites, pour saisir le monde nouveau et étrange des symboles. La pensée est encore égocentrique — les conclusions sont fondées sur les sentiments ou sur ce que l'enfant aimerait croire.	4 ans — la phase phallique (loco-motrice). Manières intrusives et indiscrètes — la capacité, les prouesses et la domination. Le complexe d'Oedipe constitue la dernière étape. À ce stade, l'enfant aime le parent de sexe opposé et tend à se détourner du parent du même sexe. Il craint la castration de la part du parent du même sexe. Cela conduit à la répression des premiers désirs oedipiens. Sentiments ambivalents envers les deux parents. Il renonce donc à l'objet hétérosexuel incestueux et, plus tard, il recherche quelqu'un ressemblant au parent du sexe opposé (survient normalement après l'âge de 6 ans).

Trois ans et demi à six ans et demi (âge préscolaire)

PSYCHOLOGIE DU MOI (Anna Freud)	LIGNES D'ADAPTATION RELATIVES AU DÉVELOPPEMENT ENTRE LE MOI ET L'INSTINCT (Anna Freud)
4 ans La maîtrise est très importante comme le démontre les tâches de réalisation; les pensées magiques décroissent; la rivalité persiste avec le parent du même sexe.	A. Phase phallique (4 à 5 ans) Plus rapproché des véritables rapports mutuels, quoique souhaite encore des droits exclusifs avec chaque parent; l'angoisse de castration est à son apogée; est exibitionniste.
5 ans Suit les règles; type de jeu qui précède la période de latence et qui ouvre la voie au jeu de la période de latence où les habiletés comptent.	B. Vers l'indépendance corporelle 1. 4½ ans à 6½ ans — la mère-nourriture disparaît bien que la nourriture conserve certaines qualités; i.e., la suralimentation fait engraisser et avoir un bébé. Le manger peut devenir sexuel (anorexie). Il peut être impliqué dans la formation de réactions; i.e., le refus de nourriture est une façon de nier le désir de dévorer la mère.
6 ans Démontre sa capacité à résoudre des problèmes; hygiène volontaire, compétition, passe-temps et jeu réaliste.	2. Vers 5 ans, les attitudes envers le contrôle de la vessie et de l'intestin sont comme celles de la mère, à travers l'identification et la maturation du moi-surmoi. Le moi développe des défenses contre les désirs urétral et anal (liberté totale de se salir) qui, maintenant, sont canalisés dans des modèles comme la ponctualité, la simplicité et l'avarice.

Six ans et demi à onze ans (âge scolaire)

POINTS DE REPÈRE DU DÉVELOPPEMENT (Gesell)	ÉTAPES DU DÉVELOPPEMENT INTELLECTUEL (Piaget)	TÂCHES OU CRISES PSYCHOSOCIALES (Erikson)
7 ans Fait des analogies contraires simples, connaît les jours de la semaine. **8 ans** Compte 5 chiffres en avançant; définit bravoure et non-sens. **9 ans** Connaît les saisons, fait des rimes. **10 ans** Compte 4 chiffres à rebours; exprime et détermine la pitié, le chagrin et la surprise.	Entre 7 et 12 ans se situe l'étape de la « pensée opérationnelle concrète ». L'organisation conceptuelle devient plus stable et cohérente. L'adaptation rationnelle est bien structurée. Le cadre conceptuel englobe le monde et ses objets. Les qualités physiques sont perçues comme constantes, malgré les changements dans la grandeur, la forme, le poids et le volume.	Entre 6 et 11 ans, les habiletés et les valeurs de l'enfant s'élargissent pour inclure celles du voisinage et de l'école. Ici, une adaptation réussie conduit à l'application (je suis ce que j'apprends); l'adaptation non réussie entraîne l'infériorité.

Six ans et demi à onze ans (âge scolaire)

ÉTAPES PSYCHOSEXUELLES (Sigmund Freud)	PSYCHOLOGIE DU MOI (Anna Freud)	LIGNES D'ADAPTATION RELATIVES AU DÉVELOPPEMENT ENTRE LE MOI ET L'INSTINCT (Anna Freud)
La période de latence apparaît entre 7 et 11 ans. Les pulsions sexuelles sont contrôlées et réprimées. Il existe un mécanisme d'isolement inconscient (séparation entre une idée et le sentiment qui l'accompagne), pseudo-contrainte (rituels répétés et maniérismes comme taper du pied, tirer les cheveux, éviter de marcher sur des fissures), recours à l'opposé (une enfant niera sa haine pour un nouveau frère en disant qu'elle l'aime), et sublimation des désirs instinctuels (canalisation des pulsions vers des issues plus acceptables socialement; v.g., les besoins oraux peuvent évoluer vers des intérêts de gourmets). Pendant la période de latence, l'accent est mis sur le développement des habiletés et des talents.	9 ans Raisonnable pour la nourriture; d'une société agréable; engagé dans des rapports extra-familiaux; son moi devient plus autonome — se comporte d'une manière normale dans des secteurs qui provoquaient auparavant des conflits; v.g., emploi de mots à la place de la violence, obéit de bonne grâce aux règles, peut retarder un plaisir.	A. Dans les rapports Les enfants de 6 à 11 ans portent de l'intérêt à d'autres personnes, en dehors de la famille; cela, en plus du désenchantement normal dans les rapports avec les parents, conduit au sentiment d'avoir été adopté (la « romance familiale » où les parents ont été idéalisés). B. Vers l'indépendance corporelle 1. La «sexualisation» de l'action de manger évolue vers une attitude plus raisonnable. 2. Pour le contrôle vésical et intestinal, la propreté se détache du lien objectal et devient une préoccupation autonome du moi-sur-moi. 3. Prise en charge de son corps par l'enfant.

Onze ans à dix-huit ans (adolescence)

POINTS DE REPÈRE DU DÉVELOPPEMENT (Gesell)	ÉTAPES DU DÉVELOPPEMENT INTELLECTUEL (Piaget)
11 ans Sait où le soleil se couche, connaît un microscope, l'azote, sait pourquoi l'huile flotte; divise 74 par 4, fait des similarités abstraites, comprend P.S.L. (C.O.D.); compte 6 chiffres en avançant, 5 à rebours.	12ans — La pensée opérationnelle formelle: il tient compte de la réalité ou des représentations jugées vraies et est capable de raisonner correctement sur les propositions qu'il considère comme étant de pures hypothèses. Cette cognition est comme celle de l'adulte. Il devient capable de tirer les conséquences nécessaires de vérités simplement possibles, c'est le début de la pensée hypothético-déductive ou formelle. Il peut évaluer la logique et la qualité de ses pensées. Étant de plus en plus capable d'abstraction, il peut appliquer les lois et les principes. Il est encore égocentrique parfois. Des aptitudes et des idéals importants se développent vers la fin de l'adolescence et au début de l'âge adulte.

Résumé de Piaget

La combinatoire Décrochage de la pensée par rapport aux objets et réorganisation de la pensée. Les structures mentales s'accommodent aux nuances de la réalité lors de stimulation complexe dans un environnement favorable. Cette combinatoire permet de raisonner en chaque cas sur la réalité donnée en considérant cette réalité non plus sous ses aspects concrets, mais en fonction d'un nombre quelconque ou de toutes les combinaisons possibles.* Toutes les fonctions mentales découlent d'actions motrices sur les objets. L'accroissement de l'intelligence est fondée sur la transformation de ces actions motrices en des pensées. L'incorporation du nouveau est une assimilation; la réorganisation des pensées et des souvenirs pour mieux assimiler la nouveauté est l'accomodation. Quand l'accomodation cesse en ce qui concerne l'assimilation, le comportement s'adapte ou il s'établit un équilibre entre l'assimilation et l'accomodation. C'est une tendance humaine que d'assimiler toutes les nouveautés possibles. C'est la nouveauté qui motive la répétition ou les réactions circulaires afin de découvrir et de toucher l'inconnu.

*Piaget et Inhelder : *Psychologie de l'enfant.* pp. 104-105. Presses Universitaires de France, « Collection Que sais-je », 1968.

Onze ans à dix-huit ans (adolescence)

TÂCHES OU CRISES PSYCHOSOCIALES (Erikson)	ÉTAPES PSYCHOSEXUELLES (Sigmund Freud)	PSYCHOLOGIE DU MOI (Anna Freud)
Entre 12 et 17 ans, l'adolescent cherche sa personnalité. Les valeurs prédominantes sont celles du groupe de pairs et du chef. L'identification en est le résultat. Si l'individu échoue, il y a « dispersion d'identité ». Après 17 ans, la capacité d'aimer est primordiale et l'intimité en démontre le succès. L'échec conduit à l'isolement et à l'aliénation. Les valeurs de cette étape sont: la fidélité, l'amitié et la coopération. Le comportement sexuel et la rivalité se rapprochent du type adulte.	11 à 13 ans (puberté) L'importance du groupe de pairs, la reprise du combat œdipien entraînent la réapparition des pulsions sexuelles. Le contact avec le sexe opposé est de nouveau perçu comme pouvant être dangereux parce qu'il entraîne la rivalité avec les personnes du même sexe et une possibilité d'échec. En plus, la recherche d'un moi idéal pour remplacer les parents qui sont maintenant discrédités est souvent cause d'une attraction pour quelqu'un du même sexe qui possède des qualités admirables (phase homosexuelle « normale »). 13 à 18 ans Manières d'agir adolescentes-adultes. L'intellectualisation, la rationnalisation et l'ascétisme sont les mécanismes d'actions. Le premier orgasme hétérosexuel parachève la génitalité. La capacité d'aimer et de travailler est l'aboutissement de ces étapes.	La révolte de l'adolescent relâche les liens familiaux. Des clans se forment avec des amis. La responsabilité et les habiletés autonomes de travail se solidifient. Fin de l'adolescence Les intérêts hétérosexuels conduisent au mariage et aux aptitudes parentales. Les activités sportives et intellectuelles préparent le jeune adulte à un choix professionnel et à des engagements ultérieurs.

Onze ans à dix-huit ans (adolescence)

LIGNES D'ADAPTATION RELATIVES AU DÉVELOPPEMENT ENTRE LE MOI ET L'INSTINCT
(Anna Freud)

A. Rapports et indépendance

Les préadolescents de 11 à 13 ans ont un retour d'ambivalence et un affaiblissement des réalisations phalliques et pré-pubertaires.

De 13 à 15 ans, les adolescents relâchent les liens d'avec les parents; 15 ans et plus: suprématie génitale, il y a combat actif, sain afin de contrôler définitivement les pulsions des premiers 6 ans; les rapports acquièrent des qualités d'échange — aide mutuelle.

B. Toutes les lignes de développement dans le sens de l'indépendance corporelle continuent à se solidifier. Pendant l'adolescence, il y a endossement définitif et volontaire des règles d'hygiène et des nécessités médicales. La capacité de travail est l'aboutissement des traits de développement qui commencent avec le jeu, la réalisation de tâche et l'emploi d'objets inanimés. Le contrôle des pulsions destructives, la tolérance à la frustration et la vie selon les principes de la réalité (les gratifications futures peuvent impliquer des renonciations à court terme) sont aussi nécessaires au travail adulte.

COMMENTAIRES SUR LES LIGNES DE DÉVELOPPEMENT D'ANNA FREUD

Chacune des lignes A, B1, B2, B3, B4, B5 représente un équilibre intrapsychique entre le moi-surmoi et l'id. Aucune de ces 6 lignes ne doit être utilisée pour évaluer un enfant. C'est davantage un regroupement ou un profil des différents dynamismes intrapsychiques qui donnent une image réelle. Ainsi, un garçon de 14 ans pourrait avoir plusieurs amis intimes, se suralimenter, être négligé, brosser ses dents, faire de l'exercice physique, avoir plusieurs passe-temps et accomplir un travail médiocre à l'école. Il peut avoir atteint des stades divers dans les différentes lignes de développement. À partir de cette donnée, on peut conclure qu'il s'approche seulement de l'adolescence émotionnelle.

Chapitre 3

Évaluation et direction de la famille

Il peut être très difficile de trouver le modèle de relations dans une famille. Les interactions sont complexes; et encore, à moins que les modèles généralement escomptés ne soient comparés avec les données provenant d'une famille particulière, on ne peut faire d'évaluation préliminaire. Cette estimation rudimentaire de l'adaptation courante aide à prévoir le comportement sous l'influence d'un stress. De telles anticipations sont valables puisque tout groupe retiendra les caractéristiques de base de la famille, même en période de crise.

Aspect culturel

Pour mieux comprendre les individus, une connaissance de l'arrière-plan sur lequel s'appuie leur culture est indispensable. Plusieurs familles réagiront au stress causé par la maladie conformément à leur héritage. Ces réactions affectent l'enfant ainsi que le personnel hospitalier. Par exemple, Spiegel oppose l'importance accordée aux diverses périodes de la vie par la classe ouvrière italienne à celle de la classe moyenne américaine[1]. Les Italiens tiennent d'abord compte du présent, puis du passé et ensuite du futur; les Américains sont préoccupés du futur, puis du présent et enfin du passé; telle est la différence fondamentale démontrée par Spiegel. Avec cette connaissance, les professionnels pourraient comprendre la différence entre les grands-parents italiens, qui seraient préoccupés par l'origine d'une maladie, et les parents américains, qui penseraient comment la maladie affecte la scolarité et l'avenir de l'enfant. Ainsi, le professionnel pourrait s'attendre à un conflit déjà existant entre les parents et les grands-parents ou entre les parents immigrants et le personnel.

---

[1]Spiegel, J. P.: Cultural strain, family role patterns, and intrapsychic conflict. *In* Howells, J. G.: *Theory and Practice of Family Psychiatry*. New York, Brunner/Mazel, 1971.

En raison du mélange de cultures chez les Américains[2], il n'existe pas aux États-Unis, aujourd'hui, de modèles de culture dans une forme pure. Les différences à l'intérieur des cultures étant aussi grandes que celles entre les cultures elles-mêmes, il est préférable, pour évaluer la famille, de s'appuyer aussi sur le modèle socio-économique et sur le développement familial. Cependant, il est important d'éviter de stéréotyper une famille en raison de l'arrière-plan sur lequel s'appuie sa culture ou son économie. Cela peut être fait par l'infirmière ou le médecin s'ils en apprennent davantage sur la famille et les individus qui la composent. Chaque famille est unique, et les généralisations sur les revenus faibles ou sur la pauvreté culturelle des familles servent comme point de départ à la compréhension des problèmes auxquels les familles font face.

Aspect socio-économique

L'atmosphère des foyers socio-économiquement faibles conduit non seulement à une incidence et à une fréquence croissantes de la maladie, mais aussi à un précoce et pénétrant obstacle à la réussite scolaire et à la sociabilité. Il est important d'acquérir des connaissances profondes dans ce domaine car un grand nombre de personnes rencontrées dans les hôpitaux et les cliniques ont un faible degré de culture. Le *Report of the Joint Commission on Mental Health of Children*[3] expose en lignes générales ces informations (voir tableau p. 44). Le livret du gouvernement des États-Unis *Growing Up Poor* montre comment toutes les races se situant au niveau de la pauvreté sont affectées par la stabilité ou l'instabilité des climats tant économique qu'émotionnel.

Hollingshead et Redlich décrivent cinq classes de gens qui sont facilement définies par: l'adresse résidentielle, l'occupation et les années de scolarisation du chef de famille. Chaque classe, par ailleurs, a des traits culturels qui se regroupent autour d'elle et accentuent sa définition. Ces auteurs, en outre, démontrent le genre et la prédominance de la maladie mentale qui apparaît en corrélation avec la classe; *v.g.*, les névroses se rencontrent plus souvent dans les classes supérieures (1 et 2) tandis que c'est dans la plus basse classe (5) que se retrouvent les réactions antisociales et les réactions d'imma-

---

[2]Erikson, E. H.: *Enfance et société*. Neuchatel-Paris: Delachaux et Niestlé, 1966.

[3]*Report of the Joint Commission on Mental Health of Children: Crisis in Child Mental Health.* pp. 264-265. New York, Harper & Row, 1969.

turité[4].

Ces distinctions sont aussi vraies sur le plan physique; c'est encore dans la classe la plus faible qu'on rencontre le plus pauvre état de santé; v.g., malnutrition, caries dentaires, obésité et ingestions accidentelles (dans l'enfance).

Le personnel hospitalier doit harmoniser ses réactions à l'égard de ces classes particulières. Hollingshead et Redlich démontrent qu'il existe un préjugé contre certaines classes, malgré l'objectivité professionnelle qui ne doit pas censément faire de distinctions. Les professionnels, venant pour la plupart des classes 2 et 3, sont naturellement peu familiers avec les classes 1, 4 et 5 et, en conséquence, présentent une attitude trop sévère ou surprotectrice envers eux.

Développement familial

Les familles, selon leur étape de développement, se différencient comme des unités. Une jeune famille de moins de 3 ans, en voie d'établir les rôles matrimoniaux, ne sachant pas très bien quelles tâches sont féminines ou masculines, essaie souvent d'ignorer les influences extérieures dans le développement de son identité. Le couple peut s'en remettre à des professionnels qui ont une influence plus saine que leurs parents, lesquels continuent à les traiter de la même façon qu'ils le faisaient avant leur mariage. La répartition de l'argent et la planification financière sont des points pratiques à résoudre. Il y a toujours l'ajustement entre ce qu'ils espéraient du mariage et ce qu'ils en reçoivent effectivement. Le manque d'expérience avec les enfants les entraîne vers des préoccupations angoissées sur le développement et les soins de l'enfant. Ils craignent de se fier à leurs sentiments spontanés.

Une famille comptant 4 à 10 ans de vie commune est moins sensible aux influences extérieures; elle a développé des modèles de rôles mari-femme et des relations parents-enfant. Il existe une plus grande stabilité dans les questions économiques et dans les rapports avec les parents. L'autonomie et l'indépendance des enfants, les relations entre les enfants et leurs rapports à l'école sont de nouveaux aspects à considérer. Cette famille mieux établie est moins prédisposée aux soudaines fluctuations d'humeur que la jeune famille. En contrepartie de sa trop grande préoccupation antérieure sur la croissance et le développement, ce couple peut devenir assez insouciant pour méconnaître d'importants facteurs de développement chez leurs enfants.

---

[4]Hollingshead, A. et Redlich, F.: *Social Class and Mental Illness*. Chapitres 4 et 7, New York, John Wiley & Sons, 1958.

Une famille plus ancienne de 10 à 20 ans a établi des modèles pour la direction de la vie de ses membres. Cependant, elle doit apprendre à s'adapter aux difficultés qu'entraînent la séparation normale et l'émancipation des enfants. Ces adaptations peuvent être compliquées par la maladie. Par exemple, un adolescent qui vit presque toujours en dehors de chez lui et qui est impliqué dans des activités de groupes peut devenir un véritable problème si, à cause de la maladie, il doit redevenir dépendant de ses parents.

Composition familiale

La taille de la famille et le rang que les enfants y occupent peuvent permettre aux professionnels d'entrevoir certaines probabilités. Toutefois, les généralisations peuvent être trompeuses; v.g., un enfant unique peut avoir de vrais amis et un enfant de famille nombreuse peut être isolé et solitaire. Cependant, un enfant du milieu « middle child » peut n'avoir ni les avantages de l'aîné, ni l'immunité du bébé. Il peut néanmoins éviter les fortes expectatives imposées à un premier enfant et échapper à l'indulgence accordée au benjamin. Le plus jeune enfant peut avoir à se battre et à lutter pour obtenir de l'amour et de l'attention, ou encore, il peut devenir le fétiche gâté de la famille. Une famille nombreuse peut donner à chacun selon ses besoins et fournir un sentiment de concorde et d'intimité; mais d'un autre côté, elle peut entraîner une concurrence acharnée, des humeurs querelleuses, la solitude et la confusion des générations.

Quand les enfants plus âgés jouent des rôles parentaux, l'enfant plus jeune peut créer des liens intimes qui sont irrégulièrement perturbés par les nombreux changements dans la vie des « parents auxiliaires ». Les aînés d'une famille nombreuse peuvent avoir assez de maturité pour prendre des responsabilités et accomplir certaines corvées, mais le développement des ressources intérieures comme l'imagination, la générosité et la spontanéité peut leur échapper.

Une petite famille peut inculquer à l'enfant une conscience rigoureuse et un modèle rigide de relations avec l'autorité, l'influence modératrice des frères et sœurs plus âgés n'existant pas. Les alliances familiales étroites sont aussi un danger; v.g., père-fille, mère-fils, ce qui empêche une plus grande identification avec les deux genres de rôles, ceux de parents et ceux de frères et sœurs.

Les expériences familiales particulières doivent être incluses dans toute évaluation. Les événements suivants — la mort d'un enfant, la maladie chronique d'un parent, les déménagements fréquents de la famille ou les vacances des enfants avec d'autres parents — distinguent ces familles des unités familiales qui n'ont jamais vécu l'expérience de la perte ou de la séparation. Évidemment, l'effet de l'hospitalisation différera aussi avec chaque famille.

Si le professionnel a à l'esprit les caractéristiques moyennes d'un malade particulier, quant à la culture, la condition économique et les caractéristiques de l'unité familiale de cet enfant, il cherchera à confirmer ou à différencier son évaluation d'après les statistiques établies. Par exemple, un bébé qui ne s'était pas développé, dut être hospitalisé à maintes reprises et subir de nombreux examens en vue de faire un diagnostic avant que le personnel ne se rendît compte que le niveau socio-économiquement pauvre, auquel il appartenait, affectait son alimentation et son sommeil et nuisait à sa croissance. Quand on modifia le sommeil et l'alimentation de l'enfant, il progressa normalement.

Il y a encore des constellations familiales (survenant dans toutes les cultures) comme: la famille émotive, décevante, punitive-privative, superstitieuse, surprotectrice, de religiosité militante, culturellement pauvre et celle bien adaptée. Nous verrrons la description de ces genres de familles.

La famille émotive

La famille émotive se distingue par ses démonstrations et ses revirements d'humeur. À l'hôpital, les membres de la famille tournent en rond dans les corridors et dans la salle de réception, supposant que la condition de l'enfant est grave. Les parents eux-mêmes, contraints par les grands-parents et la parenté, sont incapables de protéger leur enfant des angoissantes interactions avec cette parenté. La famille nucléaire s'étant dissipée, il s'établit une atmosphère de crise. On se raconte des histoires et l'inquiétude s'installe. Souvent, on profite de l'occasion pour les rapprochements mutuels et la gaieté, plutôt que pour aider l'enfant. Les veilles dans les couloirs et au chevet du malade, ainsi que les mets qu'on apporte de la maison sont choses fréquentes. La nourriture symbolise son amour pour l'enfant et son hostilité envers le personnel.

Les efforts faits par la famille pour isoler l'enfant sont interprétés par lui comme une méfiance à l'égard du milieu hospitalier. Cette attitude entrave sérieusement l'adaptation de l'enfant. Le personnel doit être ferme et patient quand il doit entrer en contact avec ces gens bien pensants mais gênants. Les règlements de l'hôpital aident à déterminer des limites. De longues explications des actes médicaux sont inutiles. Les heures de visites de la parenté doivent être limitées. Les parents ont besoin d'aide pour maintenir le bon fonctionnement de la famille nucléaire, en dépit du reste de la famille. Pour atteindre ce but, il est crucial, pour la famille, d'avoir une bonne relation avec un membre du personnel. De nombreux contacts avec ces parents nous ont révélé que tous deux vénèrent ou craignent une figure dominante de la famille. Il sont ordinairement reconnaissants de l'aide apportée pour faciliter leurs contacts avec cette personne.

Un plus grand calme, moins de gestes frénétiques de la part des parents envers l'enfant et une diminution du nombre de visiteurs nous démontrèrent les progrès accomplis par la famille.

La famille décevante

La famille décevante trompe l'enfant sur les événements relatifs à sa maladie. Des informations ordinaires sur l'hospitalisation, comme l'heure du départ pour l'hôpital, la durée du séjour et les interventions médicales sont cachées. Le traitement est habituellement présenté à l'enfant comme un jeu et ces attitudes lui nuisent sérieusement. Il peut développer, avec le respect de ses relations familiales, un sentiment d'inquiétude, de confusion et une impression d'avoir été trahi, ce qui entraîne la perte de confiance envers les adultes. Les réactions des parents sont complexes. Ils croient que la dissimulation des faits diminuera la souffrance de l'enfant. Ils essaient aussi de fuir la vérité. Ces parents font souvent d'impossibles promesses sur l'issue du traitement tout en négligeant de discuter avec l'enfant de ce qu'il espère. Pour un enfant, l'hospitalisation peut signifier: changer de taille, devenir capable de frapper des circuits, ou obtenir une meilleure vision. Les déceptions, subséquentes à la chirurgie, arrivent juste au moment où l'enfant a le plus besoin de sécurité — pendant la période douloureuse de la convalescence.

Ces modèles familiaux peuvent, par inadvertance, se sentir appuyés quand le personnel évite d'intervenir, sachant combien la rencontre de ces familles peut être déplaisante. Enhardie par le silence du personnel, la famille peut essayer de s'assurer le concours de celui-ci pour duper l'enfant. À certains moments, ces familles se déçoivent elles-mêmes et prennent leurs désirs pour des réalités; v.g., au sujet d'un enfant dans le coma profond, la famille dira qu'il parle.

En dépit de l'aide dont ces familles ont besoin, elles peuvent devenir très agaçantes et s'aliéner ainsi les personnes autour d'elles, de manière à empêcher les délibérations. Une prise de conscience des membres du personnel devant leurs propres réactions peut les aider à accorder à cette famille plus d'empathie que de colère. Les parents cesseront de se mentir à eux-mêmes pendant quelque temps s'ils discutent des résultats à long terme. On doit parler aux enfants avec diplomatie afin que, même s'ils apprennent la vérité, ils ne deviennent pas furieux contre leur famille. Si l'attitude des parents change et qu'ils veulent que leurs enfants connaissent la vérité, ils auront besoin d'aide. C'est peut-être la première fois qu'ils admettent leur faillibilité à leur enfant. Un autre dilemme se présente aux parents: comment s'excuser avec dignité sans perdre la confiance de l'enfant. On peut leur aider à formuler ces excuses: « Nous avons cru qu'il était dans ton intérêt de te cacher cela, mais maintenant nous voyons que notre désir affectueux de te protéger était erroné. Notre intention, bien qu'étant bonne, a eu comme résultat de te confondre et de t'amener à douter de nos paroles. Nous regrettons. Les questions que tu as à poser, nous pensons pouvoir y répondre ». Quand les parents ont dit la vérité, ils ont besoin de constater les heureux effets sur leur enfant — il est plus ouvert et a des échanges plus vifs, plus animés.

La famille punitive-privative

Nous avons ici une autre constellation familiale, celle qu'on peut appeler punitive-privative. Les punitions corporelles ou les menaces constituent les méthodes disciplinaires favorites. Les enfants sont soumis à une ligne de conduite et doivent obéir. On peut voir que la mère craint de gâter son enfant par la répugnance qu'elle éprouve à le tenir dans ses bras et à le réconforter. Le père est hostile ou absent, et, souvent, il prend de l'alcool. Ces enfants ne peuvent rien faire de bien si ce n'est se retirer du chemin des adultes. Les parents perçoivent le personnel comme étant indulgent et tolérant et anticipent des problèmes de discipline lors du retour de l'enfant à la maison. Ils craignent que l'enfant ne s'attache à la personne bienveillante et généreuse qui en prend soin et ils sont jaloux.

Pour ces parents, la maladie constitue un nouveau malheur qui les irrite. Ce modèle familial entretient chez l'enfant des pensées égocentriques au-delà de l'âge de six ans (l'âge où habituellement ces pensées régressent). Pour cet enfant, la maladie est la conséquence d'actions personnelles et une punition de la méchanceté. Étant tellement réprimé et harcelé par les règlements à la maison, l'enfant devient confus et très anxieux quand il se trouve à l'hôpital où la situation est différente et moins structurée. L'enfant est convaincu qu'il est puni; il ne comprend pas la douceur ou la clémence qui l'entoure et craint une attaque surprise.

Le personnel doit connaître la dynamique du comportement de ces familles avant de planifier une méthode pour leur venir en aide. Les parents font à leurs enfants ce que leurs propres parents leur ont fait. Les mères, habituées aux privations, sont patientes et ont une piètre estime d'elles-mêmes; on leur a enseigné à s'attendre à une existence morne. Les pères ont été infantilisés et trop dirigés par des mères irritées contre les hommes et mal à l'aise devant l'assurance virile de leurs fils. N'ayant pas été aimés et acceptés alors qu'ils étaient enfants, ces hommes et ces femmes ne peuvent pas offrir un amour tendre.

Nous présentons quelques suggestions en vue d'aider ces familles pendant qu'elles sont en contact avec le personnel hospitalier.

Ces enfants doivent être clairement et simplement informés dès l'admission sur ce qui peut leur arriver. Logiquement, cette tâche doit être assignée à la personne, au sein du personnel, qui peut offrir la relation verbale la moins soutenue. Ces enfants se méfient des adultes qui sont trop chaleureux. La mère a besoin d'être écoutée et respectée. Elle pourra alors se permettre une tendresse semblable envers son enfant. Le personnel doit demander à la mère ce qu'elle fait pour se distraire et l'encourager à avoir une vie plus remplie, plus plaisante. Cela diminuera sa jalousie et son ressentiment devant le fait que son enfant soit traité comme un individu. On observe des améliorations tant chez la mère que chez l'enfant en augmentant l'expressivité, la plaisanterie, l'insubordination et la candeur. La plus grande difficulté rencontrée dans l'application du plan hospitalier est l'hostilité, qui se développe souvent chez le personnel en fonction depuis le début, devant le comportement négatif et dévalorisant de ces parents. Le personnel, dans ses efforts pour sauver ces enfants qui sont comme des épaves, peut parfois être rude et se poser en juge, offensant inutilement les parents qui ont plus besoin de pitié que de punition.

La famille superstitieuse

La famille qui utilise la superstition pour lutter contre le stress peut percevoir la maladie comme un élément de mauvais augure pour l'avenir, comme un avertissement du mécontentement de Dieu, ou comme un sort. Cette famille qui, fondamentalement, soupçonne la culture de la majorité accentue, par son mode de penser, la peur que l'enfant (peur surtout de la mort) a de l'hôpital et augmente sa méfiance envers les étrangers que représente le personnel médical et infirmier. L'enfant implore avec instance les insignes et les objets de le protéger de dommages plus graves. Le fichu de la mère ou les clés du père peuvent le rassurer beaucoup. La rareté de pensées abstraites peut être notée. L'enfant peut invoquer certains protecteurs secrets pour le préserver. Le personnel doit veiller à ce que ces familles n'entendent pas de parties de conversation médicale inquiétante.

Dans ces familles, les parents sont souvent dociles et enfantins. Ils demandent des instructions détaillées et les suivent respectueusement. Tout ce qui est dit doit être clair. Ces parents agissent mieux quand ils peuvent aller chez le médecin pour obtenir des réponses à leurs questions. Les énoncés conditionnels comme — si la fièvre s'élève de deux degrés, donner plus d'aspirine — tendent seulement à troubler les parents. Le personnel doit être vigilant puisqu'une interprétation trop littérale des instructions peut produire un effet contraire. Aussi, est-il préférable d'utiliser avec l'enfant un langage simple et direct en évitant les abstractions complexes. Un ou deux professionnels seulement devraient communiquer toutes les informations à la famille, car même les plus légères différences dans le vocabulaire peuvent sembler représenter des dangers cachés contre lesquels ils doivent se protéger.

Le personnel devrait être heureux de savoir qu'il est inclus dans les prières quotidiennes. Cela démontre que les membres du personnel sont perçus comme des amis; d'un autre côté, cela peut indiquer que la famille croit que le personnel a besoin d'aide « extérieure ».

La famille surprotectrice

La famille ambitieuse et surprotectrice gâte l'enfant de sorte qu'il croit avoir droit à la satisfaction de tous ses caprices[5]. Les parents se sacrifient souvent dans l'espoir que, dans le futur, l'enfant leur en saura gré. L'enfant, comme porte-étendard de la famille, incarne toutes leurs espérances pour une meilleure et plus parfaite image d'eux-mêmes. Bien que cette famille semble ne penser qu'à l'enfant, parce qu'on ne lui refuse rien, elle est en réalité plus préoccupée par son désir de réalisation. À l'hôpital, les parents confondent leurs besoins avec ceux de l'enfant en voulant une guérison rapide de sorte que l'enfant puisse reprendre la course de la vie. Cette attitude les entraîne à de nombreuses vérifications auprès du personnel afin de s'assurer que leur investissement pour le futur est en sécurité. Il existe une hostilité latente envers l'enfant parce qu'il est malade et qu'il dérange leurs plans en vue de ses connaissances.

La meilleure façon de procéder avec cette famille est de l'impressionner par la compétence du personnel et de lui laisser savoir que chacun désire aussi ardemment qu'eux une guérison rapide. La famille devrait être louangée sur la façon dont elle a fait face à la maladie. Ensuite, on doit déterminer des limites aux parents et à leurs enfants souvent trop gâtés. Leur anxiété ne diminuera pas tant qu'ils ne comprendront pas la nécessité des règlements de l'hôpital et qu'ils ne se rendront pas compte de la loyauté du personnel.

Des explications prudentes du diagnostic et des procédés thérapeutiques sont utiles, pourvu que les parents écoutent, mais n'utilisent pas ces connaissances pour rivaliser avec les professionnels dans le traitement de leur enfant. Des félicitations envers le personnel démontrent un changement d'attitude et une diminution de l'anxiété.

---

[5] Levy, D. M.: *Maternal Overprotection*. pp. 161 à 199. New York, W. W. Norton, 1966.

Cependant, le personnel doit être prudent et ne pas accepter de félicitations; il devrait plutôt dire aux parents: « Vous êtes bien gentils, mais réellement vous avez eu la partie la plus difficile du travail — la plus longue et la plus lourde ». Accepter des félicitations sans retourner la courtoisie peut induire en erreur parce que les parents peuvent avoir des motifs mêlés pour agir ainsi.

Les enfants de ces familles sont souvent ouvertement agressifs et exigeants; ils se considèrent les égaux des adultes. Le comportement des parents envers le personnel ne fait que renforcer les attitudes négatives et irritables de l'enfant ainsi que ses tentatives de manipulation. Éventuellement, un membre du personnel doit affronter l'enfant et lui dire qu'à l'hôpital, il doit vivre selon des règlements et qu'une fois à la maison, il pourra revenir à son autoritarisme. Cela suffit habituellement pour réprimer les actions les plus détestables. Si l'enfant persiste dans son égoïsme, on peut essayer des variations de la RÈGLE D'OR — « Si tu traites les gens de cette façon, ils feront de même envers toi »; ou, « Comment peux-tu espérer de la considération et de la chaleur quand tu n'en donnes pas? ». En plus, quand ces enfants deviennent plus agréables, cette amélioration devrait être promptement bien que fortuitement reconnue.

La famille dont la religion entrave le traitement

La famille dont les principes religieux sont en contradiction avec les autorités médicales crée des difficultés particulières à leurs enfants hospitalisés. Si ces familles acceptaient le traitement médical ou chirurgical, leurs croyances seraient violées. La méfiance, la peur et le retrait chez l'enfant, en plus de l'attachement exagéré aux parents, constituent les difficultés particulières. Le personnel devrait essayer de les persuader du meilleur intérêt médical de l'enfant, quoique les droits des parents à leurs croyances propres doivent être respectés. Quand les parents deviennent violents dans leur rejet de la science appliquée, ils peuvent provoquer le ressentiment du personnel, ce qui, ultérieurement, augmentera l'anxiété de l'enfant.

L'enfant peut commencer à faire confiance aux membres du personnel quand ils ont des rapports étroits avec les parents et du respect pour leurs croyances. L'enfant a besoin d'une grande sécurité à l'hôpital. Dans les maladies chroniques, les parents devraient être informés de la possibilité d'hospitalisations futures afin que leur consentement aux traitements puisse être appliqué subséquemment. On évite ainsi de répéter toujours les mêmes discussions. Quand les parents persistent à refuser l'intervention médicale, il est utile de faire appel à un expert médico-légal pour déterminer les droits de l'enfant à un traitement adéquat. Une intervention de la Cour peut s'imposer parce que ces parents ne peuvent pas compromettre leurs croyances, mais ils se soumettent à l'accablante autorité temporelle. Des ressources extérieures, comme le clergé de leur dénomination religieuse, devraient être utilisées. Tous les efforts devraient être faits pour éviter le recours au litige.

La famille culturellement pauvre

La famille culturellement pauvre se caractérise par une vue fataliste et autoritaire orientée vers le présent. Les rôles masculin et féminin sont rigidement déterminés. Certains se méfient des étrangers dont le comportement est perçu comme imprévisible et jugé selon son impact immédiat. Un sentiment d'infériorité entraîne ces familles à douter de leurs propres capacités[6]. Généralement, dans ces familles, on rencontre une communication verbale limitée, des attitudes passives devant les expériences nouvelles et une ignorance de la physiologie. La mère assume la charge de la maison, le père étant souvent absent. Quand il est présent, il peut être dur dans ces interactions avec la famille. Les deux parents ont des tempéraments vifs.

Parallèlement au peu d'éducation et à la désaffection des membres de la famille, on observe de forts conflits maritaux et de fréquentes ruptures familiales. Ils sont défaitistes devant le futur. Généralement, dans les familles de classe sociale inférieure, on a tendance à élever les enfants en écrasant le faible qui peut se soumettre, se révolter ou se retirer. Sans autorité nettement définie, ces gens deviennent anxieux et défensivement hostiles (voir tableau p.44). Ils ne sont pas habitués à une forme de traitement démocratique et intégrale.

Dans cet environnement, les enfants se comportent impulsivement, sans égard aux responsabilités plus profondes de leurs actes. Souvent, ils projettent le blâme sur les autres au lieu de voir le rôle qu'ils ont joué dans la situation; leur principal objectif est donc d'éviter d'être pris. Quand les enfants ennuient leurs parents, ils subissent une discipline ridicule et capricieusement sévère. Les parents ont recours aux contraintes physiques plutôt qu'au dialogue. Ils encouragent et découragent alternativement l'assurance chez leurs enfants. En raison de déceptions antérieures et de leur identification avec des modèles de rôle qui évitent l'imprévu, ces enfants sont peu disposés à affronter de nouvelles expériences. Ils deviennent plutôt anxieux et agressifs quand ils sont en présence d'une situation nouvelle. En fait, les violents changements d'atmosphère qu'ils subissent constamment les empêchent de développer une tolérance appropriée devant l'angoisse. Les émotions ne peuvent être intégrées qu'à petites doses.

---

[6]Reissman, F.: *The Culturally Deprived Child.* pp. 36 à 48. New York, Harper & Row, 1962.

Éducation de l'enfant et modèles de vie familiale particuliers aux familles d'enfants émotionnellement sains et comparés avec des modèles pertinents plus caractéristiques des familles très pauvres[7]

ENFANT ÉMOTIONNELLEMENT SAIN	STYLE DE VIE PAUVRE
1. Respect de l'enfant comme individu dont le comportement est provoqué par des facteurs multiples. Acceptation de son rôle propre dans les événements qui surviennent.	1. Mauvaise conduite vue comme telle en termes d'aboutissement concret et pragmatique; les motifs du comportement ne sont pas considérés. Projection du blâme sur les autres.
2. Engagement dans le lent développement de l'enfant, de l'enfance à la maturité; les contraintes et les tensions de chaque étape sont acceptées par les parents parce qu'ils perçoivent la valeur du but ultime: grandir dans la joie et devenir fils ou fille accompli(e).	2. But indéterminé et manque de confiance dans le succès à long terme; l'objectif principal des parents et de l'enfant est de se tenir loin des problèmes; orientation dans le sens du fatalisme, satisfaction impulsive et sentiment d'aliénation.
3. Sentiment relatif de compétence devant le comportement de l'enfant.	3. Sentiment d'impuissance devant le comportement de l'enfant comme dans les autres domaines.
4. Discipline principalement verbale, douce, raisonnable, conséquente, fondée sur les besoins de l'enfant, de la famille et de la société; mettant plus d'emphase sur le bon comportement que sur le mauvais.	4. Discipline rude, inconséquente, physique, utilise le ridicule; les punitions sont imposées selon que le comportement de l'enfant plaise ou déplaise aux parents.
5. Communication verbale ouverte et libre entre parents et enfant; autorité largement verbale.	5. Communication verbale limitée; autorité largement physique.
6. Méthodes éducatives démocratiques plutôt qu'autocratiques ou de laissez-faire, les parents ayant des rôles égaux, mais pas nécessairement interchangeables. Camaraderie entre parents et enfant.	6. Méthodes éducatives autoritaires; la mère a le rôle principal dans le soin de l'enfant; le père, quand il est à la maison, est surtout une personne punitive. On accepte peu l'enfant en tant qu'individu, de même que l'aide qu'il peut apporter.

7. Les parents se voient comme des adultes compétents et sont généralement satisfaits d'eux-mêmes et de leur situation.

8. Relation intime, expressive et chaleureuse entre parents et enfant, permettant graduellement une indépendance croissante. Sentiment de prolongement de la responsabilité parentale.

9. Communication verbale libre au sujet du sexe, acceptation des besoins sexuels de l'enfant, canalisation des impulsions sexuelles vers de saines défenses psychologiques, acceptation d'une croissance lente vers le contrôle des impulsions et la satisfaction sexuelle dans le mariage; éducation sexuelle par le père et la mère.

10. Acceptation des poussées agressives en les canalisant vers des issues socialement acceptées.

11. Favorables aux expériences nouvelles, flexibles.

12. Mariage parental heureux.

---

7. Les parents ont une piètre estime de soi, sentiment défaitiste.

8. Familles nombreuses; comportement parental plus impulsif et narcissique. Orientation vers « l'agitation ». Abandon brusque et hâtif à l'indépendance.

9. Attitude répressive et punitive sur le sexe, les questions sur le sexe et l'expérimentation. Le sexe est perçu comme une relation d'exploitation.

10. Restriction et encouragement alternatifs de l'agression, principalement reliés aux conséquences de l'agression pour les parents.

11. Méfiance devant les expériences nouvelles. Vie réprimée, rigidité.

12. Taux élevés de conflits maritaux et de ruptures familiales.

---

[7]Chilman, C. S.: *Growing Up Poor.* Washington, D.C., U.S. Department of Health, Education and Welfare, 1966.

En conséquence, ces enfants sont facilement pris de panique comme le démontre leur hyperactivité.

Le personnel, de classe moyenne, doit comprendre que ses valeurs ne conviennent pas dans son comportement avec ces familles. Que le personnel hospitalier verbalise, qu'il soit orienté vers le futur et tolérant, ces enfants deviendront rapidement indisciplinés et perturbateurs. Réciproquement, utiliser une approche autoritaire orientée sur la force ne peut que perpétuer leur mauvaise adaptation.

Le professionnel le plus apte à instruire ces familles et à apaiser leurs craintes est celui qui fait preuve d'une autorité raisonnable. Les longues discussions, les entretiens sur les éventualités possibles et les discussions sur les implications génétiques de la maladie ne sont pas pertinents. Le premier signe de changement dans ces familles peut être une verbalisation croissante et une diminution du pessimisme devant l'avenir. Chez l'enfant, le premier signe d'amélioration se voit dans son comportement plus réfléchi; v.g., plus de capacité d'attention, tolérance à la frustration.

Par la suite, la domination des parents sur leurs enfants diminue. Ce relâchement de domination peut être provoqué par le personnel, de différentes manières, de sorte que l'enfant soit perçu comme un individu dont le comportement est motivé par de nombreux facteurs. Les parents peuvent observer l'interaction du personnel et des enfants et être informés des caractéristiques uniques et méritoires de l'enfant. Ils peuvent apprendre de nouvelles méthodes de discipline[8]: le mieux est de faire l'éloge du comportement désiré et de ne tenir aucun compte de ce qui est indésirable. L'autre meilleure méthode de discipline se réalise à travers l'identification des enfants avec les attitudes et les actions parentales.

La famille la mieux adaptée[9, 10]

La famille la mieux adaptée est celle qui utilise une discipline douce, ferme et conséquente, qui est orientée vers l'évidence et qui est objective. Elle regarde vers les buts futurs, est sûre d'elle-même, con-

---

[8]Becker, W.: Consequences of different kinds of parental discipline. In Hoffman, M. L. et Hoffman, L.W. (éds.): Review of Child Development Research, vol. 1. New York, Russell Sage Foundation, 1964.

[9]Ackerman, N. Y.: The Psychodynamics of Family Life: Diagnosis and Treatment of Family Relationships. pp. 3 à 25. New York, Basic Books, 1958.

[10]Lidz, T.: The Family and Human Adaptation. pp. 39 à 113. New York, International Universities Press, 1963.

fiante et aime les expériences nouvelles. Cette famille démocratique et impartiale utilise amplement la communication verbale — valorisant la complexité et l'abstraction. Le comportement humain est perçu comme faisant partie du développement et ayant plusieurs causes. Elle a une haute estime de soi, une croyance dans sa capacité de faire face à une situation et une attitude active. Chaque enfant est perçu comme différent et unique. On lui donne une aide logique et un entraînement à l'indépendance.

Le mariage est harmonieux, les deux parents ayant réalisé un succès professionnel et éducatif. Il existe une relation intime, expressive et chaleureuse entre parents et enfants; les pulsions sexuelles et agressives sont acceptées et canalisées vers des issues approuvées et des impulsions maîtrisées.

L'enfant de cette famille, quand il est hospitalisé, n'est pas immunisé contre les craintes ou les comportements régressifs, mais après l'âge de quatre ans, il est capable de s'adapter à la tension, pour autant qu'il ait des substituts maternels adéquats et un environnement chaleureux et rassurant.

Ces enfants sont curieux et imaginatifs. Les conversations adaptées à leur âge, le jeu et l'enseignement les aideront à accepter les traitements. L'hospitalisation devient un défi à rencontrer et à relever — augmentant ainsi leur sentiment de compétence et de confiance.

Ce qui distingue souvent ces familles, c'est leur capacité de préserver la relation habituelle en dépit de la séparation et de l'anxiété provoquées par la maladie. La relation peut devenir plus profonde, du fait qu'ils ont vécu ensemble l'expérience d'une sérieuse atteinte à la santé.

L'INTERVIEW EN VUE DU DIAGNOSTIC FAMILIAL

Quoique le diagnostic familial relève ordinairement de la compétence du psychiatre et du travailleur social, d'autres professionnels pédiatriques, qui œuvrent dans les secteurs où ces personnes ressources ne sont pas disponibles, peuvent trouver des techniques valables d'interview pour le diagnostic familial[11]. En effet, quand des possibilités plus étendues font défaut ou qu'un consultant spécial n'est pas disponible, tout travailleur pédiatrique trouvera cette compétence nécessaire.

---

[11]Caplan, G.: An approach to the study of family mental health. *In* Galdston, I. (éd.): *The Family, A Focal Point in Health Education.* New York, International Universities Press, 1961.

Au début, une bonne partie du travail pour établir les diagnostics familiaux fut faite avec des malades très perturbés et leurs familles. Les conclusions montrent de sérieuses perturbations dans la communication — la double contrainte et les modes d'interaction pseudo-réciproques mènent à la perplexité[12]. On retrouva ces désordres dans les familles où il y avait un malade schizophrène. Cependant, ces modèles pathologiques peuvent exister à un degré moindre dans toute famille. On peut rencontrer une communication anormale dans n'importe lequel des genres de familles déjà mentionnés.

Pour arriver à un diagnostic familial profitable, tous les membres de la famille doivent être présents. Cela devrait inclure les non-parents s'ils jouent un rôle significatif ou exclure des proches parents s'ils ne sont pas impliqués.

Si la famille fait face à des situations particulières contre lesquelles elle doit se débattre (v.g., privation, perte, naissance ou addition d'un nouveau membre, maladie et perte des forces physiques), cela émergerait pendant l'interview. Alors, certains modèles d'interaction souvent rencontrés devraient être notés comme par exemple:

la famille qui manifeste son intimité à travers les querelles — cette famille provoque régulièrement des scènes dans les endroits publics de l'hôpital pendant qu'elle attend un traitement d'urgence pour le fils asthmatique;

la famille qui profite de la présence d'un meneur neutre pour exprimer les choses que chacun a trop peur de dire à l'autre;

la famille qui a un bouc-émissaire ou un souffre-douleur, v.g., une personne est affectée au rôle de « malade »;

la famille qui utilise les mythes familiaux, v.g., la famille a cru que le père était un tyran jusqu'à ce qu'elle constatât qu'il exécutait simplement les ordres de la grand-mère;

la famille qui espère que ses besoins personnels seront satisfaits sans qu'elle n'ait à les exprimer ouvertement;

la famille qui utilise un membre pour stimuler les hésitants — un membre de la famille en provoque un autre pour obtenir une certaine réaction.

Les conclusions retirées de ces entrevues familiales reflètent leur manque d'unité. À partir de l'interview qui est fait pour établir un

---

[12]La *pseudo-réciprocité* est le genre de communication dans une famille où l'expression d'un conflit n'est pas permise et où les enfants ne sont pas différenciés des parents, ni entre eux. La *double contrainte* est le genre de communication d'une personne importante sous la forme de deux messages, l'un niant l'autre. L'enfant est forcé de répondre à une contradiction ou à une incongruité. La *perplexité* est l'état mental résultant du fait d'être placé dans ces situations pseudo-réciproques ou de double contrainte.

diagnostic, le modèle d'interaction familial devient clair. Si on ajoute le genre de famille (décrit plus haut comme émotionnel, superstitieux, etc.), la taille de la famille et son développement comme unité familiale, on circonscrira la majeure partie du monde de l'enfant. Généralement, le professionnel constate une différence entre voir le malade seulement et voir ce dernier dans son habitat naturel. Un seul regard sur la manière dont l'enfant est traité par les différents membres de la famille vaut des heures d'étroite entrevue avec les individus. Puisque les médecins et les infirmières peuvent avoir une préférence à traiter le malade isolément et à laisser la famille au travailleur social, ils doivent, dans leur préparation au travail communautaire, expérimenter l'interaction avec cette unité sociale. Les travailleurs sociaux ne sont pas toujours disponibles, aussi, les personnes médicalement formées doivent-elles posséder une expérience dans ces domaines.

Finalement, le développement du personnel professionnel survient là où les contacts intimes avec les autres manières de vivre ont une vivacité et un impact. Une formation académique intensive peut détacher l'étudiant et le nouveau diplômé de sa propre famille et certainement des familles d'origines différentes. Les études professionnelles provoquent un éloignement de l'organisation familiale non seulement à cause de la vie étudiante, mais aussi parce que l'étudiant surpasse souvent sa famille dans sa réalisation professionnelle. Cela peut entraîner le professionnel à faire montre d'un rigourisme exagéré envers la famille comme structure.

Chapitre 4

Interactions entre l'enfant, les parents et le personnel

L'INTERVIEW

L'habileté à mener une interview appropriée est une adresse fondamentale, utile dans tous les secteurs de la vie professionnelle. L'objectif est d'en faire ressortir les informations pertinentes et sûres avec efficacité et délicatesse. Pour y parvenir, on doit planifier une approche et prêter une oreille attentive afin de passer en revue les larges secteurs de la vie du malade sans en manquer les subtilités. Manifestement, une compréhension réelle de la situation de vie du malade peut affecter directement la qualité de ses soins. Les accents émus, les remarques fortuites et le langage corporel peuvent mettre sur la piste d'attitudes et d'expériences des plus significatives. L'histoire médicale la plus typique qui, souvent, est faite approximativement afin de remplir une liste de contrôle est un inventaire qui dévalorise le processus, et ne devrait pas être confondue avec le procédé de diagnostic suivant par lequel on tente ici de réviser ce modèle traditionnel.

La première étape de l'interview consiste à garder en mémoire, en rencontrant l'enfant et sa famille, que ce n'est peut-être pas la première expérience de la famille avec les responsables des soins ou les professionnels. Il est essentiel que l'interviewer découvre les relations antérieures de la famille avec le personnel médical et les impressions qu'elle s'en est formé. Bien que la maladie principale et le problème actuel soient importants, la connaissance des rencontres antérieures de l'enfant justifierait l'effort supplémentaire fourni pour obtenir cette information, parce que, incontestablement, la réaction actuelle est fortement colorée par les premiers contacts.

> Richard, un adolescent obèse, connu jusqu'ici par le personnel comme « le rustaud » a subi une ablation du côlon, et, en même temps, de son appendice, comme on le fait ordinairement au cours de cette intervention; cependant, ils enlevèrent son appendice à son insu. Il s'oppo-

sait alors à toute nouvelle chirurgie — pour révision de la colectomie et une iléostomie. Il était prêt à signer son refus de traitement. Ses parents, résignés, étaient impuissants à l'influencer. Il était belliqueusement et obstinément silencieux avec le pédiatre; cependant, il donna aux membres du personnel des indices qui démontraient un profond sentiment d'avoir été trahi et sa méfiance de la chirurgie (pour ce qui pourrait lui être fait sans sa permission). Heureusement, un des membres de la première équipe chirurgicale, responsable de l'ablation de son appendice, fut invité à assister à une réunion d'urgence de l'équipe de santé mentale. Ce médecin passa ensuite en revue, avec Richard, la chirurgie antérieure et s'excusa d'avoir négligé de l'informer de l'appendicectomie. Ils ont aussi discuté, de façon détaillée, de la chirurgie imminente. Richard était fier de son assurance et heureux de son importance; en conséquence, le résultat de ce rapport et l'excuse tardive l'amena à consentir à la chirurgie.

Mme D. avait déjà été hospitalisée plusieurs fois et s'était plainte ouvertement aux infirmières des erreurs médicales dont elle aurait été victime dans le passé. Pourtant, elle était déroutée par la crainte excessive de son fils devant l'hospitalisation et son aversion pour les médecins et les infirmières parce qu'il n'était jamais venu à l'hôpital. La découverte de l'influence de sa mère, concernant les « mauvais traitements », a permis au personnel d'intervenir avec succès. Au début, on encouragea le garçon à décrire ses connaissances des hôpitaux et ensuite, comment il imaginait ce qui pourrait se produire. Finalement, sa maladie lui fut expliquée et on accentua le fait que son diagnostic ne ressemblait pas à celui de sa mère. Il apprit aussi que son traitement et sa guérison seraient aussi différents.

L'interviewer devrait éviter de faire des promesses qui ne peuvent pas être tenues ou des prédictions qui ne peuvent pas être anticipées avec certitude. Avec les années, l'expérience a démontré la nécessité d'être prudent et d'éviter de donner à l'enfant des idées qui l'entraînent vers une attente magique d'amélioration ou de guérison. Les parents, avec leur culpabilité, et les médecins, avec leur anxiété, en dépit des meilleures intentions, peuvent (particulièrement avec les enfants d'âge préscolaire) amener l'enfant à imaginer d'étranges conséquences — devenir musclé et plus fort qu'un parent, pour être plus agréable aux parents, pour être plus grand. Des espoirs irréels peuvent aussi vraisemblablement apparaître chez l'enfant qui est désorienté à son arrivée à l'hôpital, en raison d'une préparation inadéquate.

Néanmoins, même si les parents prennent des précautions, un enfant développe souvent ses propres notions de ce qui lui arrivera après l'hospitalisation. Ces notions doivent être connues du personnel. Les enfants auront les fantasmes particuliers à leur âge (voir fantasmes préopératoires, pp. 71 à 75).

Les mortalités dans la famille, qui ont été précédées de l'hospitalisation, peuvent être associées dans l'esprit de l'enfant, de sorte que la panique s'empare de lui dans la perspective d'une maladie sérieuse. Dans ce cas, c'est que l'enfant (de moins de 6 ans) peut associer le fait d'aller à l'hôpital avec une issue morbide, particulièrement — la mutilation.

Les possibilités citées plus haut doivent être envisagées avant une interview formelle. Dans cette première étape, tous les rapports importants avec l'enfant et la famille doivent être solidifiés avant de solliciter d'autres informations. Naturellement, le médecin et l'infirmière-chef doivent s'identifier et expliquer les rôles des subalternes et des paraprofessionnels.

Dans la seconde étape, l'interviewer doit décider quels secteurs seront couverts par l'interview — ceux-ci diffèrent selon les divers syndromes. Par exemple, dans le cas d'un enfant brûlé, à la période post-traumatique immédiate, il serait plus important de connaître quel est l'intérêt des parents concernant la sécurité à la maison, leur culpabilité et les circonstances de l'accident que de savoir si l'enfant se querelle habituellement avec un de ses proches, comme ce détail pourrait avoir de l'importance dans le cas d'un enfant souffrant d'une maladie bénigne de l'enfance. Lors de la réadmission d'un asthmatique, l'interviewer devrait rechercher les événements déclanchant une crise, comme les discussions, de nouvelles personnes à la maison, les séparations et les récentes fautes dans le traitement à domicile.

Après avoir examiné les vastes secteurs à être couverts, on devrait poser aux parents des questions comme celles-ci: « Comment ont été les choses dans votre famille ces dernières semaines? Que s'est-il passé? Comment est-ce arrivé? Quand avez-vous remarqué pour la première fois un changement dans la santé de l'enfant et qu'est-il arrivé par la suite? Que devrions-nous savoir qui pourrait nous aider à rendre votre enfant plus confortable à l'hôpital? Qui et que manquera-t-il étant éloigné de la maison? Quelles sont ses qualités sympathiques? »

Les gens préfèrent dire les choses à leur manière. Ces premières questions rendent la chose possible. Tant que leurs réponses semblent pertinentes aux soins de l'enfant, les parents accueillent bien l'occasion qu'on leur offre de parler franchement de leurs vies.

Dans la troisième étape, l'interviewer doit consulter le minutieux interview médical habituel qui contient des détails sur la maladie actuelle, l'histoire, la révision des systèmes, l'examen physique et le diagnostic.

La quatrième étape devrait être assumée par l'interviewer qui a établi les bases d'une solide relation avec la famille et qui a l'intention de continuer à la développer. Pour cette étape, il suit la marche des étapes précédentes et commence à chercher les problèmes qui peuvent être menaçants, questionnant sur les omissions, les plaintes évidentes ou voilées, les questions sur lesquelles on a glissé et toutes les bizarreries. Par exemple, la réponse peut être significative — si l'aspirateur est la seule chose que Jean manque, si le père n'est pas mentionné, s'il est noté au passage que les choses ont été affreuses depuis des mois, ou si les épreuves évidentes de la maladie chronique sont niées.

À la cinquième étape, il est hautement désirable d'interviewer les autres membres de la famille avec la même méthode d'approche. Les évaluations décrites au troisième chapitre sont introduites à ce moment (voir l'interview pour le diagnostic familial, p. 47).

Durant la sixième étape, l'interviewer devrait explorer les questions spécifiques, généralement reconnues comme bouleversantes et éprouvantes pour la plupart des individus et des familles. Ces questions forment souvent le siège de difficultés ultérieures. Voici des exemples de questions non menaçantes qui font jaillir des informations et découvrir des secteurs problèmes: « Qui est la personne fiable dans votre environnement? Vers qui vous tournez-vous quand vous avez besoin d'aide? Qui vous vient en aide avec les enfants? Dans votre famille, comment les différents individus répondent-ils à la maladie? Les tensions qui surviennent à l'intérieur de la famille rapprochent-elles ou éloignent-elles les membres les uns des autres? Y-a-t-il des difficultés caractéristiques? Cet enfant diffère-t-il de ses frères ou cousins? Quelle a été sa période de croissance la plus difficile? Comment croyez-vous que cette maladie soit survenue? Que pensent les autres membres de la famille des débuts de la maladie? Cette maladie amène-t-elle dans la famille des parents qu'on n'y voit pas ordinairement? Aimez-vous cela? Comment prend-on soin des autres enfants? Que savent-ils sur la maladie de l'enfant et des hôpitaux? Cette maladie dérange-t-elle les plans de la famille (aux points de vue économique, géographique ou social)? »

On peut aussi obtenir plusieurs informations valables pour savoir comment agir efficacement avec l'enfant par les questions suivantes: « Le mariage est-il harmonieux? Quelle est la forme dominante de punition? Les parents ont-ils une vie personnelle? Quelle est l'atmosphère émotionnelle globale? La famille est-elle financièrement assurée? Quels sont les loisirs? Le malade est-il né à une période favorable dans l'histoire familiale? »

Les questions citées plus haut dévoilent des renseignements qui mènent à la formation d'un jugement sur l'adaptation passée et présente de la famille. En outre, on peut prévoir, avec une certaine assurance, la capacité de la famille à assimiler de nouvelles informations et à suivre les instructions. On peut ainsi, avant le congé du malade, établir un plan d'aide spécifique en vue d'un régime thérapeutique —

infirmière visiteuse, domestique, travailleur social, soins à domicile. Ces étapes tracent les lignes de conduite initiales pour l'équipe de santé mentale et pour chacun dans l'unité pédiatrique qui « interagit » avec ce malade et sa famille pendant les premiers jours à l'hôpital. Cette méthode d'interview devrait être appliquée à chaque réadmission parce que de nouvelles expériences familiales peuvent avoir provoqué des changements significatifs dans les besoins de l'enfant.

RENCONTRES DU PERSONNEL AVEC LES PARENTS QUI RÉSIDENT À L'HÔPITAL ET QUI PARTICIPENT AUX SOINS DE L'ENFANT

Lors de l'admission d'un enfant à l'hôpital, une des grandes inquiétudes des parents — le droit de visite et de résidence — a été arbitrairement réglée selon les politiques de l'institution. Malgré les découvertes qui indiquent de manière concluante les effets nocifs de la séparation d'avec leur mère sur les jeunes enfants[1, 2, 3], l'application de cette connaissance fait défaut dans la plupart des unités pédiatriques, et le bien-fondé de la participation des parents dans les soins des enfants hospitalisés demeurent une question controversée.

Cependant, il existe une tendance croissante, dans plusieurs communautés, à défier ces règlements archaïques qui empêchent l'étroite interaction des familles pendant les périodes de tension. La connaissance actuelle favorise des approches plus flexibles. Aussi, pour un nombre croissant de membres du personnel pédiatrique, la question n'est plus de savoir s'il est sage de permettre une interaction extensive des familles pendant l'hospitalisation, mais plutôt comment cette interaction peut se faire avec un équipement inadéquat.

Cette tendance vaut d'être revue. Aujourd'hui, quelques institutions sont suffisamment modernes et spacieuses pour recevoir convenablement des membres de la famille et leurs effets personnels. Le personnel se plaint souvent qu'il faut temps et efforts pour répondre aux questions, pour enseigner les soins de l'enfant et pour tolérer les rapports de supervision et de défi des parents.

Heureusement, les désavantages causés par le temps, l'espace et les

---

[1]Bowlby, J., et al.: *Maternal Care and Mental Health; Deprivation of Maternal Care: A Reassessment of Its Effects.* 2ᵉ éd. New York, Schocken Books, 1966.

[2]Bowlby, J.: Childhood mourning and its implications for psychiatry. *Amer. J. Psychiat.*, 118: 481, 1961.

[3]Fagin, C. M.: *The Effects of Maternal Attendance During Hospitalization on the Post-Hospital Behavior of Young Children: A Comparative Survey.* pp. 61 à 65. Philadelphia, F. A. Davis, 1966.

conflits famille-personnel sont contrebalancés par les aspects positifs évidents. On en a la preuve par l'absence d'angoisse de séparation, telle que décrite par Robertson[4]; le plus grand sentiment de sécurité ressenti par les enfants quand ils sont accompagnés de leurs parents; le réconfort que les mères se donnent l'une à l'autre et la plus grande assimilation, par ces familles, du programme d'enseignement. Cette philosophie offre aussi l'avantage important d'évaluer la relation mère-enfant et les autres rapports familiaux.

> David, âgé de 9 mois, a été admis à l'hôpital pour défaut de développement. Pendant l'interview d'admission, le pédiatre observa une mère aimante et attentive qui trouvait de la joie à prendre soin de son fils. Sa seule plainte était le temps que nécessitait chaque repas. Les observations subséquentes sur la mère, alors qu'elle participait aux soins de l'enfant pendant les semaines suivantes, changèrent l'impression initiale. La méthode d'alimentation, telle que décrite par le personnel, se résumait à un procédé de gavage de $1^1/_2$ heure; la mère projetait, d'une distance de quelques pouces, la nourriture dans la bouche du bébé. Très peu de nourriture atteignait le but. À plusieurs reprises, la mère manifesta son mécontentement pour la facilité avec laquelle les infirmières nourrissaient adéquatement l'enfant, même si elles faisaient tout leur possible pour dissimuler leur succès (afin de minimiser la jalousie de la mère). Leurs suggestions ne firent que frustrer cette mère et affirmer son insuffisance avec elle-même et les autres. À deux occasions, Mme M. dévoila ses préoccupations plus profondes — déception sur le sexe de l'enfant et sa ressemblance avec le père. Dans ce cas, ces découvertes changèrent l'approche. Au lieu de procéder à des investigations médicales de la physiologie de l'enfant, comme il en avait été décidé pour David, le personnel constata que la mère avait besoin d'aide pour surmonter sa crainte et son aversion envers les hommes et pour retrouver confiance dans son rôle maternel. Elle fut encouragée à rencontrer régulièrement un travailleur social.

Avant d'établir un programme pour les parents, il est important de penser aux conditions préalables, évitant ainsi des résistances inutiles. Un des moyens de découvrir les obstacles à cette idée est l'implantation d'un travail pilote dans une petite unité pédiatrique. Avant l'hospitalisation ou pendant l'interview d'admission, les parents peuvent être informés de l'existence d'un programme pour jeunes enfants (spécifiquement de moins de six ans, bien que l'âge ne doive pas être un obstacle quand l'enfant est gravement malade). Les activités dans lesquelles le personnel verrait d'un bon œil la participation des parents aux soins des malades devraient être clairement déterminées; *v.*g., bain, toilette, alimentation, accompagnement pour

---

[4]Voir phases de l'angoisse de séparation, p. 64.

les examens, participation à la récréation, préparation pour le coucher et assistance dans les traitements qui nécessiteront éventuellement des soins post-hospitaliers.

Des précautions devraient être prises afin d'éviter l'éveil de la culpabilité chez une mère qui a déjà des conflits de la séparation d'avec son enfant, à cause de ses responsabilités envers ses autres enfants. On doit aussi éviter la participation de parents dont la présence prolongée dans la vie de l'hôpital étouffe l'implication du malade avec ses pairs et ordinairement gêne son adaptation.

> Henriette, âgée de 14 ans, regimbait contre la présence continuelle de ses parents durant le jour et contre sa mère qui dormait dans sa chambre la nuit. Elle fut heureuse quand le personnel intervint en son nom pour convaincre sa famille de sa bonne adaptation à l'hôpital. Rassurés, ils purent, pour une longue période, laisser cette jeune adolescente à ses propres ressources.

> Hervé, âgé de 7 ans, était dérouté par l'attention concentrée de sa mère. Normalement, une gouvernante en prenait soin et il voyait ses parents à des heures rigidement déterminées durant le jour. Après son admission, sa mère fut convaincue, par d'autres parents, de l'importance de sa participation. Elle se conforma avec un malaise évident. Cela, malheureusement, joua contre Hervé; il se crut alors plus malade; c'est ce qui justifiait une telle réunion familiale. On discuta avec Mme B. de l'opportunité de visites régulières pour les enfants du groupe d'âge d'Hervé, cela provoqua un soulagement immédiat chez sa mère qui fut libérée d'un rôle maternel imposé; conséquemment, son absence permit à Hervé de se chercher des amis et un substitut de la mère à travers le personnel infirmier.

Tandis que la majorité des parents pose peu de difficulté au personnel, ceux qui deviennent embêtants sont facilement retenus et fournissent la preuve au personnel qui s'oppose à la participation croissante des parents. Le potentiel de conflit famille-personnel est élevé — considérant la tension sous laquelle travaille le personnel médical et les angoisses des parents devant les enfants malades. Il ne faut pas oublier non plus que plusieurs individus sont difficiles, même dans des situations idéales. Sous la tension, tout le monde affiche une image intensifiée de son moi quotidien; en conséquence, la maladie fait ressortir les meilleurs ou les pires aspects de la personnalité des gens. Alors, le personnel et les parents doivent être protégés, de manière réaliste, par des politiques éclairées et des lignes de conduites établies pour parer les frictions interpersonnelles et permettre la continuation du programme des parents et le maintien de la routine de l'unité de soins.

Les premières expériences avec les parents qui participaient aux soins de l'enfant ou qui passaient la nuit avec lui nous ont convaincus de l'importance d'établir clairement les politiques et les limites de l'implication de la famille. Une brochure, préparée à l'intention des parents et énonçant ce qu'il faut espérer, prévient souvent les affrontements majeurs avec le personnel. L'unité pédiatrique doit soutenir la philosophie selon laquelle le logement pour la nuit est permis parce que le personnel reconnaît que l'hospitalisation est moins traumatisante pour les jeunes enfants quand un membre de la famille est présent de manière stable, et cette conviction a pressé l'institution d'ouvrir un programme pour les parents, devant l'espace de logement inadéquat. Une description réaliste des installations — pour le sommeil, le bain, la restauration — est essentielle. Les unités peuvent rarement offrir les commodités de la maison. Une présentation honnête pourrait influencer les attentes des parents et diminuer le nombre de plaintes relatives aux installations. Au début, les individus qui réclamaient des services au-dessus des pouvoirs du personnel pouvaient être gentiment dissuadés de rester avec l'enfant.

Les parents doivent savoir que, sans se soucier de leur présence ou de leur absence, le personnel médical et infirmier observe leur enfant et applique les traitements sur une période de 24 heures; que, chaque fois que cela sera nécessaire, ils entreront dans la chambre de l'enfant, dérangeant possiblement un parent dormant dans la même chambre. Il doit être compris que le personnel assume la responsabilité du bien-être de l'enfant, même si certains traitements sont délégués aux parents.

Un guide pour les parents doit contenir les règlements faits pour assurer des conditions harmonieuses de vie avec les enfants, les autres parents et le personnel. Ces règlements sont souvent négligés jusqu'à ce qu'ils deviennent un problème — vêtement approprié (la nudité dans les endroits publics cause de l'embarras à tout le monde), restrictions sur l'alcool et le tabac et le nombre de parents ou d'invités pour un malade. Quand des limites sont établies de bonne heure, il y a moins de possibilité de déroger aux règlements.

Les règlements, en effet, sont établis pour faciliter le fonctionnement harmonieux du programme; encore doivent-ils être appliqués de manière flexible. Il peut être aussi convenable de retirer des privilèges que de les augmenter dans l'intérêt des soins au malade.

Dans une unité privée très occupée, une infirmière de nuit s'est retrouvée bouc-émissaire de quelques mères anxieuses, après un incident en apparence mineur. Cela survint quand Mme Z., revenant de son dîner, trouva son enfant avec une couche souillée. Elle vit immédiatement l'infirmière responsable et la réprimanda pour sa négligence. L'infirmière répliqua sans trop de gentillesse qu'on permettait aux mères de demeurer avec leurs enfants et qu'il était entendu qu'elles devaient participer aux soins; et que des choses plus importantes exigeaient son attention; et qu'elle espérait que Mme Z. coopérerait. Cependant, la coopération n'était pas le fort de cette mère — les représailles l'étaient. Le récit de la rudesse et de l'incompétence de l'infirmière se répandit rapidement à plusieurs mères dont les enfants étaient très gravement malades. Elles décidèrent, avec Mme Z., qu'elles ne pouvaient pas quitter l'unité en toute tranquillité, à moins que l'une d'entre elles reste de garde. Cette mère avait pour tâche de superviser l'infirmière et rapporter régulièrement, par téléphone, ses conclusions aux autres. Peu après, aucune médication ni aucun traitement ne pouvaient être donnés sans provocations. Une question de conflit de personnalité entre les mères et l'infirmière se transformait maintenant en une situation où les soins étaient compromis. L'hystérie des mères augmenta au point qu'elles demandèrent le remplacement de l'infirmière.

Dans ce cas heureusement, l'infirmière était particulièrement compétente. Il était clair qu'elle devait être soutenue et que le personnel de l'unité devait regagner la bonne volonté et la coopération de Mme Z. Après plusieurs tentatives pour reconquérir sa coopération par de longues conversations et des explications, l'infirmière-chef et le chef résident en pédiatrie durent déterminer des limites fermes à Mme Z. en lui permettant de choisir entre demeurer dans sa chambre ou quitter l'hôpital. Cela eut un effet sédatif sur Mme Z. Les autres mères eurent besoin d'une intense session de groupe avec le personnel avant d'être convaincues que leurs enfants étaient bien soignés. Quelques jours plus tard, Mme Z. demanda l'aide de son pédiatre privé. Cependant, le pédiatre, ayant déjà assisté à une conférence de santé mentale, collabora avec le personnel et assura Mme Z. de l'accord de chacun sur les besoins de son enfant et de l'excellente qualité des soins infirmiers.

Dans l'incident décrit plus haut, la résolution du problème ne suscitait pas de conflit entre le personnel et le pédiatre soignant, mais cela n'est pas typique. Pour éviter les conflits professionnels inconvenants, il doit y avoir une politique départementale préétablie qui spécifie comment résoudre les conflits interpersonnel et personnel-famille. Il semble raisonnable que l'autorité repose sur ceux qui prennent la part principale du problème — notamment le personnel infirmier et médical qui dirige l'unité. On ne peut laisser les décisions à ceux qui en méconnaissent le résultat pour les gardiens immédiats de l'enfant.

Les aspects négatifs du programme de participation des parents sont présentés pour alerter le personnel sur les secteurs qui exigent plus de réflexion et de planification. Le succès ne dépend pas seulement de la perception qu'ont les parents de la bonne volonté du personnel. La bonne volonté s'use rapidement quand, par exemple, le personnel voit l'aide des parents comme un moyen d'épargner du temps et de se libérer des activités routinières qui demandent peu d'apprentissage. Il peut alors s'attendre à ce que les mères se plaignent d'être exploitées ou croient que leurs enfants ne seront pas soignés pendant leur absence parce que le personnel n'a pas approché le malade en présence des parents. Les bons sentiments se dissipent aussi rapidement quand un parent croit que le coût de l'hospitalisation lui donne droit à des services personnels au-delà des soins médicaux et infirmiers de l'enfant.

N'importe laquelle de ces plaintes devrait indiquer au personnel la nécessité d'une discussion et d'une réorientation d'eux-mêmes, des parents ou des deux.

> Une infirmière, très irritée, sort d'une chambre; elle rapporte qu'il lui prend plus de temps à expliquer à la mère la technique d'application d'un sac à drainage urinaire que de l'installer elle-même.

> Une physiothérapeute s'excuse de n'avoir pas assisté un parent et l'enfant parce qu'elle « sait » que la mère appellera si elle a besoin d'aide pour les exercices de l'enfant. La thérapeute ne comprend pas que son défaut d'assistance est interprété par la famille comme une négligence; alors que de courtes apparitions, commodément planifiées, lui auraient éventuellement épargné d'être interrompue par des griefs à un moment inopportun.

Le personnel peut se rendre compte que l'insatisfaction des parents indique ordinairement qu'ils aimeraient être appréciés pour leurs efforts ou faire comprendre leur besoin d'un plus grand appui pour faire face à la maladie et à l'hospitalisation. Quand on la regarde sous cet angle, la participation des parents peut rarement être considérée comme une méthode d'allégement au manque de personnel. La participation des parents peut, tout au contraire, nécessiter plus de personnel, mais en valoir la peine.

L'enthousiasme du personnel est suffisant pour déclancher la participation des parents; mais l'enthousiasme n'est pas suffisant pour soutenir le programme. Les travailleurs de la santé mentale (psychiatre, infirmière en santé mentale, travailleur social ou psychologue) doivent être disponibles pour faciliter la communication et atténuer les sentiments négatifs du personnel. Les manières de penser, évidentes et cachées, du personnel à propos des enfants et de leurs familles devraient être exposées. C'est à travers les conférences multidisciplinaires qu'un système de communication sensible peut être maintenu. Souvent, les infirmières reconnaîtront leurs appréhensions, leurs sentiments de colère et de manque de ressources dans leurs relations avec les malades et rechercheront de l'aide.

Les médecins qui passent beaucoup moins de temps avec les enfants sont aussi moins impliqués bien que leurs décisions puissent avoir des effets importants. Les satisfactions provenant d'interactions plus intensivement développées avec les jeunes leur faisant défaut, ils peuvent manquer de stimulation pour acquérir des connaissances du monde de l'enfant. Une image plus complète de l'interaction person-nel-malade-famille peut être découverte à travers la discussion de groupe, et une approche unifiée pour savoir de quelle manière agir avec le malade prend naissance.

L'infirmière s'occupant de la fille de 10 mois de M. S. (admise pour détresse respiratoire) a rapporté qu'il lui a été difficile de comprendre ce qui se passait chez le père de l'enfant. Il l'appela auprès de l'enfant 4 fois dans une heure, lui indiquant très innocemment que la perfusion était presque arrêtée. À la dernière occasion, il sembla à Mlle M. que quelque chose était de travers quand elle trouva que l'agrafe I.V. était ajustée pour obstruer entièrement le passage de la solution. Elle deman-da à M. S. si quelqu'un d'autre était venu régler la perfusion. Il le nia véhémentement. Cependant, une autre infirmière avait vu M. S. toucher à l'agrafe et elle l'avait empêché de le faire. Comme la discussion con-tinuait, d'autres membres du personnel donnèrent plus de preuves de l'ingérence de M. S. dans le traitement de son enfant. La veille, on avait vu M. S. retirer les contraintes du poignet de son enfant. Quand on lui reprocha son action, il devint très défensif — notant qu'il ne tolérait pas que son bébé soit torturé de cette manière. L'infirmière lui demanda s'il comprenait bien que ces contraintes avaient pour but d'empêcher l'enfant de tirer l'aiguille hors de la veine. Il lui répondit enfin qu'il venait tout juste de voir le film *Spartacus* et qu'il associait les scènes de torture aux méthodes de traitements utilisées pour sa fille. Cette discussion l'aida momentanément à acquérir une nouvelle perspective de la situation.

Néanmoins, l'expérience du résident en pédiatrie avec cette famille lui révéla que le problème était loin d'être résolu. Peu de temps avant la conférence, le bébé fit une crise asthmatique. Une injection d'adré-naline fut prescrite. Quand l'infirmière voulut administrer le médica-ment, M. S. se plaça en travers du lit et déclara qu'il ne permettrait pas un tel traitement. Pendant que la mère restait là à se tordre les mains, le père continuait ses fortes protestations. Le résident en pédiatrie tenta de raisonner cet homme, mais devant l'impossibilité de le convaincre, il abandonna. Il avertit M. S. qu'il aurait à assumer la responsabilité de ce qui pourrait se produire. Heureusement pour l'enfant, la crise s'apaisa. Malheureusement pour le père, l'incident accentua sa mé-fiance envers le personnel et entraîna une anxiété et une agressivité beaucoup plus accentuées.

Les renseignements apportés par l'infirmière-chef donnèrent au personnel un aperçu de l'adaptation de cet homme dans sa vie per-sonnelle. Étant un administrateur prospère, M. S. avait l'habitude de prendre des décisions, donner les ordres et exiger une action immédiate — bref, il exerçait toujours un complet contrôle de la situation. Sa fem-me observa que peu de personnes l'avaient défié. Il assumait un rôle semblable à l'hôpital, mais il constituait alors un risque pour la santé de son enfant.

Le personnel appuya à l'unanimité le plan suivant, à savoir: que l'infirmière-chef et le médecin traitant, en différentes occasions (a) reconnaissent les talents d'administrateur du père et son efficacité dans son travail; (b) comprennent son désir d'aider son enfant et ses sentiments d'impuissance à l'hôpital; (c) déterminent le passé médical du père (s'il y a lieu) et ses expériences antérieures avec la maladie et les médecins; (d) découvrent l'opinion du père sur les traitements prodigués à l'enfant et sachent sur quoi il fonde son jugement; (e) lui fassent comprendre que ses bonnes intentions nuisent au traitement de l'enfant et que son comportement indique son manque de perspective entre ses sentiments d'impuissance et ceux de l'enfant; (f) lui expliquent que le personnel médical est compétent dans les domaines où lui ne l'est pas et que ce personnel prendra l'entière responsabilité des soins médicaux — sans quoi ces derniers pourraient être discontinués. Quand M. S. constata la ferme détermination et l'unité du personnel ainsi que sa propre surprotection, il se soumit. Rassuré par le fait que quelqu'un assumait les responsabilités, il ne se sentit plus dans l'obligation de diriger.

Une autre facette de la participation des parents aux soins mérite notre attention. Elle se rapporte aux problèmes interdisciplinaires fondamentaux qui sont souvent aggravés par la présence de personnes de l'extérieur. Ces problèmes sont mis en évidence par la manière dont les infirmières et les médecins réagissent aux griefs des parents. Les infirmières, par tradition, ont tendance à défendre les actes du médecin et à rehausser sa réputation aux yeux du malade et de sa famille. Ce comportement caractéristique résulte de l'endoctrinement intégré à l'éducation de base du nursing — supposément dans l'intérêt du malade. L'inverse ne se vérifie pas. Les plaintes qu'adressent les parents au médecin en ce qui regarde le travail des infirmières et du personnel paramédical reçoivent très souvent un appui (alléguant comme excuse que le client a toujours raison). Les deux attitudes, celle des médecins comme celle des infirmières, empêchent souvent de solutionner facilement des problèmes qui impliquent les parents, comme le démontre l'incident suivant.

La méfiance de Mme B. envers le personnel devint très évidente au moment où Jules fut transféré de l'unité des soins intensifs à l'unité de pédiatrie. Elle provoqua les infirmières au sujet de la diète, de la fréquence des traitements respiratoires et de sa position dans le lit. Quand l'infirmière de l'enfant expliqua qu'elle suivait les indications du médecin et qu'elle avait confiance en lui, la mère laissa échapper qu'elle croyait que les infirmières ne savaient pas ce qu'elles faisaient et qu'elle ne pouvait pas laisser son fils sans protection. Au début, le personnel crut qu'elle réagissait à la gravité de la condition de l'enfant et au fait qu'il ne recevait plus l'extraordinaire attention des soins intensifs. La relation entre la mère et les infirmières se détériora davantage quand Jules raconta à sa mère que l'infirmière de nuit l'avait réveillé pour lui faire prendre un somnifère. Mme B. était si agitée qu'elle commença à informer qui voulait l'écouter du comportement « bizarre » de l'infirmière. L'infirmière-chef demanda à cette mère de retenir son jugement et ses comptes rendus aux visiteurs jusqu'à ce que l'infirmière de nuit puisse être consultée sur ce prétendu incident. Cette demande fut interprétée comme une insulte par la mère et l'enfant. Ils appelèrent leur pédiatre qui fut d'accord que l'infirmière avait agi d'une façon irresponsable. Le pédiatre apaisa la mère sans tenir compte des faits et de l'impact que cela produisait sur les relations tant interdisciplinaires que famille-personnel.

Par la suite, la tension s'accrut entre Mme B. et les infirmières, de même que la rancœur de celles-ci envers le personnel médical. Les infirmières demandèrent l'intervention de la consultante en santé mentale. À la lumière des faits, on apprit que l'infirmière avait en fait réveillé l'enfant pour prendre ses signes vitaux et lui donner son traitement. Elle donna à Jules son somnifère quand il se plaignit de ne pouvoir se rendormir. Ces faits ne firent qu'exaspérer davantage Mme B. Elle fit remarquer, très justement (comme ce fut découvert), que son pédiatre avait discontinué tous les traitements. L'enquête révéla que le pédiatre donnait des instructions verbales à Mme B. pendant que le chirurgien rédigeait des ordres qui ne coïncidaient pas. Avec raison, cette mère fut alarmée par les inconséquences et le manque de coordination des services.

L'incident a eu un côté positif: il entraîna un examen administratif des politiques régissant les requêtes en consultation et une nouvelle méthode de rédiger les ordres.

La participation d'une mère aux soins de son enfant a tout simplement mis en lumière un problème fondamental dans les communications et les relations interdisciplinaires. Le personnel peut éviter ce genre de conflit en constatant que le blâme ou l'appui automatique d'une discipline par une autre constituent une mauvaise façon de régler un problème. Toute plainte, même mineure, doit recevoir une sérieuse attention; i.e., reconnaissance, acceptation des sentiments exprimés et compréhension des questions fondamentales. Cela n'implique nullement l'accord avec les opinions émises. Si ces préceptes sont suivis, les conflits du personnel créeront des occasions favorables à la définition des rôles, la compréhension mutuelle et le rapprochement.

Malheureusement, le programme de participation des parents s'est terminé abruptement dans de trop nombreuses institutions où le personnel n'a pas créé une atmosphère cohésive et thérapeutique. La préparation en vue de la participation des parents exige du temps ainsi que le soutien et l'assistance des professionnels en santé mentale afin de régler les conflits interpersonnels et professionnels qui surgissent toujours. Quand un programme devient incontrôlable, on peut prédire un retour immédiat aux méthodes traditionnelles dans les rapports avec les familles; *i.e.*, les éliminer de l'environnement hospitalier.

VISITES ET SÉPARATION

Là où la participation des parents et la résidence ne sont pas permises, ou dans les cas où les familles sont incapables de profiter des avantages offerts, la meilleure façon de triompher de l'angoisse de séparation est de permettre des heures de visites courtes et flexibles.

Il n'y a pas si longtemps, le personnel médical croyait que les visites des parents étaient néfastes aux enfants. Le fait que des malades, en apparence sereins, devenaient difficiles (*i.e.*, par leurs cris et leur incapacité d'accepter le départ des parents) fut un témoignage en faveur de ce point de vue. Tant de problèmes survinrent à la suite des visites que le personnel dut raccourcir ou interdire les heures de visites, selon le cas, afin d'accélérer le processus « d'apaisement ».

Angoisse de séparation

De fait, la séparation d'avec les parents, chez les jeunes enfants, amorce un processus qui va de la protestation au désespoir et au refus (décrit par Robertson)[5]. De manière caractéristique dans la phase 1, l'enfant est agité, il pleure beaucoup, regarde ardemment pour reconnaître les signes et les bruits qui peuvent indiquer la présence de ses parents; il peut, à ce stade, rejeter le réconfort du personnel. Dans la phase 2, l'enfant essaie très peu de modifier l'environnement, les pleurs diminuent et l'apathie s'installe. C'est un état de tristesse qui est souvent mal interprété comme un signe positif. Avec l'apparition de la phase 3, l'enfant montre de l'intérêt pour son entourage et une acceptation de la séparation. Il peut sembler avoir oublié tout-à-fait le parent et accepter son départ sans une plainte.

Les recherches des deux dernières décades ont enseigné aux professionnels que « l'apaisement » était une fausse adaptation, facilement renversée par l'arrivée des parents; que les visites ne causaient pas le mécontentement de l'enfant, mais découvraient plutôt la détresse qui se cachait derrière son calme apparent[6]. D'ailleurs, le jeune enfant qui avait finalement cessé de réagir négativement aux rares visites

[5]Robertson, J.: *Young Children in Hospitals*. pp. 20 à 23. London, Tavistock Publications, 1958.

[6]Robertson, J.: *Young Children in Hospitals*. p. 14. London, Tavistock Publications, 1958.

démontrait une relation altérée envers ses parents. Subséquemment, l'évaluation des enfants souffrant d'une grave privation maternelle démontrait, à la suite de cette privation, des manifestations tenaces et à long terme — confiance altérée entraînant des difficultés dans l'établissement de rapports étroits, confusion, fonctionnement intellectuel diminué et égocentrisme[7].

Manière de procéder dans l'angoisse de séparation

Pour le groupe du nouveau-né jusqu'à six mois, il y a peu d'angoisse de séparation, bien qu'on puisse l'observer vers la fin de cette période. Quoiqu'un jeune bébé puisse distinguer sa mère des autres, il accepte facilement des substituts aussi longtemps que ses besoins de nourriture, de chaleur et de rapprochement humain sont satisfaits et qu'une routine sûre pour ses soins est établie. Cependant, après que l'enfant a développé un fort attachement pour sa mère, les substituts ne peuvent plus compenser adéquatement l'absence de celle-ci. Cela survient vers l'âge approximatif de six ou sept mois.

Le bébé montre du déplaisir quand sa mère est hors de sa vue et il rejette l'attention des étrangers. Sa réaction peut aller d'un épisode de pleurs peu importants à une période de terreur. Les jeunes bébés ne peuvent pas comprendre, et n'apprendront pas avant des mois, que les objets continuent d'exister quand ils sont hors de leur vue. Ce fait suscite un problème difficile quand un parent n'est pas disponible pendant l'hospitalisation d'un enfant plus âgé.

Les parents et les membres du personnel doivent travailler ensemble pour amoindrir les difficultés. Certes, les visites fréquentes et régulières doivent être accentuées afin que, même dans la maladie, les rapports familiaux soient maintenus, et que le sentiment des parents de pouvoir soigner adéquatement leur enfant soit protégé. Les responsabilités du personnel augmentent en l'absence d'une figure parentale stable. Même si les visites parentales fréquentes avec leurs lendemains causent leurs propres difficultés, elles en valent la peine. Le personnel a besoin de beaucoup d'appui pour tolérer les réactions de protestation constantes des enfants. L'affectation logique du personnel est une plus grande nécessité chez les bébés afin de développer leur confiance (l'anticipation que ses besoins soient comblés). (Voir guide de travail avec les nourrissons, p. 137.)

Le bébé craindra moins les étrangers s'il voit évoluer les membres du personnel médical de façon à pouvoir les considérer comme des personnes sûres. Il répond bien à une approche indirecte; *v.g.*, quand

---

[7]Bowlby, J., et al.: *Maternal Care and Mental Health; Deprivation of Maternal Care: A Reassessment of Its Effects.* 2e éd. New York, Schocken Books, 1966.

les membres du personnel prêtent attention aux autres en sa présence, travaillent dans sa chambre loin de son lit et évitent les contorsions faciales et les grands bruits. L'idéal sera atteint quand le bébé fera les premiers pas pour obtenir de l'attention, indiquant par là qu'il a accepté les membres du personnel.

Les parents et le personnel peuvent aider le bébé à faire face à l'angoisse de séparation à travers des jeux répétés (cache-cache et cou-cou pour les tout-petits) où les personnes et les objets apparaissent et disparaissent[8]. L'enfant peut aussi prendre l'initiative de ces jeux. Cette « maîtrise active » met la présence et l'absence sous le contrôle de l'enfant et transforme les expériences tristes et passives en des occasions gaies et enjouées.

Pour les tout-petits, aussi bien que pour les enfants au-dessous de 4 ans, la séparation soudaine et prolongée peut être accablante. Ces jeunes enfants n'ont aucune conception du temps; quelques heures peuvent leur sembler une éternité. Ces enfants peuvent être rassurés seulement par la présence réelle des parents (guide de travail avec les tout-petits et les jeunes de 3 ans, p. 139). Après l'âge de 4 ans, il y a compréhension et anticipation du retour de la mère.

Le taux d'anxiété démontré varie grandement avec chaque enfant, dépendant de son niveau de développement, de l'étendue de ses contacts sociaux en dehors de sa famille immédiate et de ses expériences antérieures avec la séparation. En général, l'enfant ayant un rapport solide et exclusif avec sa mère manifestera la plus sérieuse réaction; ceux qui n'ont pas d'attaches solides auront peu à déplorer et développeront à la place des liens aveugles ou étroits avec le personnel (voir l'histoire de Philippe, p. 216). Naturellement, la plupart des enfants dans ce groupe d'âge se situent quelque part entre ces deux extrêmes.

Les réactions des enfants doivent être expliquées aux parents comme étant normales, acceptables et que c'est, pour l'enfant, la seule façon de manifester sa peine. Les parents doivent aussi se rendre compte que les griefs de l'enfant peuvent être allégés par des visites régulières qui lui seront expliquées dans les termes de l'ordre naturel des activités de la chambre plutôt que de fixer une heure exacte de la visite des parents; v.g., « Maman sera ici après la sieste demain ». L'enfant sera aussi rassuré si on lui dit qu'on l'aime et qu'il reviendra à la maison. Ces suggestions sont très importantes pour les parents qui se tiennent éloignés parce qu'ils trouvent la réponse de l'enfant trop douloureuse pour eux, ou qui croient à tort qu'une façade de soumission ou de rejet en faveur du personnel démontre qu'ils ne

[8]Fraiberg, S. H.: *The Magic Years.* pp. 76 à 83. New York, C. Scribner's Sons, 1959.

sont pas essentiels à l'enfant (voir l'histoire de Jacques, p. 220). La plupart des enfants trouveront du réconfort à garder par devers eux des articles personnels appartenant à leurs parents ou à montrer des photographies de famille au personnel. Les enfants que les parents visitent irrégulièrement peuvent avoir besoin d'un substitut de la mère.

À mesure que l'enfant acquiert de la maturité, sa dépendance doit décroître et il peut mieux tolérer l'absence parentale. Bien qu'un enfant d'âge scolaire puisse encore éprouver de la solitude et de la nostalgie, il peut trouver du réconfort chez ses pairs et de nouveaux intérêts. Les tendances régressives sont des preuves de l'angoisse de séparation, v.g., parler bébé, irritabilité, fanfaronnade. Les formes de résistance varient: plus l'enfant est âgé et loquace, moins il ressent le besoin d'exprimer ses sentiments. Les exemples qui suivent démontrent quelques-unes des réactions d'âge spécifique déjà citées.

> Simon, âgé de 3 ans, eut un gigantesque accès de colère au départ de sa mère. D'un air narquois, il chercha la compagnie de son infirmière favorite qu'il trouva au poste des infirmières. Elle reconnut sa présence, mais lui indiqua aussi qu'elle n'était pas libre de rester avec lui. La rage de Simon fut réactivée par une seconde déception. Il baissa sa culotte et fit une grosse selle au milieu du plancher. Sa communication était immédiate et visible.

> José, âgé de 6 ans, dit confidentiellement à sa mère qu'elle pouvait partir pendant sa sieste. Après son départ, il regretta sa bravade. Il sonna l'infirmière et, par l'interphone, il dit, d'une voix tremblante, que sa mère venait de partir et qu'il avait besoin de la présence de quelqu'un tout de suite. Heureusement, sa demande fut exaucée. Quand on rapporta l'incident à sa mère et que José fut loué pour sa capacité de communiquer ses besoins, sa mère nous dit avoir averti son enfant que le personnel médical était toujours là pour aider les enfants et qu'il pouvait s'y fier. L'enfant avait rapidement vérifié cette information. La réponse favorable qu'il reçut à sa demande influença grandement José dans le développement de sentiments positifs envers le personnel tout au long de son hospitalisation.

RENCONTRES AVEC LES PARENTS — COMMENT PRÉPARER LES ENFANTS POUR L'HOSPITALISATION

La majorité des parents ont donné à leur enfant une première explication avant son hospitalisation. Il est important de déterminer, dans l'interview familiale initiale, ce qui a été dit à l'enfant et quelle image réaliste il en a reçu. Ordinairement, selon le niveau de développement de l'enfant, on doit corriger ou clarifier ce qui a été dit. Cependant, la tâche la plus difficile est de discuter avec les mères et les pères qui ont été incapables de dire à leurs enfants que l'hospitalisation s'imposait, ou qui ont gagné la coopération de leur enfant par duperie (voir aussi le chapitre sur la famille). Cela peut être causé par des facteurs variés — leur propre anxiété n'est pas le moindre. Quelques parents croient que les jeunes enfants n'ont pas la capacité de comprendre ou d'envisager cette connaissance une fois qu'elle est donnée; d'autres ne savent pas quoi dire et abdiquent totalement leur responsabilité.

Les professionnels peuvent aider les parents à s'acquitter plus adéquatement de leur tâche, avant comme après l'admission. Quand le personnel s'aperçoit que les explications ont été refusées à cause du manque de connaissances de la part des parents, il devient évident qu'il doit au plus tôt jouer un rôle actif. On peut facilement remédier à cet aspect de l'insuffisance parentale en recourant à l'aide du personnel des cliniques et du pédiatre privé. Des conseils et des informations peuvent être dispensés verbalement ou par écrit. Nous vous proposons deux exemples: *Préparation de votre enfant à l'hospitalisation et à la chirurgie de l'œil* et *Préparation de votre enfant à l'hospitalisation et à l'amygdalectomie*.

Chaque institution devrait remettre aux patients éventuels un livret préparé à leur intention. Ce livret devrait informer l'enfant, d'une façon non menaçante, des différents aspects de la vie de l'hôpital, prenant en considération la structure physique, le personnel varié et ses fonctions, l'équipement le plus communément utilisé pour les soins aux enfants et la routine quotidienne. Les publications qui peindraient avec précision les activités de l'hôpital en général pourraient être un substitut acceptable[9]. La tendance actuelle est de faire visiter l'hôpital à l'enfant avant son hospitalisation afin de le familiariser avec les expériences à venir. Plusieurs méthodes sont valables pour introduire le sujet de l'hospitalisation à condition qu'il y ait toujours place pour la discussion. Ces méthodes sont planifiées en vue d'accroître la compréhension de l'enfant et de présenter l'hospitalisation comme un moyen de l'aider à guérir. Tous ces facteurs servent à diminuer les idées déformées qui provoquent l'anxiété.

Préparation de votre enfant à l'hospitalisation et à l'amygdalectomie

La première hospitalisation est ordinairement une expérience désagréable et effrayante. La démarche suivante peut vous aider, vous et votre enfant,

---

[9]Les exemples sont: Clark, B.: *Pop-up Going to the Hospital.* New York, Random House, 1970; Collier, J.: *Danny Goes to the Hospital.* New York, W. W. Norton, 1970; Rey, M. et Rey, H. A.: *Curious George Goes to the Hospital.* New York, Houghton Mifflin Co., 1966; Weber, A.: *Elizabeth Get Well,* New York, Thomas Y. Crowell, 1970.

à comprendre les méthodes et la routine de l'hôpital et, de là, à rassurer votre enfant le plus possible.

Nous vous proposons une marche à suivre qui vous aidera à répondre aux questions de votre enfant avant qu'il ou elle n'arrive à l'hôpital. Nous vous expliquons attentivement le processus d'admission et la routine préopératoire et vous recevrez aussi des indications écrites.

Avant l'admission, il importe que vous disiez à votre enfant pourquoi il vient à l'hôpital et ce qui peut vraisemblablement se produire pendant qu'il ou elle sera là. Une fois que l'enfant sera hospitalisé, le personnel médical et infirmier fera tout en son possible pour vous donner, à vous et à votre enfant, les explications nécessaires.

Les enfants doivent savoir que les amygdales sont deux petites bosses à l'arrière de la gorge; parce que les amygdales causent parfois des problèmes, par exemple: mal de gorge, mal d'oreilles ou quelque symptôme courant chez votre enfant, elles ne sont plus utiles; elles seront enlevées. Et c'est pourquoi il viendra à l'hôpital pour y être opéré. Dites-lui aussi qu'aucune autre partie de son corps ne sera opérée.

Dites à votre enfant qu'il ou elle recevra, à travers un « masque spécial » un médicament à odeur sucrée qui l'empêchera de ressentir l'opération. Après l'intervention cependant, il aura mal à la gorge; il doit savoir cela. Dites-lui aussi que les médecins et les infirmières savent comment soulager sa gorge et que dans quelques jours il sera complètement guéri.

Il est bon d'informer les enfants entre 4 et 7 ans de la date de l'admission 4 à 7 jours à l'avance. Cela donnera à votre enfant l'occasion d'y penser et de poser des questions. Pour les enfants très jeunes, entre 2 et 3 ans, il est suffisant de leur dire 2 à 3 jours avant et le matin de l'admission. Pour les enfants de plus de 7 ans, une franche discussion quelques semaines à l'avance et une véritable participation à la préparation sont à conseiller.

Afin d'aider l'enfant à discuter de l'opération à venir, il est utile que les parents posent des questions simples pour savoir ce que l'enfant a retenu de l'information donnée. Par exemple: « Pourquoi doit-on enlever tes amygdales? » « Où sont-elles? »

Plus l'enfant est jeune, plus il est important que la mère demeure avec lui. On incite les mères à rester auprès des jeunes enfants le jour et la nuit de l'opération. Quand cela est impossible, ne promettez-pas. Quand la mère est incapable de rester avec l'enfant, nous l'encourageons à être présente avant que l'enfant parte pour la salle d'opération et quand il en revient. Les heures de visites sont libres. Votre enfant doit savoir quand vous le quittez et quand il peut espérer votre retour. Les adieux peuvent être difficiles et remplis de larmes, mais les réponses évasives ne font qu'accroître l'anxiété de l'enfant et le rendre méfiant envers tout le monde. L'accent doit être mis sur la certitude de votre retour.

Pour aider votre enfant à mieux comprendre l'hospitalisation, tentez de lui lire quelques livres traitant d'une expérience à l'hôpital comme A Visit to the Hospital par le Dr Laster Coleman ou Curious George Goes to the Hospital par Margaret et H. A. Rey. Vous pouvez l'aider en le laissant jouer avec une trousse médicale. Un autre moyen aussi qui peut alléger l'anxiété, c'est de parler à l'enfant de vos expériences dans les hôpitaux.

Préparation de votre enfant à l'hospitalisation et à la chirurgie de l'œil

L'hospitalisation est une nouvelle expérience souvent bouleversante pour un enfant; cependant, une préparation attentive l'aide à comprendre et à accepter les procédés nécessaires. Nous savons que les parents se posent souvent des questions en fonction de cette préparation, c'est pourquoi nous proposons quelques moyens pour vous rendre la tâche plus facile.

Avant l'admission, il importe que vous disiez à votre enfant pourquoi il vient à l'hôpital et ce qui peut vraisemblablement se produire pendant qu'il sera là. Une fois que l'enfant sera hospitalisé, le personnel médical et infirmier fera tout en son possible pour vous donner, à vous et à votre enfant, les explications nécessaires.

Votre enfant doit savoir qu'il vient à l'hôpital parce qu'il a un défaut oculaire que les médecins savent comment corriger. Dites-lui, si c'est la vérité, qu'il est né comme cela; que vous ne savez pas pourquoi, mais qu'il n'y a personne à blâmer. Souvent, les enfants croient que leur état ou leur hospitalisation est une punition. Dites-lui clairement que ce n'est pas le cas.

Essayez de lui expliquer son état oculaire dans des termes qu'il peut visualiser. Par exemple, si ses yeux louchent, dites lui que les médecins savent comment pratiquer une opération qui redressera ses yeux pour qu'il puisse voir mieux. Dites-lui aussi qu'il recevra, à travers un « masque spécial », un médicament à odeur sucrée qui l'empêchera de ressentir l'opération ou toute douleur, et qu'après il aura un bandage sur son œil (ou ses yeux) parce que le médecin voudra faire reposer son œil pour quelque temps. Après un jour ou deux, il se peut qu'il revienne à la maison. Dites-lui aussi qu'aucune autre partie de son corps ne sera opérée.

Vous avez probablement, dans le passé, donné quelques explications à votre enfant sur son état oculaire — pour des visites à l'oculiste, quand ses examens ont été faits ou quand un couvre-œil ou des lunettes ont été utilisés pour soigner son état. Il est utile, à ce moment, de rappeler à votre enfant ces explications ou ces traitements passés et de les relier à la chirurgie.

Il est bon de commencer cette préparation 4 à 7 jours avant l'admission si votre enfant a 4 ans ou plus afin qu'il puisse y penser et poser des questions. Pour les enfants très jeunes, entre 2 et 3 ans, il est suffisant de leur dire 2 à 3 jours avant et le matin de l'admission. Pour les enfants de plus de 7 ans, une franche discussion quelques semaines à l'avance et une véritable participation à la préparation sont à conseiller.

Afin d'aider l'enfant à discuter de l'opération à venir, il est utile que les parents posent des questions simples pour savoir ce que l'enfant a retenu de l'information donnée. Par exemple: « Pourquoi dois-tu faire opérer tes yeux? » « Qu'auras-tu sur tes yeux après? » Les explications peuvent être données plus facilement, chez les très jeunes, en jouant avec une poupée — on peut prétendre que la poupée s'en va à l'hôpital pour faire arranger ses yeux et votre enfant lui mettra les bandages ou les pansements occlusifs. Nous sommes toujours stupéfiés de voir tout ce qu'un enfant peut apprendre à travers ce petit drame.

Plus l'enfant est jeune, plus il est important que la mère demeure avec lui. *Il est souhaitable que la mère partage la chambre avec l'enfant ou le visite le plus possible. Les heures des visites sont libres. Votre enfant doit savoir quand vous le quittez et quand il peut espérer votre retour. Les adieux peuvent être difficiles et remplis de larmes, mais les réponses évasives ne font qu'accroître l'anxiété de l'enfant et le rendre méfiant envers tout le monde.*

Dans les préparatifs de l'hospitalisation, pensez à apporter des jouets qui lui permettront de retrouver des sons familiers — un jouet musical ou un disque et tout jouet de nature à le réconforter. Le jeu avec une trousse médicale est utile autant avant qu'après le voyage à l'hôpital. Essayez de lui lire un livre traitant d'une expérience à l'hôpital comme Curious George Goes to the Hospital *par M. et H. A. Rey.*

Quand on encourage les parents à faire la démarche initiale et qu'on leur donne les outils nécessaires, il est rare qu'ils se découragent. Cependant, l'incidence des malades non préparés est encore trop élevée; ainsi, en plus de l'information spécifique sur la maladie et le traitement, les parents qui sont anxieux et qui mentent à l'enfant doivent être avertis du résultat préjudiciable de leurs réactions sur la confiance de l'enfant. S'ils ne peuvent pas changer, alors des dispositions doivent être prises pour que les parents voient un spécialiste en santé mentale avant de continuer plus loin dans la préparation de l'enfant.

Participation des parents au programme d'enseignement hospitalier

Après l'admission de l'enfant à l'unité pédiatrique, le personnel assume la responsabilité de la préparation émotionnelle additionnelle. Idéalement, les parents devraient participer aux histoires, aux jeux et aux explications qui peuvent aider l'enfant à prévoir et à comprendre les procédés diagnostiques, médicaux et chirurgicaux. Pour ce faire, les parents ont besoin de directives préalables afin qu'ils emploient les mêmes principes et les mêmes techniques que le personnel médical.

Que les parents participent ou non à l'enseignement préparatoire, ils doivent être instruits de ce qui a été dit à l'enfant afin qu'ils soient capables de renforcer les informations qu'il a reçues. On doit juger cliniquement quand et comment les parents seront inclus. Quand les parents montrent une attitude coopérative et qu'ils contrôlent leurs émotions, il peut être consolant pour l'enfant et profitable pour eux d'assister à une séance d'enseignement. Cependant, quand il est évident que les parents sont anxieux et ne coopèrent pas, il est sage de les exclure de l'enseignement. Dans ce cas, l'enfant est susceptible de percevoir l'anxiété des parents ou le conflit personnel-parent et d'associer cela aux efforts qu'ils ont faits pour l'aider à faire face à ses difficultés.

Les parents sont parfois opposés à la préparation psychologique de leurs enfants. « Il ne faut pas en dire tant à l'enfant » est une des plus fréquentes objections soulevées. Cela pourrait être un point valable si les explications n'étaient pas orientées vers les besoins individuels de l'enfant, ou que ce qui est dit n'était pas relié à l'âge, la situation familiale, la maladie, le développement émotionnel et intellectuel. Les parents doivent savoir que lorsque les explications raisonnables relatives à la maladie et au traitement font défaut ou sont obscures, il est dans la nature de l'enfant de tirer ses propres conclusions pour faire face aux menaces envers son corps. Cela se solde souvent par des fantasmes qui se reflètent dans les préoccupations actuelles de l'enfant. Les idées déformées qui ne sont pas clarifiées peuvent être plus effrayantes que les présentations réalistes et peuvent devenir des obstacles à un développement émotionnel sain. Il fut possible, dans les cas qui suivent, d'apporter une clarification après que les fantasmes eurent été découverts.

Vers l'âge de 2 ans, Amy eut un frère; peu après, elle fut admise à l'hôpital pour réparation d'une hernie ombélicale. Elle expliqua à l'infirmière que sa mère l'avait amenée à l'hôpital parce qu'elle ne voulait plus d'elle.

Mme K. refusa l'enseignement préopératoire pour Douglas, âgé de 3 ans, qui fut hospitalisé pour réparation d'hypospadias. Elle crut qu'on avait déjà donné trop d'attention à l'anomalie congénitale et elle voulait minimiser l'importance du problème. Rien ne la fit changer d'idée. La veille de l'opération, Mme K. devint furieuse quand elle apprit de Douglas que son infirmière lui avait dit que son pénis serait coupé. On expliqua à la mère que cela reflétait les préoccupations et les peurs de son fils. De nouveau, l'infirmière offrit d'expliquer les événements à Douglas afin qu'il puisse comprendre ce qu'on lui ferait, mais Mme K. demeura opposée à cette explication. Quelques heures plus tard, une infirmière de nuit entendit une histoire similaire — qu'un portier avait dit à Douglas que son pénis serait coupé. L'infirmière était sceptique — expliquant que c'était les fantasmes de l'enfant, mais elle promit d'enquêter. Le matin suivant, quand Douglas rapporta que la diététicienne lui avait dit que son pénis serait enlevé ce jour-là, Mme K. comprit finalement que l'enfant cherchait à être rassuré. Elle s'excusa auprès du personnel et demanda de l'aide pour le préparer à l'opération.

Après l'admission de Léo, âgé de 5 ans, pour un cathétérisme cardiaque, Mme L. demanda ce qu'elle pourrait faire pour rendre l'hospitalisation de son fils moins traumatisante. L'infirmière lui suggéra de renforcer souvent l'enseignement parce que les enfants de l'âge de Léo avaient souvent peur que d'autres parties de leur corps ne fussent impliquées dans les interventions décrites. « Oh! » dit-elle, « Je comprends maintenant. Ce matin, comme nous nous préparions pour venir ici, j'ai vu Léo tenant son pénis devant une glace et se disant à lui-même, ‹ Je me demande ce qui ne va pas avec lui ›.»

Quand l'infirmière demanda à Pascal, âgé de 10 ans, ce qu'il savait sur les testicules non descendus et comment cela pouvait se produire, il s'empressa de lui répéter le mythe familial. « J'ai été échappé par ma sœur plus âgée quand j'avais 2 mois, c'est à ce moment que cela s'est produit. » On lui dit qu'il avait eu un examen physique complet après cet incident et que le problème existait depuis sa naissance. Sa réponse fut: « Elle ne m'a jamais aimé ». On discuta de l'histoire de Pascal avec sa mère qui appuyait ses croyances. Elle était d'accord que cet incident était à la base de plusieurs accès de colère que Pascal manifestait à l'égard de sa sœur adolescente. Sans le savoir, la famille avait renforcé l'hostilité fraternelle et la culpabilité chez les enfants. Ils furent surpris de constater que personne n'était à blâmer.

Aimé, âgé de 7 ans, souffrait de troubles visuels et avait été hospitalisé pour être examiné. Les parents étaient tellement bouleversés par la possibilité d'une tumeur cérébrale qu'ils ne pouvaient pas lui parler de sa maladie. Aimé dit à l'infirmière qu'il en avait conclu par lui-même qu'on devait lui enlever les yeux.

Manon, âgée de 6 ans, avait périodiquement besoin de transfusions à cause d'une dyscrasie sanguine congénitale. Après une hémorragie nasale grave, elle raconta à l'infirmière l'histoire d'une mère et d'un père qui avaient placé des cierges autour d'un cercueil dans leur salon pour une petite fille qui était finalement morte au bout de son sang.

Sophie avait développé une puberté précoce et un appétit insatiable à l'âge de 4 ans à cause d'une tumeur cérébrale. Elle attribuait ses symptômes à un petit homme qui mangeait toute sa nourriture dans son estomac et lui causait ses problèmes.

Connie, âgée de 4 ans, fut hospitalisée pour évaluation d'un syndrome génito-surrénal. Son clitoris était fort prohéminant. Quoiqu'elle ne parlât pas le français, ses fantasmes étaient suffisamment clairs. Elle essayait souvent d'uriner en position debout et on la retrouva très souvent dans la toilette des garçons. Les plus vieux d'entre eux la trouvaient embêtante et essayèrent de l'éloigner.

La mère de Yolande rapporta que sa fille de 9 ans, qui avait été hospitalisée parce qu'un gros meuble était tombé sur elle, s'adaptait extrêmement bien après son épreuve — bien qu'elle eût besoin d'une investigation pour éliminer la possibilité d'une blessure vésicale et fût au repos complet au lit. Mme L. dit en blague que Yolande aimait attirer l'attention comme sa sœur cadette qui avait été opérée pour amygdalectomie deux jours plus tôt. Cependant, elle fut estomaquée quand Yolande avoua qu'elle croyait avoir provoqué l'accident pour être traitée aussi bien que sa sœur.

Quand la coopération des parents manque, le personnel pourra plus facilement obtenir leur accord pour l'enseignement, en s'occupant d'abord des besoins des parents. Si le personnel ignore les vœux des parents, il y a une plus grande possibilité d'hostilité ouverte, de résistance au programme préventif et une plus grande tension chez l'enfant.

Charles, âgé de 7 ans, devait subir une opération cardiaque. Son cardiologue accepta à contrecœur la condition des parents — l'enfant devait ignorer ce qui lui arrivait, sans quoi ils menaçaient de quitter l'hôpital. M. et Mme Y. étaient déterminés à protéger leur fils de la connaissance des événements à venir. Ils croyaient être les seuls à comprendre ce qui était nécessaire à la survie de leur garçon. On dit à Charles qu'il devait subir des contrôles annuels comme les autres malades. Le père inventa des histoires grotesques pour répondre aux questions de son fils sur les installations et l'application des traitements qu'il voyait dans l'unité. Bien que le personnel assurât les parents que leurs désirs seraient respectés (tout en leur faisant voir clairement qu'il n'était pas d'accord avec leur façon de procéder), ils étaient encore inquiets et gardaient Charles jour et nuit de crainte que quelqu'un ne divulgue le secret.

Le personnel hésitait à permettre que l'enfant subisse une aussi navrante expérience sans essayer d'influencer la façon de penser des parents. On opta pour l'approche suivante: on appuierait la décision des parents, mais on devrait les informer qu'eux-mêmes avaient besoin d'un enseignement préopératoire afin d'éviter le choc que pourrait produire sur eux l'apparence postopératoire de Charles.

Ils furent instruits de la même manière que les enfants — avec des dessins, des poupées et l'équipement miniature. À mesure que les séances progressaient, les parents devinrent moins opposés, posèrent des questions intelligentes et avouèrent qu'ils n'avaient aucune idée de la complexité de la situation. L'infirmière lança la remarque que Charles serait aussi surpris et qu'il serait peut-être sage de préparer des explications. Peu après, le personnel nota que Charles avait une poupée ayant un tube fixé à la poitrine. M. Y. affirma que c'était la seule concession qu'il ferait.

Heureusement pour l'enfant, son opération dut être retardée pour accomoder un autre malade qui nécessitait une opération cardiaque urgente. Pendant ce laps de temps, les parents rencontrèrent une mère dont l'enfant venait d'être préparé pour une intervention similaire. Elle était prodigue d'éloges pour le personnel — le complimentant sur sa sensibilité aux besoins des enfants et sur les techniques utilisées pour présenter d'avance les événements traumatisants, de façon à rendre l'enfant plus apte à faire face à la situation. Cette rencontre heureuse souleva de sérieux doutes dans leurs esprits, concernant leur approche. Ils furent complètement secoués, peu après, quand Charles dit à son père que quelque chose de monstrueux était sur le point de lui arriver. La futilité de leurs prétentions était évidente. Subséquemment, M. Y. se chargea lui-même de l'enseignement.

TRAVAIL-CONSEIL AVEC LES PARENTS

Les visites prolongées et la participation des parents aux soins de l'enfant augmentent la probabilité qu'on fasse appel au personnel médical pour discuter avec les familles. Ces discussions portent non seulement sur la maladie de l'enfant, mais aussi sur les divers aspects de la croissance et du développement et sur les problèmes d'adaptation du malade avec ses frères. Les sujets fréquents de préoccupations incluent la préparation des enfants à la maison pour l'arrivée d'un nouveau-né, la présence d'anomalies congénitales et la mort d'un enfant hospitalisé. Les parents demandent aussi des conseils pour faire face aux problèmes de comportement des enfants après leur congé de l'hôpital. Ils peuvent aussi réclamer de l'aide pour réintégrer l'enfant dans la routine familiale si l'hospitalisation a été longue.

Préparation d'un frère pour l'arrivée de jumeaux prématurés

On donna peu d'espoir à Mme G. sur la naissance de jumeaux vivants. Plusieurs fois déjà, elle avait donné naissance à des morts-nés ou avorté à cause de l'érythroblastose. Contre le désir de son mari, elle devint enceinte une dernière fois. La grossesse elle-même fut difficile. M. G., qui percevait la grossesse comme un échec de plus à supporter, ne donnait pas son appui à sa femme et lui était ouvertement hostile. Pauline, âgée de 6 ans, était leur unique enfant; Léandre était mort de leucémie quelques mois auparavant, à l'âge de 8 ans.

À la stupéfaction de la famille et du personnel médical, Mme G. accoucha prématurément de jumeaux vivants. Cet événement offrait peu de perspective de célébration. Les garçons étaient frêles et nécessitaient des mesures héroïques pour les garder en vie. Après un mois cependant, il devint évident que les enfants vivraient. M. G. loua la bravoure et la sagesse de sa femme dans de tels moments. Les parents achetèrent des vêtements et des jouets et baptisèrent les jumeaux.

En raison du pessimisme entourant la naissance et parce qu'elle était trop prise par ses propres sentiments, la mère n'avait pas parlé de l'existence des jumeaux à son enfant de 6 ans. Elle demandait de l'aide pour cette explication. Elle croyait que sa fille n'était au courant de rien.

Avant la visite de Pauline à la pouponnière des prématurés (où les visites des frères sont permises derrière une vitre), on l'informa sur les bébés et leur besoin de demeurer à l'hôpital jusqu'à ce qu'ils deviennent plus gros et plus forts.

Quand Pauline arriva, on profita de l'occasion pour évaluer ses réactions et sa compréhension des événements. Elle dit à l'infirmière qui était tout près qu'elle attendait pour voir ses jumeaux. L'infirmière lui dit qu'elle connaissait un couple de jumeaux nommés Tim et Tom. Pauline devint très excitée et dit: « Ce sont eux, ce sont les miens ». Après cela, elle s'engagea facilement dans une conversation au sujet de leur apparence, leur grosseur et les attitudes qui prévalaient à la maison. « Ils pensaient que je ne savais pas, mais j'ai entendu maman au téléphone; je suis sortie furtivement de mon lit pour écouter. Papa était très fâché contre elle. » La description de ce qu'elle espérait voir était si exacte que l'infirmière se demanda comment elle pouvait en savoir tant. Pauline était impatiente de dire: « Mes amis à l'école ne croyaient pas que nous avions des bébés parce qu'ils ne sont pas à la maison. Donc, j'ai apporté à l'école des images de petits bébés (se rapportant à un livret donné à Mme G. et montrant des prématurés et des isolettes) et mon institutrice nous a expliqué. Alors, tout le monde a cru à quel point ils étaient petits ».

Ainsi, Mme G. avait tort de croire que sa fille ignorait sa grossesse. Quand on questionna Pauline sur ses connaissances de la reproduction, elle dit qu'elle avait su que sa mère allait avoir des bébés parce qu'elle avait engraissé. Elle était aussi fière de dévoiler la différence entre garçon et fille — expliquant qu'elle avait vu le « zizi » de son ami Jean. Elle acceptait la différence génitale entre garçon et fille et rejetait l'idée que des enfants puissent croire que les filles avaient perdu leur « zizi ». « Non », dit-elle, « les filles sont comme leur maman. »

Pauline avait appris de sa mère que les jumeaux avaient besoin de traitement pour une maladie du sang. On lui demanda si elle connaissait quelqu'un d'autre qui avait un problème sanguin; en conséquence, cette question l'amena à discuter de son frère décédé. « Bien... Léandre est mort; il a saigné beaucoup. Finalement, il est parti. » (Elle fit un geste en l'air avec ses pouces.) Quand on lui demanda des explications, elle dit qu'après sa mort il était parti en haut avec des anges. Pauline croyait que les bébés avaient la même maladie que Léandre. Quand cela fut éclairci et qu'elle fut assurée que personne d'autre dans la famille n'était malade, Pauline sembla plus calme.

Pour vérifier si Pauline se sentait responsable de la maladie des bébés et de la mort de Léandre[10], on a abordé des aspects de la rivalité fraternelle. On lui raconta une histoire au sujet de Henri, un garçon qui parfois aimait son frère bébé et parfois le détestait franchement. Quand le bébé était fin et voulait jouer, il était amusant. Quand le bebé pleurait

---

[10]Cela est une façon de penser égocentrique. Les enfants de moins de 6 ans pensent de cette façon; les plus vieux aussi parfois, i.e., que le monde tourne autour d'eux et que les choses surviennent à cause de leurs actions personnelles.

et prenait beaucoup du temps de la mère, Henri ne voulait pas qu'il fasse partie de la famille. Quand Henri ne pouvait avoir sa mère pour lui-même, il était jaloux et avait des pensées assez mauvaises — il voulait se débarrasser du bébé. Ce garçon était comme tout le monde — parfois il aimait une personne, parfois il ne l'aimait pas. Quand le bébé devint malade, Henri a cru que le bébé était malade parce qu'il l'avait désiré. Le garçon ne savait pas qu'on ne pouvait pas faire mal à une personne en pensée. La réponse de Pauline indiquait qu'elle comprenait assez bien et avait ressenti de la culpabilité devant son désir de se débarrasser de ses rivaux. Peu après, elle apaisait sa culpabilité en disant: « Ah! les désirs ne se réalisent jamais ».

Heureusement, il fut possible de rapporter à Mme G. que Pauline se débrouillait exceptionnellement bien et que c'était grâce à ses parents. Bien que leur crise actuelle eût temporairement surmené M. et Mme G. et qu'ils n'aient pas pu s'occuper des besoins de leur fille, il était évident que les pensées franches de Pauline, sa grande capacité de verbaliser et son habileté à obtenir l'aide qu'elle voulait indiquaient un solide rapport enfant-parents et une bonne adaptation familiale.

On conseilla aux parents de faire comprendre à Pauline que tous les sujets étaient ouverts à la discussion — spécialement la rivalité entre frères; de l'encourager à exprimer ses pensées au sujet des jumeaux et de son frère décédé; de l'assurer que rien de ce qu'elle peut imaginer ou penser ne pourrait l'écarter de sa place spéciale dans la famille.

Cette expérience a démontré au personnel que, sous tension, cette mère a recours à un refus massif de la réalité et que lors d'hospitalisations ultérieures de ses enfants, elle pourrait encore une fois faire de même. Beaucoup de femmes utilisent ce mécanisme pour faire face à leurs sentiments sur les enfants exceptionnels.

Explication des anomalies congénitales

Une question est souvent soulevée à savoir s'il est opportun de parler aux frères de la maladie de l'enfant hospitalisé et des anomalies congénitales évidentes — s'il faut donner des explications et quoi dire. Un point important est à considérer: les enfants en arrivent toujours à leurs propres conclusions, toutes les fois que l'information est retenue. En général, ces conclusions sont fausses et pénibles à supporter. Avec diplomatie, on peut aider la plupart des parents à présenter les faits dans des mots appropriés au niveau émotionnel et intellectuel de l'enfant, tout en le rassurant.

Mme R. accomplit un travail estimable pour préparer sa fille de $3\frac{1}{2}$ ans à l'arrivée d'une sœur (voir les explications données à Pauline sur la rivalité entre frères). Cependant, le retour à la maison fut retardé quand le nouveau-né fit une obstruction intestinale qui nécessita une colostomie. Même si les parents voulaient présenter à l'enfant une image factuelle, ils hésitaient à parler du sujet, pensant qu'il était trop complexe pour l'enfant. Ils furent soulagés d'entendre qu'une explication simple était possible et appropriée. Les parents dirent à Ève qu'après la naissance sa sœur avait eu des problèmes à faire ses selles et que les médecins l'avaient aidée en pratiquant une petite ouverture sur son ventre pour faire sortir les selles. Ils lui dirent aussi que par la suite, les médecins la refermeraient pour qu'elle puisse faire ses selles par le bas. On lui dit aussi que personne ne savait pourquoi le bébé était né de cette façon et que personne n'était à blâmer (voir les pensées égocentriques, p.23). Peu de temps après, la mère a été admise dans un hôpital du voisinage pour une hystérectomie; on demanda au père de rassurer davantage l'enfant en lui disant qu'elle ne serait pas la prochaine à être opérée, pas plus que lui.

Comment aider les parents à préparer les frères à la mort d'un enfant

Le sujet de la mort, qui soulève des émotions pénibles chez tout le monde, est souvent évité là où il doit le plus être abordé. Le personnel médical éprouve de la difficulté avec cette question et hésite à demander aux parents comment ils font face à une maladie terminale et quelles dispositions ont été prises pour préparer les autres enfants. La mort est une issue inévitable dans laquelle tout le personnel pédiatrique sera éventuellement impliqué. Une planification par anticipation permet au personnel d'aider davantage les parents à agir avec plus de confiance dans ce secteur émotionnellement chargé (voir chapitre 7).

Cela peut paraître étonnant, mais on espère trop souvent que les frères à la maison se débrouillent par eux-mêmes. Les professionnels doivent amener la conversation sur les enfants à la maison; comment ils sont affectés par la maladie, quelles questions ils posent et quelles réponses ils reçoivent durant les longues absences des parents. Cela dévoilerait que, même avec les meilleures expériences de longues séparations, les explications données aux frères sont inadéquates puisque ces enfants ne sont pas totalement ignorants de ce qui se passe autour d'eux. Il est rare que les enfants soient complètement dans le noir. Même un enfant très jeune pressent un changement dans l'humeur et remarque l'anxiété. Le silence lui-même peut être un présage de mauvais augure. Dans ces circonstances, les enfants qui sont laissés sans information au sujet de la séparation auront à porter tout le fardeau de ces sentiments complexes. Les familles qui traitent médiocrement le sujet de la séparation s'y prennent aussi mal pour la perte la plus définitive — la mort.

Les enfants ont droit à une explication, mais beaucoup de parents craignent qu'une discussion sur la maladie et la mort imminente

brise leurs propres contrôles et les entraîne à leur propre désagréga-
tion. De là, ces parents présument que leurs enfants seraient également obsédés et ils gardent le silence. Les parents doivent être assurés
que la révélation de leurs sentiments démontrerait qu'ils s'inquiètent
et qu'ils sont capables de ressentir de la compassion profonde. Ils
doivent savoir que les enfants ont la force de supporter les réactions
de douleur. Cela peut surprendre plusieurs adultes qui ont une vue
plus étroite de l'enfance.

Quand on permet aux enfants d'entendre les parents discuter ouvertement de leurs espoirs et de leurs préoccupations au sujet de l'enfant
malade, on devrait aussi leur donner la permission de participer. Ils
pourraient profiter de l'occasion pour poser des questions sur la nature de la maladie et le traitement. En l'absence de questions, l'information peut être donnée par les parents. Après les premières conversations, les parents sont prêts à commenter la possibilité que le malade ne guérisse pas malgré tout ce qui est fait pour lui, et plus tard,
qu'on a peu d'espoir qu'il vive. On peut donner ces explications graduellement, quand il y a suffisamment de temps.

Les enfants de tous les âges pourraient tolérer et tolèrent effectivement la vue d'un frère très malade. Évidemment, l'impact total
dépend de la compréhension de l'enfant, des réactions des adultes
et de la constance de l'appui des parents.

Après la mort de l'enfant, les parents ne devraient pas dire aux
autres enfants de garder du défunt le souvenir d'un être en pleine
force de la vie. Cette affirmation pourrait amener les enfants à croire
que la vie est fragile et peut facilement se terminer en dépit d'une
bonne santé. D'autre part, la vue soudaine d'un corps sans vie, sans
prescience du bouleversement qui peut être provoqué chez les enfants, peut entretenir chez eux un souvenir pénible et durable.

Les discussions avant que la mort survienne permettent aux frères
de corriger leur animosité envers l'enfant malade. L'ambivalence
dans les familles est courante. Les enfants doivent venir aux prises
avec les sentiments tant positifs que négatifs envers l'enfant malade
et savoir que tous deux sont possibles. Il est très agaçant d'avoir un
enfant malade dans la famille parce qu'il amène ordinairement, à
court ou à long terme, la négligence des frères et nécessite beaucoup
de sacrifices financiers et de mobilité de la part des parents. Il n'est
que naturel pour les frères de souhaiter que l'enfant malade soit bien,
ou mort. Ils peuvent bien accueillir aussi l'idée d'accomplir de petits
actes de bonté avant la mort — visite, envoi de cadeaux et lettres.

> Mme H. accompagna son enfant de 8 ans à l'hôpital dans les phases
> terminales de sa maladie. Pendant 10 semaines de résidence, elle a ac-
> quis le respect du personnel qui fut constamment impressionné par son
> stoïcisme. Cependant son courage lui fit momentanément défaut après

que Mathieu eut été placé en isolement protecteur. En raison de cet isolement, il devint difficile, pour la mère, de prendre de fréquents et courts repos loin de son enfant, à cause de l'inconvénient du brossage, de la blouse et du masque. En conséquence, elle demeura auprès de Mathieu pendant de longues périodes ininterrompues et trouva la tension insupportable.

Une fois Mme H., en larmes, courut dans le corridor demandant à parler à quelqu'un. Elle expliqua qu'elle avait peur de perdre contrôle en présence de Mathieu et que son impression de chagrin était si intense qu'elle ne pouvait pas la lui cacher. Le personnel saisit l'occasion pour discuter avec elle de la maladie de Mathieu et de sa propre perception des connaissances de son fils. Elle croyait sincèrement qu'il ignorait tout de la gravité de son état et qu'elle avait réussi à le protéger. Cependant, le fait qu'elle et Mathieu soient devenus de plus en plus éloignés l'un de l'autre indiquait le contraire (voir chapitre 7). On observa ses réactions. Elle ne communiquait pas du tout avec Mathieu parce qu'elle ne pouvait pas discuter avec lui de ses préoccupations. On lui suggéra de dire à son fils, la prochaine fois qu'elle s'effondrerait, que c'était parce qu'elle était triste à cause de sa maladie et que, parfois, elle devenait découragée et bouleversée. Mme H. prétendit qu'elle n'était pas triste, ne fit que nier les perceptions de l'enfant et lui enleva la possibilité de se confier à elle et de soulager sa propre anxiété.

À la même occasion, Mme H. discuta avec l'infirmière des réactions des autres membres de la famille. Son mari était son soutien le plus important, mais il n'était pas disponible parce qu'ils habitaient loin de l'hôpital. Il s'occupait de leurs deux fils avec l'aide de plusieurs voisins qui les invitaient à tour de rôle pour les repas. Mme H. avoua qu'elle et son mari étaient incapables de dire la vérité aux aînés, craignant qu'ils deviennent inquiets s'ils étaient avertis trop à l'avance de la mort imminente. On lui parla de la perspective de visiter ses garçons à la fin de la semaine pour les préparer à la mort de Mathieu et trouver une gardienne afin que la famille puisse maintenir un semblant de vie normale. Cela lui parut sensé.

Quelques surprises attendaient Mme H. à son arrivée à la maison. Les deux garçons étaient passablement au courant de l'état de leur frère. L'aîné révéla qu'il s'était engagé dans un projet de recherche scientifique. Les directives qu'il avait reçues de son professeur de sciences étaient d'étudier un problème et, pour ce faire, de recueillir des données, mettant de côté le matériel non pertinent afin d'arriver à une conclusion basée sur des faits. Stéphane, âgé de 12 ans, décida de faire sa recherche sur la maladie de son frère. Sa conclusion — leucémie.

Luc, âgé de 10 ans, répondit à l'hospitalisation de son frère par une régression massive qui se manifesta par un comportement trop possessif, par l'énurésie, par des difficultés d'apprentissage et en se salissant.

M. H. se débrouillait médiocrement. Il trouvait harrassantes les questions des deux garçons au sujet de Mathieu parce qu'il essayait de divulguer aussi peu d'information que possible. Voyant la désorganisation de la maison, il accepta rapidement d'engager une gouvernante.

À son retour à l'hôpital, Mme H. avait hâte de raconter son expérience. Plus spécialement, elle voulait de l'aide psychiatrique pour Luc dont la régression dans cette crise donna l'impulsion à son désir de le faire voir à un professionnel. Elle était capable d'ignorer ce que les voisins anti-psychiatrie pourraient penser. Elle dit que quelque chose de constructif était ressorti de cette épreuve — ce serait d'aider Luc.

Mme H. tenta, avec Mathieu, une approche différente. Au lieu de quitter la chambre la fois suivante où elle eut envie de pleurer, elle resta et une grosse larme tomba sur la main de Mathieu. Il lui dit en badinant: « Tu te négliges en vieillissant maman ». À cause de cette réponse, ils furent capables de rire, parler de nouveau et pleurer ensemble. Peu après, Mathieu dit à sa mère qu'il était inquiet aussi à son propre sujet.

Préparation des parents pour le congé de l'enfant

En général, on peut faire des prévisions sur l'adaptation post-hospitalisation d'un enfant selon les critères suivants: la sorte de préparation reçue avant et pendant l'hospitalisation, l'étendue de l'implication et du soutien de la famille, le degré de santé émotionnelle avant la maladie et l'adaptation qui a été réalisée dans l'unité pédiatrique. La durée de l'hospitalisation peut être un facteur, mais pas nécessairement; la maladie à long terme peut être une expérience qui augmente la maturité du malade dont la réponse à l'approche psychothérapeutique a été idéale; d'autre part, une courte maladie peut être dévastatrice pour un enfant dont les besoins de développement n'ont pas été considérés. Les perturbations flagrantes du comportement, existant avant l'admission, ou émergeant sous la tension de la maladie et du traitement, peuvent difficilement passer inaperçues et nécessiteront vraisemblablement une évaluation lors de l'hospitalisation et une intervention professionnelle suivie (voir les histoires de Robinson, Germain, Julie et Angèle, chapitre 8). En principe, les réactions plus subtiles ne commandent pas une attention aussi spécifique. Pourtant les parents ont besoin d'aide pour leur faire face.

Les entrevues avec les familles, concernant les soins physiques et la convalescence, fournissent au personnel une excellente occasion de faire des commentaires et des suggestions qui favorisent le bien-être émotionnel des enfants. Le personnel, qui a eu le plus grand contact avec la famille et qui a travaillé directement à aider l'enfant dans la maîtrise de ses sentiments pendant l'hospitalisatôn, occupe la meilleure position pour conseiller les parents en préparation des différentes sortes de comportements souvent rencontrés à la maison. Ils doivent savoir que les problèmes, les cauchemars, la régression, le négativisme et les perturbations dans le manger et l'apprentissage sont des suites courantes de l'hospitalisation et qu'elles indiquent des difficultés non résolues.

Suggestions au personnel

Au début de la conférence, il importe de soutenir les parents en reconnaissant leur détresse et leur comportement courageux pendant la maladie de l'enfant et en témoignant de la confiance dans leur capacité de faire face aux situations problèmes. On peut élaborer sur cet éloge quand l'hospitalisation a été longue et que les parents ont bien répondu à la crise. Dans les cas où les parents n'ont pas bien répondu, il est nécessaire, mais insuffisant, d'exprimer sa compréhension des circonstances où se trouvaient les parents. On doit alors donner à ces parents une liste indiquant les signes de danger du comportement qui nécessitent un retour à l'aide et aux conseils professionnels.

Quand un comportement difficile se manifeste avant le congé de l'enfant (v.g., problèmes alimentaires ou disciplinaires), le personnel peut indiquer aux parents quelles mesures ont été prises et comment les parents peuvent y participer. Toute expérience acquise pouvant influencer un changement de comportement chez leur enfant est de nature à rassurer ceux qui sont sceptiques envers le programme. Les parents peuvent se rendre compte que les difficultés qui se manifestent sont des effets résiduels de l'hospitalisation. Bien que cette connaissance puisse les rendre plus tolérants envers l'attachement excessif, la perte des aptitudes récemment acquises (contrôle vésical et intestinal), les attitudes vindicatives ou la crainte des étrangers, cela n'implique pas que ces manifestations doivent être passivement tolérées. La confiance des parents est étayée quand on leur trace des lignes de conduite pour le contrôle de la régression. Les suggestions suivantes seront susceptibles de les aider.

1. Ramener l'enfant à réintégrer la vie familiale aussitôt que possible. Cela signifie qu'ils confient à l'enfant des responsabilités équivalentes à ses capacités.

2. Reconnaître le courage de l'enfant, mais s'abstenir d'en faire le centre d'attention à cause de la maladie. Il y a danger qu'il utilise ses symptômes pour attirer l'attention (avantages secondaires). Beaucoup de caresses et de baisers peuvent être prodigués quand le « vétéran » de l'hôpital fait quelque chose de fin et de constructif, mais

non relié à sa maladie. Inclure des activités plaisantes dans sa routine.

3. Être bons, fermes et conséquents, spécialement dans la façon d'aborder les problèmes disciplinaires.

4. Être francs pour conserver la confiance de l'enfant.

5. Lui procurer des jouets tels que argile, peinture, trousse de médecin ou d'infirmière, et les objets qu'on lui a donnés à l'hôpital. Permettre à l'enfant de s'amuser seul.

6. Permettre à l'enfant qui verbalise d'exprimer ses sentiments à l'égard de la maladie et de l'hospitalisation. Clarifier les déformations de sa compréhension. Cette expression de sentiments aide l'enfant à intégrer ces expériences dans sa vie plutôt que de les nier.

7. Éviter de laisser l'enfant pour de longues périodes ou pour la nuit jusqu'à ce qu'il soit bien adapté et assuré de sa sécurité à la maison.

8. Permettre à l'enfant, entre les admissions, de visiter le personnel quand il est dans le voisinage de l'hôpital ou après un rendez-vous à la clinique.

Suggestions particulières aux parent d'enfants handicapés

Les parents des enfants porteurs d'anomalies congénitales doivent recevoir, à long terme, le soutien et les conseils du membre de l'équipe de santé qu'ils connaissent le mieux — médecin, infirmière, travailleur social. Trop souvent, les parents sont si préoccupés avec l'adaptation de l'enfant à la vie adulte qu'ils oublient de prêter attention à son adaptation présente. Il est nécessaire de déplacer leur attention des buts lointains (lesquels peuvent être révisés à la lumière de nouvelles connaissances) vers des tâches de développement appropriées à l'âge — confiance, autonomie, initiative, afin de réduire au minimum les difficultés émotionnelles additionnelles propres aux enfants handicapés.

Ce changement d'approche dépend souvent de la façon dont les parents ont résolu l'anxiété reliée à la naissance d'un enfant exceptionnel. L'anxiété conduit ces parents à nier l'impact émotionnel immédiat en se concentrant sur le futur, mais le prix en est trop élevé. Un tel enfant ne développerait jamais des habiletés menant vers un comportement adulte. D'autres parents, par leur manière de penser égocentrique, augmentent leur culpabilité. Ils s'attribuent le blâme ou le projettent sur le conjoint.

> Mme W. attribuait le défaut cardiaque congénital de son enfant à des mauvaises pensées qu'elle aurait eues pendant sa grossesse. Son mari était d'accord avec elle.

> Mme F. proclamait régulièrement que sa famille était exempte de

maladies sanguines, donc, la maladie sanguine de son enfant venait de la famille de son mari.

Quoique ces parents aient besoin du plus de compassion possible, l'équipe de santé mentale devrait inciter tous les membres du personnel à éviter le piège de l'excès de sollicitude et de renforcement de l'auto-pitié. La naissance d'un enfant anormal peut diviser les parents. Les membres du personnel ne peuvent savoir quand s'interposer entre les parents qui ont commencé à s'éloigner l'un de l'autre, qu'à travers l'évaluation complète de la famille. Il y a une divergence entre ce que les parents espéraient et ce qu'ils ont reçu. La réalité contraste défavorablement avec l'image idéale, ce qui conduit vers la déception et la colère. Les parents, à cause de leur désir de se débarrasser de l'étrange enfant qui est devant eux, éprouvent alors très souvent de la culpabilité. Cette réaction dynamique, universelle et normale doit être explorée et expliquée aux parents comme étant normale avant de leur parler des moyens scientifiques modernes pour aider l'enfant à surmonter ses déficiences congénitales. On doit les aider à se consoler de la perte de l'enfant parfait « qui aurait pu être ».

VISITES MÉDICALES

L'examen minutieux des visites médicales et infirmières révélerait, dans la plupart des cas, qu'elles sont orientées vers la maladie plutôt que vers l'enfant malade. Cela survient dans tout hôpital où le personnel doit combiner simultanément deux fonctions majeures: la formation du personnel et l'évaluation du progrès chez le malade. En comprenant les effets de cette pratique sur les enfants, on peut établir des méthodes d'exécution plus constructives de chacune de ces fonctions également importantes. Tout changement dans la manière dont les visites sont dirigées exige une convention préalable sur l'objet des visites, l'exécution des visites et l'appui de l'équipe de santé mentale. La première conséquence pratique du changement serait que toute discussion se fasse dans un lieu qui respecte à la fois les droits de l'enfant et ceux des professionnels: l'enfant ne doit pas être placé dans une situation pour surprendre une conversation et les professionnels doivent pouvoir conférer dans une dignité calme et méthodique.

Une grande partie de l'information déformée que les malades et les parents obtiennent leur vient des remarques insouciantes entendues au hasard durant les visites.

Éric, âgé de 4 ans, a surpris la conversation de son médecin qui discutait des mesures pour une ponction de la moelle osseuse (en anglais, bone marrow aspiration)*. Après avoir surpris cette conversation, il demanda à sa mère s'il aurait un « bow and arrow » une boucle et une flèche.

Carole, une adolescente de 15 ans, intelligente et sophistiquée, admise pour endocardite bactérienne subaiguë, perdit très vite sa façade quand elle entendit les pédiatres discuter du taux de mortalité de sa maladie.

Le médecin qui examinait Jeanne mentionna fortuitement qu'il ne pouvait pas palper les ovaires de l'enfant. Peu après, le personnel apprenait de son père que cette fille de 13 ans avait expliqué que la remarque signifiait qu'elle n'avait pas d'ovaires.

Line, âgée de 10 ans, était dépressive à la suite de plusieurs revers survenus après la chirurgie cardiaque. Ses sentiments de désespoir furent renforcés quand, pendant la visite, son pédiatre dit dans un effort pour être rassurant: « Bien, il n'y a plus rien qu'on puisse faire pour toi ». L'expression de son anxiété fut recueillie par l'infirmière-chef qui lui expliqua que le médecin avait seulement voulu dire que tous les examens qu'il avait demandés étaient déjà faits.

Les parents de Caroline, âgée de 14 ans, étaient présents à l'unité de soins intensifs quand le chirurgien qui vérifiait l'état de l'enfant dit à l'infirmière, tout en faisant les ajustements nécessaires: « Il y a trop de pression négative à l'intérieur du tube pectoral ». Les parents furent convaincus qu'une erreur avait été commise et que leur enfant était traitée de manière incompétente.

Un enfant qui est hospitalisé pour la première fois a besoin d'un enseignement spécial sur la signification des visites. Un groupe de personnes entourant son lit peut être une expérience inquiétante jusqu'à ce qu'il apprenne que c'est un procédé de routine des médecins pour voir comment chaque enfant progresse. Il doit savoir qu'il sera examiné par plusieurs personnes en plus de son propre médecin et que souvent des étrangers se joindront au personnel dans ces visites. Naturellement, un enfant s'attendrait à être présenté. Si les parents sont inclus dans cet enseignement, ils peuvent répéter cette explication à leur enfant afin de clarifier sa compréhension.

Bien que les visites efficaces doivent favoriser des échanges entre les malades et les personnes qui font la visite, il est invraisemblable que cela se produise à moins que l'enfant se sente assez sûr pour parler. Des remarques comme celles-ci peuvent aider: « Ce n'est pas facile pour toi d'être ici »; « Je crois que nous avons interrompu ton émission de télé »; « Il est bon de te revoir, mais j'aurais espéré que ce soit hors de l'hôpital »; « Nous essayerons de faire vite ». En d'autres termes, les malades devraient être inclus dans les visites plutôt que

---

*Note de la traductrice.

d'en faire des spécimens qu'on observe « sous globe ».

L'erreur commune de plusieurs professionnels, qui n'ont eu que des contacts limités avec les enfants, est d'être exubérants, trop familiers et timides. Parfois on incite l'enfant à appeler les membres du personnel par leurs prénoms. Cette méthode du prénom peut, dans certain cas, convenir aux enfants plus âgés, mais il est plus sage de convenir que le prénom mêle l'enfant; il croit qu'il peut exercer un contrôle sur les adultes professionnels quand, en fait, de par son état, il a très peu d'autorité sur eux. Ce que cela donne aux professionnels d'être appelés par leurs prénoms, on peut toujours se le demander. Les jeunes professionnels peuvent croire que l'adulation de l'enfant confirme leur compétence clinique. L'enfant, en fin de compte, souffre parce que l'amorce de liens étroits avec une personne plus âgée et plus puissante dans la salle lui donne des attentes qui ne peuvent pas être satisfaites. Les exigences du facteur temps chez les professionnels et le manque d'attachement du personnel à cet enfant peuvent décevoir celui-ci. Cette approche en copain incite l'enfant à vérifier les limites du nouvel et inhabituel rapport, souvent à la surprise du professionnel qui ne peut pas réprimer l'effronterie de l'enfant. Badiner avec l'enfant de cette manière complique son adaptation à l'hôpital.

> Un étudiant en médecine se présente lui-même à Léonce, âgé de 8 ans, « Je suis Jacques », et il poursuivit, « je vais t'examiner et te parler au cours des prochains jours ». Ils badinèrent ensemble; Léonce fouilla dans les poches de Jacques. Après quelques heures, Léonce suivit Jacques en lui lançant de l'eau avec sa seringue favorite et en criant: « Hé! Jacques, viens jouer! ». L'étudiant demanda à son précepteur pourquoi il avait tellement de difficulté à gagner la coopération de l'enfant pour quoi que ce soit. Il se plaignait des bouffonneries bruyantes et ennuyeuses de Léonce. Le précepteur qui connaissait vaguement Léonce avertit l'étudiant d'être très ferme et d'enlever la seringue à Léonce. Quand cela fut fait, Léonce devint plus calme, mais en même temps il marmottait sur les forces de son frère à qui voulait l'entendre.

Ayant considéré le danger d'une trop grande familiarité et le besoin d'orientation et de circonspection dans les conversations au chevet, d'autres facteurs courants peuvent être considérés, comme éviter de donner à l'enfant l'impression qu'il a un choix pendant les examens physiques, quand en fait il n'en a pas. Il n'est pas sincère de dire: « Puis-je ausculter ta poitrine » quand l'enfant a été retenu pour la visite et que 4 personnes ont leurs stéthoscopes prêts. Il est préférable de dire: « Nous allons ausculter ta poitrine ». De même, permettre à l'enfant de ralentir une partie de l'investigation ou d'empêcher en partie les examens servant au diagnostic ne fait que rendre l'enfant plus anxieux. Il est préférable de procéder fermement à l'examen et d'en finir rapidement. Pour humaniser le processus et faire en sorte que l'enfant ne soit pas traité comme un objet inanimé, il est bon de lui parler pendant l'examen. On doit lui expliquer de manière simple ce que les médecins recherchent et ce qu'ils ont trouvé. On devrait permettre à un enfant qui a peur des instruments de jouer avec l'un d'entre eux avant qu'on l'utilise sur lui.

Quand l'enfant est trop jeune pour comprendre ce que les médecins découvrent dans les visites, on peut lui dire: « Tu peux ne pas comprendre ce qui se passe ici; nous le dirons à ta mère qui t'expliquera plus tard ce que nous ferons ». On peut dire à un enfant plus vieux: « Tu peux dire à tes parents ce que nous allons faire» et « Nous leur parlerons nous-mêmes ».

Les enfants pensent toujours que les visites peuvent signifier la possibilité d'un retour à la maison. Il est préférable de garder cela en tête et de leur donner une idée approximative du temps qu'ils devront rester, plutôt que de leur permettre de penser que la plus petite amélioration implique qu'ils quitteront l'hôpital; ou que, contrairement, une nouvelle découverte ou un nouvel examen signifient que leur séjour sera prolongé.

Il faut penser, quand on entre dans une chambre où sont hospitalisés quelques enfants, qu'il s'agit d'un lieu dynamique et que, par conséquent, ces enfants réagiront: par exemple, si le personnel reste au chevet d'un enfant, les autres enfants se demanderont pourquoi il reçoit une attention particulière. Le personnel devrait expliquer à l'enfant que le temps consacré à la visite n'a aucune relation avec le fait que l'enfant soit bon ou mauvais, qu'il soit aimé davantage ou qu'il devienne mieux ou plus malade. Les enfants devraient plutôt savoir que le temps passé avec l'enfant est relié soit au fait qu'il vienne d'être admis, soit qu'on doive lui accorder plus d'attention pour arriver à le connaître ou soit qu'il doive subir une nouvelle série de traitements. Ils devraient aussi savoir que ces enfants qu'on laisse de côté ne sont pas oubliés et négligés, mais qu'ils progressent sans incident ou que leur état est stationnaire; ainsi ils n'ont pas besoin de la visite du médecin. Ces enfants laissés de côté doivent être encouragés à dire s'ils sont déçus quand personne ne leur dit bonjour au cours de la visite.

Il y a aussi cet enfant qui est vu une seconde fois par quelques professionnels, une fois la visite terminée, parce qu'il présente des signes physiques intéressants qu'ils désirent étudier. Pour cet enfant, la visite recommence, suscitant chez les autres enfants de l'unité toutes les inquiétudes déjà citées. Cela aussi arrête trop l'attention sur le corps de l'enfant, impliquant pour eux que depuis qu'il est malade, il a plus de valeur. À moins que cela ne soit absolument nécessaire, cette double visite devrait être évitée ou présentée à l'enfant avec circonspection afin de minimiser ces effets. Les enfants peuvent considérer ces visites comme une intrusion inutile dans leurs activités. Les enfants silencieux qui sont dans leurs lits peuvent ne donner aucun indice de leurs sentiments plus profonds envers un groupe d'adultes qui envahit l'intimité de leurs corps avec des mains et des instruments. Ces adultes prononcent aussi de grands mots dont les fragments sont facilement déformés.

Lorsque les visites sont plus nombreuses sur l'étage, l'atmosphère devient plus austère et l'on s'attend, par voie de conséquence, à ce que l'enfant se comporte bien. Ces visites spéciales nuisent ordinairement à la routine quotidienne. Les enfants plus vieux devraient être libérés le plus tôt possible afin de respecter leur intimité et leur permettre de retourner à leurs activités. Les enfants plus jeunes peuvent tolérer l'attente dans leurs lits puisque, de toute façon, ils sont là. On devrait s'efforcer d'assurer que ces visites soient faites au bénéfice de l'enfant et non simplement au bénéfice de la curiosité médicale. Les visites créent des occasions de dissension au sein du personnel. Les médecins, qui sont orientés vers la maladie et à court de temps, peuvent être égoïstes et ignorants de la commotion qu'ils provoquent quand ils entrent en scène. Les parents, quand ils sont présents au moment de la visite, sollicitent et accueillent toute l'attention et le réconfort qu'ils peuvent recevoir alors, et cela peut facilement occasionner des demandes contrariantes pour le personnel.

Les ordonnances médicales écrites aux dossiers et qui concernent le personnel non médical comme les ergothérapeutes, les institutrices et les travailleurs sociaux sont une autre source de conflits au sein du personnel. Dans l'atmosphère modérément agitée des visites, ces membres du personnel ont rarement l'occasion de faire part de leur expérience. D'autres membres du personnel qui ne sont pas présents lors de ces visites auront à traiter l'enfant sans avoir participé aux décisions. Ce conflit interne est si évident qu'il est un des premiers secteurs d'intervention de l'équipe de santé mentale afin d'assurer le bon fonctionnement des groupes professionnels.

Une manière d'améliorer ce problème serait de permettre au personnel paramédical d'écrire régulièrement ses notes au dossier médical. Cette information pourrait alors être incluse comme partie des observations quotidiennes de chaque enfant. L'équipe de santé mentale contribue à encourager tous les professionnels à protester si leur travail documenté est ignoré.

Si les visites des médecins s'approchent de l'idéal déjà cité, il est vraisemblable que les désordres émotionnels seront relevés à une phase plus précoce de l'hospitalisation. En outre, certains procédés médicaux et chirurgicaux pourraient être modifiés à la lumière des besoins individuels; tenant compte ainsi des aspects physiques autant qu'émotionnels.

Si on peut diminuer les conflits au sujet des visites, il sera possible par la suite de voir cette modification se refléter sur le développement ultérieur de chaque enfant. Lors des visites, on devrait pouvoir enregistrer quotidiennement l'atmosphère de chaque groupement d'enfants et de l'étage comme un tout. (Quand l'équipe de santé mentale a accompli cela, elle peut se confiner à ses activités propres.) Pour voir les besoins isolés des enfants de façon distincte, il faut la coordination de l'environnement entier afin de promouvoir le maximum de santé chez les enfants.

LE RÔLE DU PSYCHIATRE DE LIAISON

Le psychiatre qui travaille avec les enfants en pédiatrie peut fonctionner de différentes manières; la plus efficace est d'intégrer la consultation traditionnelle (liaison) avec les techniques de prévention primaire et secondaire[11]. Ces méthodes sont appliquées à la population formée par le personnel, les malades et les familles.

Souvent dans l'approche habituelle, le psychiatre écarte un enfant sain comme quelqu'un qui n'a pas besoin d'attention individuelle pour faire face à sa maladie ou pour utiliser l'expérience d'hospitalisation pour accroître sa maturité. Traditionnellement aussi, le psychiatre alarme le personnel avec son jargon et ses déclarations inquiétantes. Les travailleurs psychiatriques ont rarement été avertis que leurs mots avaient le pouvoir de créer de l'anxiété chez le personnel et les familles. Les psychiatres devraient essayer de limiter l'emploi d'une terminologie complexe qui mêle, bouleverse et intimide le personnel et les familles.

Dans l'approche, selon l'usage établi, le diagnostic psychiatrique était basé sur les données obtenues du personnel, des parents et de l'enfant. Ce diagnostic était une description, faite dans un contexte orienté vers la pathologie. À partir de cette description, on préparait un plan individualisé et limité aux sujets perturbés.

Dans un plan plus progressif, le psychiatre procure au personnel une occasion d'augmenter ses connaissances — apprendre la technique de l'interview, le diagnostic par le jeu et les méthodes pour établir un rapport avec les parents et les enfants difficiles. Il encourage une approche d'équipe pour les observations, enseigne comment écarter ce qui est non pertinent et évoque des problèmes et des cas semblables afin que le personnel puisse faire le lien avec d'autres exemples du même genre. De cette façon, on arrive à des généralisa-

---

[11]La *prévention primaire* est « l'intervention en vue de diminuer les risques que l'enfant devienne malade ». La *prévention secondaire* est « la prévention de l'incapacité ou du désordre par un traitement adéquat dès le début ».

tions à partir de l'expérience clinique. Le psychiatre enseigne comment faire une évaluation compréhensive des unités familiales et de leurs interactions avec l'environnement hospitalier.

Des visites hebdomadaires, dirigées par ce consultant avec des représentants de chaque discipline, peuvent être un avantage inestimable pour maintenir l'unité de l'équipe d'approche. Ces discussions procurent l'occasion d'enseigner aux membres les réactions des enfants à la maladie. Une réflexion organisée au sujet de l'adaptation du malade conduit à l'élaboration d'un programme pratique sur la façon d'agir avec l'enfant et d'évaluer son statut.

Le psychiatre (ou le travailleur en santé mentale) peut donner à l'enfant et à sa famille un sentiment de rapport continu avec une personne médicale qui ne provoque pas chez lui de la douleur (qui ne porte pas un uniforme blanc) et qui essaie de se concentrer sur le point de vue de l'enfant. Quoique le personnel puisse accentuer un comportement superficiel (v.g., s'il n'absorbe pas une quantité X de calories et de liquides, l'enfant se détériorera physiquement), le psychiatre dirige la réflexion du personnel vers des facteurs fondamentaux qui pourraient provoquer ou exacerber le comportement extérieur. Ainsi, l'enfant et le personnel sont dirigés vers les soins intégraux.

Quand le programme est entièrement institutionalisé et le personnel constant, il y a possibilité d'enseigner des concepts plus avancés, comme l'existence des mécanismes inconscients, les caractéristiques de la personnalité (des mécanismes de défenses habituels à chaque personne) et les réactions d'urgence ordinaires devant la maladie et la séparation.

En résumé, l'exposé ci-haut est une description de la tâche du psychiatre que le personnel pédiatrique devrait espérer et que le département de psychiatrie devrait remplir.

Quand le psychiatre présume à tort qu'il est le seul à être intelligent — le meneur d'équipe et l'autorité finale — les autres membres du personnel ne se sentent pas utiles. Il doit être ouvert à la contribution de tout le personnel — nursing, service social, aides, internes, résidents, etc. Les contacts limités du psychiatre avec les malades et les parents, comparativement aux autres membres du personnel, indiquent que son rôle le plus efficace est de s'en remettre à la contribution de ces derniers plutôt que de fournir et imposer ses propres idées, comme le démontre l'exemple suivant.

> Marcel, âgé de 9 ans, se plaignit légèrement pour attirer l'attention. Le psychiatre dit au résident en pédiatrie: « Tu as bien agi quand tu as porté attention à la légère coupure au doigt de l'enfant et placé toi-même le pansement, établissant ainsi avec Marcel un rapport qui lui a permis de se taire. Cet enfant avait de toute évidence des idées qu'il

voulait exprimer, mais il a voulu t'éprouver et voir si tu pouvais t'occuper sérieusement de la coupure ».

Le psychiatre, même s'il est imprégné de sa spécialité, ne devrait pas utiliser des formulations raccourcies et des abstractions quand il s'occupe des malades des autres spécialités. Il n'est pas là pour confondre le personnel avec son jargon psychiatrique, mais pour montrer son utilité et pour encourager le personnel à employer ses talents spécifiques pour rendre les enfants sains.

Le psychiatre fonctionne mieux comme membre de l'équipe de santé mentale qu'individuellement. À moins qu'il ne passe tout son temps dans le champ non psychiatrique, il a besoin des observations et de la rétroaction du personnel qui est là continuellement. Pour sa part, le personnel doit avoir suffisamment saisi l'approche psychiatrique pour utiliser plus efficacement le temps du psychiatre et pour avoir des rencontres efficaces avec lui. Ce serait une perte de temps si le psychiatre devait décider qui pourrait ou ne pourrait pas être amené devant les membres du personnel pour leur enseignement en cours d'emploi.

L'image du psychiatre doit être clarifiée. Il est en général perçu comme tolérant et on s'attend à ce qu'il demande au personnel de tolérer un comportement antisocial — mauvaises manières, jeu sexuel. Le personnel réprime sa colère pensant que le psychiatre espérera qu'il permette l'effronterie. En fait, le psychiatre est d'accord pour établir des limites raisonnables pour aider les travailleurs pédiatriques dans leurs fonctions et aussi pour assurer les enfants que les adultes peuvent les arrêter s'ils perdent contrôle.

Le psychiatre contribue directement au développement professionnel du personnel en enseignant la psychopathologie et le traitement psychiatrique des problèmes particuliers, tels que l'enfant antisocial, psychotique ou renfermé. Il est nécessaire aussi d'enseigner au pédiatre comment faire un examen compétent du statut mental et reconnaître les indications pour une consultation psychiatrique; v.g., dépression, menace de suicide, retrait, comportement bizarre, problèmes d'identité sexuelle, hyperactivité, certaines précocités, etc. L'intégration de l'information provenant de tests psychologiques est plus concluante quand elle est établie dans le contexte d'une évaluation complète du personnel et de la famille. En outre, la plupart des enfants sont dans une situation de stress pendant qu'ils sont à l'hôpital et leur performance pour les tests reflétera cette tension en indiquant de la régression. Pour parvenir à un plan de traitements individuel, on doit avoir une plus grande compréhension de leur adaptation à l'environnement.

L'information cognitive révélée par ces tests psychologiques peut être comparée aux normes espérées pour cet âge et ce genre de famille (voir chapitre 2). Certaines réponses aux tests peuvent donner un compte rendu précis des symboles particuliers qui menacent constamment l'enfant. Par exemple:

. . . les thèmes de l'abandon et de la mort chez un enfant qui termine ses histoires d'animaux avec le chien qui a été laissé seul, ou l'oiseau qui a perdu son chemin au cours d'un sombre et froid passage;

. . . les thèmes de privation chez un enfant qui voit de la neige cachant la nourriture;

. . . les thèmes de castration chez un enfant qui voit des cheminées et des arbres tombés, des moteurs endommagés et des explosions.

Le psychiatre doit éviter le modèle psychopathologique qui étiquette comme perturbées toutes les réactions fortes des enfants malades. Ce qui doit être démontré au personnel pédiatrique, c'est l'énorme inconstance humaine et la profusion de modèles de comportement qui peuvent être supportés, modifiés ou transformés pour promouvoir une élasticité, une souplesse et une résistance plus grandes. L'art des soins médicaux a toujours été orienté vers cette fin, mais avec la spécialisation croissante et la complexité scientifique, beaucoup de cet art a, par défaut, été laissé au psychiatre.

Celui-ci peut humaniser son champ d'action en découvrant les difficultés et en faisant disparaître l'omnipotence et la clairvoyance qu'on lui attribue. Le but n'est pas de convertir les pédiatres en psychiatres, mais de permettre au personnel pédiatrique de solidifier son apprentissage et d'acquérir une plus grande compréhension humaine. La psychiatrie peut communiquer beaucoup des connaissances qu'elle a à offrir quand elle a vaincu l'égoïsme des personnes qui y travaillent pour la première fois.

Le travail auprès des enfants malades révèle des sentiments qui causent de l'inconfort et entrave la disponibilité émotionnelle. Le psychiatre peut discerner cela. Dans ces organisations, les personnes doivent se rencontrer pour se soutenir les unes les autres et pour partager leurs expériences afin qu'en retournant dans les salles, elles maintiennent une attitude optimale envers leurs petites charges. Les diverses réactions à l'inconfort de la part du personnel peuvent nécessiter l'intervention experte du psychiatre.

Problèmes dans le travail de liaison

La psychiatrie tend à réveiller les sentiments extrêmes. Du côté positif, il y a danger d'exagération; le personnel devient si expressif et émotif au sujet de ses sentiments nouvellement trouvés et acceptés que les conférences de l'étage se transforment en thérapie de groupe où les professionnels se « psychanalysent » l'un l'autre. Chaque malade devient une catastrophe mentale, ou le personnel rivalise pour plaire et gagner l'attention personnalisée du psychiatre.

Du côté négatif, le personnel pédiatrique peut en venir à rejeter entièrement les concepts psychiatriques. Quand un psychiatre est sévère, ses mots ont plus de poids qu'il aurait voulu parce qu'ils sont prononcés par un expert en santé mentale. Des sentiments hostiles naissent rapidement au sein du personnel s'il n'y a pas d'intermédiaire — un pédiatre intéressé à la psychologie, une infirmière-consultante en santé mentale ou une infirmière-chef possédant des connaissances spéciales sur la croissance et le développement — pour neutraliser la critique à sa source ou ajuster les réactions.

> Le psychiatre se demandait si Garde F. n'avait pas été trop brutale en retirant la seringue à André quand il en gicla le liquide. Elle fut blessée, mais ne se défendit pas. C'est seulement après, que l'infirmière-chef, qui n'avait pas assisté à la conférence, expliqua au psychiatre qu'André avait été averti doucement et souvent de ne pas utiliser sa seringue à cet effet. La conférence suivante en santé mentale souleva deux points: la réticence du personnel à se défendre et les différentes manières du personnel de défendre ses droits devant le psychiatre. Il en ressortit que le personnel craignait la critique du psychiatre.

Des réactions négatives sont aussi suscitées quand il y a un manque de courtoisie comme les retards, l'absence de recommandations claires, des exagérations ou un manque de sérieux. Pour approcher constructivement ces problèmes, le psychiatre devrait maintenir une évaluation continue de son efficacité. Cela peut se faire en sollicitant les opinions du personnel paramédical et de l'administration médicale. La responsabilité repose aussi sur le département de pédiatrie qui doit offrir spontanément et régulièrement de l'aide et des suggestions au psychiatre. L'acceptation administrative est cruciale pour maintenir une atmosphère positive sur la valeur du travail de liaison. C'est le seul contre-poids pendant les périodes d'extrêmes résistances qui peut sérieusement affaiblir le programme d'approche par l'environnement (voir 1er chapitre).

Des deux extrêmes, les attitudes positives sont plus difficiles à orienter après qu'elles se sont développées. Le psychiatre est tenté de se réjouir de posséder des amis au sein du personnel pédiatrique. Cette amitié peut facilement entraîner au favoritisme et à la rivalité. Il doit considérer le personnel entier comme une entité. Ces individus qui se singularisent par leurs informations confidentielles au psychiatre, ce qui illumine une facette de leur personnalité enfantine, doivent être habilement avertis que leurs observations et leurs commentaires profiteraient à leurs collègues.

Une autre situation délicate apparaît quand le personnel utilise le psychiatre pour sa propre thérapie. Le membre du personnel doit obtenir l'aide et la créance dans ses préoccupations personnelles tout en étant gentiment envoyé, s'il y a lieu, à une consultation appropriée. En même temps, le travail de cette personne peut être compromis par des questions personnelles. Le psychiatre doit employer toute sa diplomatie pour aider ce professionnel à maintenir son efficacité.

Les personnes qui travaillent dans des cadres académiques sont souvent fortement compétitives et sont parfois sous des tensions qui n'ont rien à voir avec les consultants passagers. Le consultant peut être entraîné dans des batailles meurtrières et inconsciemment appelé à donner sa reconnaissance ou à prendre place dans une bataille de force, comme le démontre l'exemple suivant.

> Le pédiatre de Gérard l'envoya pour une évaluation. Quoiqu'il fût réticent à diagnostiquer la personnalité antisociale de Gérard, il assuma que son malade difficile pourrait être soigné par les personnes ressources. Le résident en pédiatrie ne trouva rien à traiter médicalement. Bien que le comportement de Gérard ne fût pas remarquable pour un enfant de 10 ans, un changement radical se produisit quand il fut interviewé par le psychiatre qui essayait de révéler la personnalité fondamentale du garçon et d'exposer le problème au personnel. Le psychiatre voulait familiariser le personnel avec cette sorte de personnalité et le préparer à faire face aux situations urgentes inévitables qui peuvent survenir sans avertissement.
>
> Gérard refusa de parler, devint rapidement grossier, sortit de la chambre en courant et revint pour lancer une théière bouillante sur les conférenciers. Les infirmières demandèrent à être protégées contre lui; l'interne en psychologie insinua que la psychiatrie était en train de bouleverser le malade. À l'enquête, le nursing profita de cet incident pour demander plus de personnel; le résident en pédiatrie critiqua le médecin de l'extérieur pour une hospitalisation inutile, et l'interne en psychologie réaffirma son plan pour réprimer les émotions du malade. Donc, chacun des trois groupes utilisa le comportement du malade à ses propres fins.

Les soins de chaque malade sont alors la mise en commun de plusieurs intérêts, et le défi qu'ils offrent à la psychiatrie peut expliquer la fascination que ce travail exerce sur quelques-uns.

Le psychiatre peut promouvoir la formation d'une équipe composée de lui-même, de l'infirmière-consultante en santé mentale, d'un résident en psychiatrie intéressé dans le travail de liaison, d'un résident en pédiatrie poursuivant une spécialisation en pédo-psychiatrie, d'un psychologue clinique, d'un travailleur social et d'un thérapeute en récréation.

Le succès d'une telle entreprise peut être démontré par l'habileté

du personnel pédiatrique à caractériser chaque enfant individuellement comme une partie d'une famille et d'une culture. Les infirmières
connaîtraient les capacités de l'enfant et de son environnement devant les tensions de la vie; v.g., les effets de cette maladie. L'administration comprendrait que certains problèmes chez les enfants,
en raison de leur complexité, pourraient susciter des conflits entre
les unités de soins. Les gens en médecine, chirurgie, nursing, pédiatrie et psychologie qui d'ordinaire rivalisent entre eux à un plus ou
moins haut degré afin de s'accaparer le plus de temps auprès de l'enfant, pourraient maintenant synchroniser leurs activités.

Le succès ultime est indiqué par chacun des étages de pédiatrie
fonctionnant comme un milieu thérapeutique dans lequel se rencontre une croissance émotionnelle des enfants, des parents et du
personnel.

Pour la psychiatrie, il y a là un exercice de coopération avec une
équipe de santé mentale. La coopération avec les champs affiliés
n'est pas enseignée dans les écoles de médecine où le médecin en
perspective est considéré sur un pied d'égalité seulement avec les
scientifiques.

Le rôle du psychiatre devient plus clair en travaillant avec une
équipe. Contrairement à la fausse conception qui veut que le travail
interdisciplinaire étroit entraîne vers un brouillard de limites, le
contraire est véridique: l'identité d'une discipline s'aiguise quand
elle collabore avec une autre discipline.

Chapitre 5

Jeu à l'hôpital

IMPORTANCE DU JEU

Quoique le jeu et toutes ses fonctions ne soient pas tellement compris, les connaissances actuelles indiquent qu'il est crucial pour la santé mentale des enfants. Erikson écrit: « jouer est le moyen le plus naturel et le plus auto-thérapeutique à la portée des enfants. Quels que soient les autres rôles que le jeu peut avoir dans le développement de l'enfant... l'enfant l'utilise pour surmonter les défaites, les souffrances et les frustrations[1] ».

Le jeu est un phénomène naturel qui initie l'apprentissage; il est imaginatif bien que relié à la réalité. Le jeu développe et reflète aussi la complexité du développement émotionnel. Le jeune enfant exprime ses sentiments à travers le jeu — fantasmes, craintes et conflits — de manière à leur faire face et s'achemine ainsi vers l'acquisition d'un comportement psychologique plus adulte.

Chaque enfant, sain ou perturbé, est constamment soumis à des expériences qui provoquent du ressentiment, des privations et des crises. La maladie et l'hospitalisation constituent une tension majeure au début du développement. Elles provoquent un profond changement dans la manière de vivre de l'enfant; il fait face à la séparation d'avec ses parents et la sécurité routinière de la maison. Il se retrouve aussi à la merci d'un environnement hostile — un monde de regards, d'odeurs et de sons inhabituels, et d'étranges personnes qui infligent de la douleur. Le stress augmente dans cette atmosphère qui favorise la tension spécialement quand on ne lui fournit pas la possibilité de maintenir des activités normales. Le jeu rétablit en partie les aspects normaux de la vie et prévient d'autres perturbations. Il procure aussi à l'enfant l'occasion de réorganiser sa vie; ainsi,

---

[1]Erikson, E. H.: Studies in the interpretation of Play. *Genetic Psychology Monographs*, 22:561, 1940. (Adap. du trad.)

il réduit l'anxiété et lui donne le sens des valeurs. Quand le jeu n'est pas possible, on remarque souvent un comportement destructif et intraitable.

Si l'on ne permet pas à l'enfant, par une communication adéquate, de partager ses idées pendant cette période de stress, il peut trouver des méthodes pathologiques de contrer ses sentiments. Ces méthodes causent des difficultés par elles-mêmes pendant que la tension peut demeurer ignorée et irrésolue de façon permanente.

> On s'aperçut finalement que Ian était préoccupé par la crainte que son jeune frère, plus charmant que lui, usurpe ses jouets et sa place dans la famille pendant son séjour à l'hôpital. Malheureusement, il ne pouvait pas le dire. Dès son arrivée, le personnel observa que Ian, âgé de 8 ans, était un enfant triste et sournois qui s'arrangeait pour remplir sa table de chevet d'objets appartenant aux autres enfants. Il en fut réprimandé et il devint alors encore plus triste et renfermé. La seule manière dont il pouvait exprimer son problème — caricaturer sa crainte de ce que son frère faisait à la maison — ne lui rapporta que plus de blâme de la part de son entourage.

Comment aider les enfants à reconnaître leurs sentiments

On peut aider les enfants à reconnaître les sentiments qu'ils expriment en leur retournant habilement leurs humeurs et les mots qu'ils utilisent[2]. Durant une période de tension, le personnel de l'hôpital, qui est présent 24 heures sur 24, peut apporter une aide précieuse en ne permettant pas que les sentiments soient réprimés.

> Pendant un travail élaboré de recherche sur le diabète, Jérôme fut louangé par le personnel médical comme étant un malade modèle. Quand l'infirmière de son unité vint le chercher à la salle de jeux pour un autre examen, elle le trouva mettant la dernière touche à une peinture et elle lui dit: « Cette peinture doit avoir une histoire ».
> Jérôme: « Oui, mais je ne veux pas la raconter avant mon départ. C'est une histoire à propos de mon étage — 4. »
> Infirmière: « C'est une histoire que tu ne pourras raconter que plus tard? »
> Jérôme: « Oui. »
> Infirmière: « Comment cela? Je n'aurai pas peur. »
> Jérôme: « C'est au sujet des meurtres. C'est tout ce que j'ai à dire. »
> Infirmière: « Des meurtres? »
> Jérôme ne lui répondit pas. L'infirmière s'assit et regarda la peinture.

---

[2]Axline, V.: *Play Therapy: The Inner Dymanics of Childhood.* p. 150. Houghton Mifflin Co., 1947, Boston.

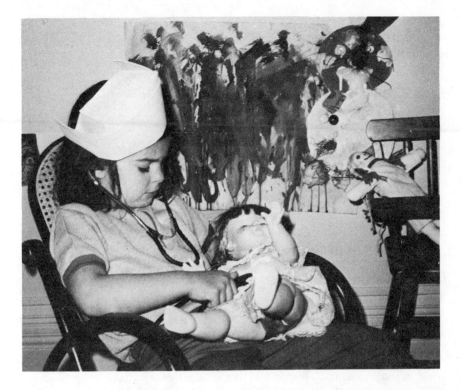

Fig. 5-1. Cette enfant fait négligemment entrer de nouvelles expériences dans son jeu. (Photographie de Sirgay Sanger)

Un moment plus tard, Jérôme reprit: « Oui... » (dans un murmure) « ... les meurtres des docteurs. Regarde ici... » (indiquant une forme pourpre) « ... cela représente les docteurs. Ils vont l'avoir. Je vais leur montrer. »

Infirmière: « Des choses assez mauvaises doivent être arrivées pour que tu sois tellement en colère contre eux. »

Jérôme: « Oui, beaucoup. Ils n'ont pas cessé de me faire mal — me poussant et me pinçant — et ils ne me laissent pas manger, et ils me gardent ici. Tu vois cela? » (il indique une forme rouge). « Cela représente les infirmières. Elles ne sont pas aussi méchantes. Quelques-unes sont assez gentilles — sauf qu'elles donnent des piqûres. »

Quoiqu'il souffre en silence, Jérôme campe bien le portrait d'un enfant qui ressent de la rage envers les adultes tout-puissants. On prend pour acquis que les enfants qui ne dérangent pas le personnel sont bien adaptés et peuvent parfois être laissés de côté. La conformité sociale n'est pas nécessairement une indication de bonne adaptation. Dans le cas de Jérôme, un examen minutieux a indiqué qu'il avait depuis longtemps des problèmes avec sa mère; il les a bientôt reconnus en se plaignant qu'elle refusait de le soigner pendant sa maladie. La famille nécessita une longue surveillance de la part du personnel du Service social.

Comment aider les enfants à faire face à une perception nouvelle

Bernard ne pouvait pas en croire ses yeux. Il venait de voir deux silhouettes corporelles, mâle et femelle, dans la salle de traitements de l'hôpital miniature. Il se tourna vers sa mère et dit d'une manière accusatrice: « Tu veux dire que tu n'as pas de pénis? » C'était une découverte pour cet enfant de 5 ans. Sa mère se retourna et dit d'un ton dégoûté: « Je ne sais rien de ces choses, demande à l'infirmière ».

Les dispositions mises de l'avant par l'hôpital pour lui apporter de l'aide ont permis à l'enfant d'approfondir cette découverte (voir Piaget, chapitre 2).

Comment aider les enfants qui ont peur de l'abandon

Claude, âgé de 3 ans, était heureux de jouer avec sa maison de poupée. Une observation fortuite, pendant les soins du matin, révéla ses préoccupations. Il frappa à la porte, répétant souvent: « Pourquoi est-ce que personne ne répond? » À la fin, une petite forme féminine à l'intérieur lui parla. « C'est Amy. Ne sais-tu pas que tu ne vis plus ici? » Son infirmière reprit vivement le jouet et recommença la scène. « Claude, c'est Amy encore, je me suis payé ta tête. Parfois j'aime taquiner. Maman dit que tu reviendras à la maison bientôt, et que tu seras de nouveau bien. Alors nous aurons du plaisir. Tu nous manques à tous. » Cette intervention opportune fit apparaître un large sourire sur le visage de Claude. Il rejoua cet échange encore et encore.

Comment aider l'enfant à comprendre les événements menaçants et mystérieux de l'hôpital

Le personnel de l'unité se réjouissait d'avoir réussi à cacher aux autres enfants la mort de Roger. Son corps fut enlevé au milieu de la nuit. Les infirmières et les médecins déduisirent qu'il n'était pas nécessaire d'aborder un problème aussi délicat parce que personne n'avait vu l'événement et que personne n'avait rien demandé au sujet de Roger. Ils furent peinés d'apprendre que les enfants avaient entrepris de résoudre eux-mêmes l'énigme parce que les adultes, de tout évidence, étaient fourbes. Plusieurs garçons, entre 5 et 10 ans, avaient construit un cercueil avec de gros cubes de construction et jouaient les entrepreneurs de pompes funèbres. Chaque garçon, tour à tour, se couchait dans la boîte, se plaçait la tête dans une position élevée et confortable, croisait les bras et les autres étendaient un drap sur lui.

Même un jeune enfant peut reconstituer un événement par le jeu et apaiser ainsi son angoisse.

Marie, 11 mois, pleura beaucoup quand on lui fit un prélèvement de sécrétions nasales pour une culture. Après l'intervention, son infirmière essaya de la distraire en plaçant son lit près de la fenêtre pour qu'elle pût voir dehors. Dans cette position, le bébé pouvait atteindre la tablette sur laquelle se trouvait le matériel. Elle saisit une poignée d'applicateurs et commença immédiatement à les introduire dans les narines de sa poupée.

Comment aider les enfants à clarifier les faits déformés par les parents

Maurice attendit que sa mère parte avant d'appeler son infirmière. Maurice: « Pouvons-nous faire une opération maintenant, avant que ma mère ne revienne? Elle devient très bouleversée quand j'opère. Tu seras l'infirmière et je t'appellerai pour te dire ce que je veux. » (Il feint de téléphoner au poste des infirmières de l'hôpital miniature.) « Allo, Mlle K., ici le docteur M. j'ai un jeune garçon ici qui doit avoir une transplantation rénale tout de suite. »
Mlle K.: « Qu'est-ce qu'une transplantation rénale? »
Maurice: « C'est un grand tube vert qui a la forme d'une fève et qui est entré dans le ventre par un gros trou. »
Mlle K.: « C'est une opération très nouvelle et inhabituelle. Cela ressemble à quelque chose que le jardinier utilise à l'extérieur. On ne pratique pas ce genre d'opération sur les personnes. Nous parlerons du tube vert plus tard. En attendant, quel est le nom et l'âge du malade? »
Maurice: « Bien, vous savez, c'est Maurice. Il a 5 ans. »
Mlle K.: « Maurice? Je connais Maurice. Ses reins ne sont pas malades, docteur. Il a eu une réparation de la vessie (pour une exstrophie de la vessie) et il va très bien maintenant. Ce garçon n'a pas besoin d'autre chirurgie. »
Maurice: « Êtes-vous certaine? Comment se fait-il que sa mère ait dit: La prochaine chose que je saurai, c'est que tu auras besoin d'une transplantation rénale? »

Maurice avait été exposé aux paroles alarmantes et trompeuses de sa mère. Comme il avait été hospitalisé longtemps, le personnel put établir avec lui une relation qui servit à l'éclairer sur sa maladie et à le protéger de la confusion qui régnait à la maison. Il informa sa mère et ses frères de la vraie raison de son hospitalisation et insista pour que sa mère entendît les faits. Quand elle exprima des doutes, il sollicita une entrevue entre elle et un résident.

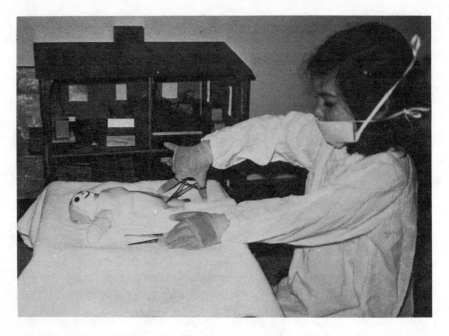

Fig. 5-2. Chaque enfant utilise à sa façon le matériel pour reconstituer les événements qui sont cause de tension. (Photographie de Sirgay Sanger)

UTILISATION DU JEU POUR FAIRE UN DIAGNOSTIC

Le jeu est un important instrument de diagnostic. Il augmente nos connaissances de la vie mentale de l'enfant — de ses réactions profondes aux événements. Dans l'organisation de l'hôpital, le jeu reflète ce que signifie pour l'enfant l'éloignement de chez lui et aussi les influences qu'exercent sur lui la routine médicale et le personnel. Le jeu peut mettre en lumière des secteurs de fausses interprétations qui nécessitent une intervention additionnelle afin de permettre à l'enfant d'assimiler de nouvelles expériences.

Ce qui peut être appris par le hasard de l'observation

L'ergothérapeute demanda à Étienne, âgé de 5 ans, qui venait de subir une circoncision, quelle opération il pratiquait sur sa poupée. Il expliqua qu'il lui coupait le pénis afin de le remplacer par un nouveau.

Léo, âgé de 4 ans, enfilait tranquillement des perles. Occasionnellement, il regardait dans la salle de jeux; soudain il se précipita dans une salle avoisinante où se trouvait l'hôpital jouet. Travaillant contre le temps, il renversa les meubles, jeta les poupées médecins et infirmières dans le panier à rebuts et détruisit l'équipement le plus fragile. En 10 secondes, il retourna à son siège et continua son travail, ignorant totalement le fait qu'il avait été observé.

Lucie, âgée de 6 ans, jouait au docteur et disait à sa poupée: « Si tu ne restes pas tranquille, je vais te piquer dix fois ».

Un personnel éveillé à l'importance du jeu peut faire des observations comme celles faites avec Étienne, Léo et Lucie plusieurs fois par jour. Ces observations peuvent nécessiter une intervention immédiate, mais ordinairement elles peuvent attendre jusqu'à ce qu'elles soient discutées aux conférences de l'équipe de santé mentale.

Ce qui peut être appris des subtilités du jeu en apportant une attention plus délibérée

Une observation plus étroite du jeu révèle le niveau de développement de l'enfant (voir chapitre 2). *La régression en présence de frustrations et la réversibilité de la régression* sont d'autres caractéristiques que le personnel apprendra à rechercher. Par exemple, quand on dit à Arnold, âgé de 5 ans, qu'il ne pouvait pas quitter son lit, il commença à lancer sa nourriture sur l'informateur. Quand on lui donna la raison de ce repos au lit, il devint coopératif et curieux au sujet des radiographies qu'il devait passer. Un autre enfant ne se serait peut-être pas calmé aussi rapidement. Le comportement régressif — lancement de nourriture — fut de courte durée. Il reprit promptement un comportement socialement acceptable. Le jeu peut dévoiler plusieurs de ces réactions régressives et réversibles.

Cependant, une réaction qui paraît menaçante dans un comportement ouvert peut laisser voir une perspective plus bénigne au cours du jeu. Par exemple, Benoit, âgé de 9 ans, fut informé le lundi qu'il aurait une biopsie de la moelle osseuse le mercredi. L'intervention fut remise à deux reprises. Vers la fin de la semaine, on l'entendit murmurer à son compagnon de chambre qu'on ne devait pas faire confiance au personnel parce qu'il essayait de duper les enfants sur ce qui allait leur arriver. Dans la salle de jeux, il joua le rôle d'un cowboy qui s'emportait violemment contre le joueur qui venait de le tromper. Il en ressortit que Benoit percevait le médecin comme une personne indigne de confiance. Son apparente suspicion pathologique disparut quand on lui expliqua le pourquoi du délai.

Les exemples suivants illustrent bien comment les enfants interprètent les événements qui surviennent pendant leur hospitalisation et que les premières apparences peuvent être trompeuses.

Yvan, âgé de 7 ans, avait besoin d'une préparation élaborée avant la chirurgie cardiaque parce qu'il avait aussi une affection sanguine. La période postopératoire fut étonnamment sans histoire, sauf que l'enfant développa une crainte intense du fait d'avoir à se faire piquer les doigts chaque jour pour une analyse de sang. On discuta de sa réaction avec la technicienne de laboratoire à qui on montra comment jouer avec l'enfant. Elle lui demanda pourquoi son ami Jean de l'autre côté du corridor avait peur des piqûres. Yvan ne savait pas. Lorsqu'elle eut à nouveau à prélever du sang, la technicienne demanda à Jean de visiter Yvan et de feindre d'utiliser une seringue sur un kangourou rembourré. Voyant cela Yvan lui dit: « Tu ne peux prendre du sang de cette manière. Ne sais-tu pas qu'il devra recevoir une transfusion après chaque examen? Si tu perds trop de sang tu peux mourir! »

Cyrène, âgée de 12 ans, demanda à son infirmière d'utiliser l'équipement miniature pour la préparer à la chirurgie à cœur ouvert. Elle posa plusieurs questions, mais ne donna aucun indice de ses préoccupations jusqu'à la fin de la séance. L'enfant joua merveilleusement bien; par son intermédiaire les poupées parents envoyaient gentiment des bonjours et la poupée représentant l'infirmière conduisit le malade miniature à la salle de traitement. Elle démontra qu'elle avait une connaissance détaillée du cœur. L'infirmière demeura interdite quand, de la porte, elle vit Cyrène tirer le drap sur la tête de la poupée et dire: « Ça y est, elle est morte! »

Comment les enfants perçoivent le personnel

En raison de la longue hospitalisation de Pierre, âgé de 9 ans, le personnel prit des dispositions pour qu'il pût descendre au vestibule de la pédiatrie visiter ses jeunes frères. Juste avant une visite, il prépara un album sur ses expériences à l'hôpital pour expliquer à ses frères et sœurs ce qu'il subissait. Son dessin favori montrait un malade au moment d'une biopsie rénale. Il l'employa comme aide visuelle pour illustrer son histoire à sa famille. « Bien » dit-il, « des gens pensent qu'ils savent tout. J'ai tenté de dire au docteur que je ne pouvais pas rester tranquille dans cette position, mais elle a dit que j'étais sot. J'ai répliqué que c'était froid; elle répondit que c'était juste bien. C'était bien pour elle, elle était vêtue jusqu'aux oreilles d'une blouse, d'un bonnet et d'un masque et moi j'étais presque nu et j'avais froid. Elle promit que je ne ressentirais aucune douleur; je lui ai dit que j'avais mal. Elle prétendit qu'elle l'aurait (le spécimen) tout de suite; mais je savais que c'était faux. Qui diable le savait mieux que moi? »

L'équipe de santé mentale fut alertée par la perception exacte de l'enfant d'un sérieux problème chez un membre du personnel. On savait que ce médecin considérait son approche irréprochable. On fit toutefois son possible pour montrer au médecin comment l'emploi par l'enfant des mots froid et nu était symbolique des effets de son approche superficielle. Elle n'était pas d'accord avec cette critique et persista à dire qu'elle avait une excellente relation avec Pierre.

Mathieu, âgé de 8 ans, qui souffrait de leucémie, fut encouragé à peindre ses expériences vécues à l'hôpital. Après une période d'isolement (quand sa résistance à l'infection était basse), il produisit une série de peintures qu'il distribua aux membres du personnel de la pédiatrie. Le thème principal de ses peintures était un tout petit garçon enchaîné à une grande table de traitements. Deux médecins se tenaient à ses côtés et faisaient des gestes d'agression avec des seringues et des aiguilles plus grosses que le corps de l'enfant.

Une démonstration plus frappante de la manière dont le jeu révèle l'opinion des enfants sur le personnel fut illustrée sur de grandes affiches murales. Ces affiches représentaient les manifestations hostiles et à peine voilées des sentiments des enfants.

Le garçon le plus âgé de la salle afficha malicieusement des enseignes exprimant les sentiments des enfants envers le traitement et le personnel infirmier. Marc, âgé de 10 ans, écrivit: « Recherchée. Infirmière — qui est injuste envers les enfants. Quarante dollars de récompense ». Il dessina ensuite son portrait de profil et de face.

Édouard, âgé de 12 ans, afficha une enseigne sur sa porte pour tenir les intrus éloignés. Elle disait: « Attention aux chiens mauvais. Ils auront n'importe qui avec des piqûres ».

C'est ainsi que les enfants expriment le mieux leurs sentiments de crainte et de colère. Cependant, cela ne va pas assez loin. Le personnel peut profiter de ces indices pour canaliser les aspects voilés de l'hostilité vers une verbalisation plus profitable.

Une bonne technique de verbalisation serait de faire en sorte que le personnel s'excuse des traitements douloureux qu'il doit donner. Une excuse peut provoquer des réactions variées. Un des effets est d'encourager l'effronterie chez les enfants qui sont trop agressifs dans leurs relations avec les autres. L'enfant perçoit cette excuse comme une faiblesse chez le personnel; l'enfant croit ainsi qu'il peut être impoli. Un autre effet est d'offrir à l'enfant l'exemple d'un adulte qui accepte des compromis. Si l'enfant est à la recherche d'un adulte avec qui s'identifier, il cessera toute hostilité afin d'imiter ce modèle. En conséquence, un adulte avisé des réactions, qui s'excuse, peut vérifier si le malade en est au début de la phase phallique (compétition) ou à la fin (préoccupé par son identification sexuelle) (voir chapitre 2).

Denis, âgé de 5 ans, se remettait d'une circoncision. Il peignit un tableau et raconta l'histoire d'un bombardement qui avait eu lieu au-dessus de sa maison et qui avait tout détruit. Il dit que le soleil avait pris 3 jours à revenir. Le 3e jour, en effet, on lui avait témoigné de la sympathie et offert des excuses.

La circoncision avait diminué l'esprit compétitif de Denis et provoqué chez lui des idées de vengeance. C'est seulement après son départ de l'hôpital que Denis a eu la force de manifester sa gaieté.

Martin, âgé de 8 ans, était tellement désagréable qu'il s'était aliéné presque tout le personnel avec ses rires et ses actes provocateurs. Après l'ouverture et le drainage d'un gros abcès, il peignit un tableau de Batman et Robin, dans un Batmobile, se hâtant vers la caverne afin de se protéger des gouttes de pluie noire. D'abord, Martin voulut montrer cette peinture à son infirmière préférée, mais il décida de ne pas le faire. Il dit alors que son compagnon de chambre comprendrait mieux sa peinture et en peignit une autre à la place. Ce tableau représentait un gros vase rempli de fleurs brillantes et de petites gouttes de pluie verte qui les entouraient. Quand l'infirmière lui demanda de raconter l'histoire, il répliqua: « Qu'est-ce qui t'arrive? Tu ne peux pas voir? C'est un pot avec de la boue. Ce sont des fleurs et la pluie aide les choses à bien pousser ».

Martin montre la progression à partir des préoccupations phalliques primitives — Batman se cachant dans une caverne pour éviter le danger — vers l'exubérance phallique tardive, audacieuse et visible — les grosses fleurs brillantes dans un vase. Cela reflétait un changement dans les attitudes du personnel, attitudes qui s'étaient d'abord manifestées par un comportement répressif et punitif pour évoluer vers l'adoption de soins individualisés, de nature à l'aider davantage. Les preuves apportées par les peintures ont aidé l'équipe de santé mentale à continuer dans cette direction en dépit des fortes pressions exercées sur elle pour qu'elle soit vindicative.

Comment déterminer la cause du problème

Pendant que Denise se remettait de l'intervention pour réimplantation de l'uretère, sa mère se plaignit que l'enfant était constipée de manière chronique. Elle demanda au pédiatre de rechercher la cause du problème pendant l'hospitalisation de Denise. Les observations des infirmières révélèrent un sérieux conflit entre la mère et l'enfant de 3 ans. En conséquence, l'investigation fut reportée jusqu'à ce qu'on obtienne plus d'information. Cette mère créait de façon particulière des situations frustrantes pour l'enfant. Quand elle visitait sa fille, elle passait presque tout son temps à s'amuser avec les bébés de l'unité. Elle ne pouvait pas comprendre la jalousie et la colère de Denise parce que ce comportement ne se manifestait pas à la maison; Denise avait un frère de 8 mois.

Une observation plus poussée fut faite dans l'hôpital jouet où Denise avait ramassé plusieurs bébés poupées dans la pouponnière et les avait déposés sur la table d'opération, dans la toilette, dans le panier à rebuts. Pendant que Denise s'amusait, l'infirmière lui fit remarquer qu'elle jouait beaucoup avec les bébés. « Oui, » dit-elle, « j'aime les bébés — sauf quand ils pleurent ou qu'on les prend. » L'infirmière saisit l'occasion pour discuter avec Denise de ses sentiments négatifs envers son frère et l'inciter à demander l'attention de sa mère. En quelques secondes, Denise courut vers la toilette et fit une selle normale. Elle revint très détendue et annonça qu'elle voulait encore jouer. Cette fois, elle arrêta son attention sur les poupées médecins et plaça plusieurs médecins autour du lit d'une petite fille. Quand on lui demanda ce que les médecins faisaient, elle dit: « Ils chassent le mal ».

Les séances subséquentes produisirent des effets semblables, suivis de voyages à la toilette. En conséquence, Denise n'eut plus besoin d'examens. On recommanda plutôt un travailleur social qui pourrait, par ses conseils, aider à faire disparaître les frustrations de Denise. Elle employa de plus en plus de mots pour exprimer sa colère et limita ainsi son agressivité, manifestée sous forme de constipation, qu'elle utilisait autrefois contre sa mère. Ce cas illustre bien le profond conflit d'opposition entre la mère et l'enfant (voir chapitre 2).

Comment évaluer l'efficacité de l'enseignement préopératoire

Bien que Alain, âgé de 5 ans, eût reçu une préparation minutieuse pour la chirurgie cardiaque, son jeu révéla plus tard que ses préoccupations n'avaient pas été touchées. Il expliqua à son père qui le regardait manipuler sa poupée d'enseignement: « Cet enfant a trois trous dans le cœur et il est un homme mort ».

Guy, âgé de 4 ans, avait été soigneusement préparé pour une amygdalectomie. Il était clair qu'il n'avait pas longtemps retenu l'information. En jouant avec sa poupée d'enseignement pendant la période postopératoire, il ne cessait de répéter: « N'enlève pas la culotte du garçon ». En entendant cela, son infirmière se rappela que Guy s'était violemment opposé à ce qu'on le dévête complètement, sauf pour la blouse obligatoire pour l'opération. Cela indiquait qu'il avait besoin d'enseignement supplémentaire et que la politique arbitraire de retirer tous les sous-vêtements avant toute opération n'avait que renforcé chez l'enfant la crainte d'être opéré en d'autres parties de son corps. Cette politique fut immédiatement changée avec la coopération du personnel de la salle d'opération.

L'utilité du jeu de groupe

« Dans le jeu de groupe... les enfants se donnent des rôles qui sont l'expression ou l'extension de leurs problèmes fondamentaux. Dans de tels rôles, quelques-uns expriment la perception de ce qu'ils sont ou l'espoir fantaisiste de ce qu'ils aimeraient être... Dans un groupe, de tels fantasmes sont renforcés et trouvent facilement et naturellement des façons de ressortir sous diverses formes de jeux et d'activités[3]. »

La vue des autres qui font semblant et montrent librement leurs préoccupations sert de stimulus et permet à l'enfant le moins enjoué de faire la même chose. Cet enfant découvre la camaraderie et quelqu'un qui comprend ses difficultés, sans toutefois lui fournir la possibilité de s'apitoyer sur son sort. Les séances de groupe enseignent aussi aux enfants que d'autres éprouvent des sentiments semblables.

Un groupe soulève des aspects que le jeu individuel n'aurait pas permis de découvrir, comme la compétition entre frères pour obtenir l'attention des adultes.

Si le groupe est suffisamment cohésif, il établit des normes qui imposent certaines contraintes aux comportements antisociaux. C'est une expérience marquante d'apprentissage que de voir les autres, particulièrement les plus jeunes et les plus malades, se débrouiller dans certaines situations. L'interaction de groupe peut accélérer la possibilité d'un jeu de rôle positif et affectueux; d'un autre côté, il peut être apeurant de voir comment les autres enfants sont incapables de faire face à la situation. Tout bouleversement pourrait être utilisé avantageusement par les ergothérapeutes et les autres membres du personnel dans leurs conversations et leurs jeux ultérieurs avec cet enfant.

Le jeu de groupe se compose de stimuli imaginaires et réels. L'enfant qui peut admettre seulement un stimulus ou l'autre est rapidement découvert. L'enfant très imaginatif peut être inaccessible aux autres enfants. L'enfant extrêmement pratique peut être lourdement ancré aux événements concrets. L'enfant bien adapté a besoin des deux stimuli et les admet.

TECHNIQUES DE JEU

Au début, il importe de déceler les indices des préoccupations les plus évidentes de l'enfant. Une certaine connaissance des causes réelles permet l'individualisation d'une approche par le jeu. Les remarques fortuites relevées chez le personnel sont utiles: v.g., « Après tout, José s'en est tiré, il a une seule objection, la piqûre quotidienne au bout du doigt » ou « Il est singulier que Mme D. parte en vacances pendant que son enfant est hospitalisé » ou « Chaque fois que je rencontre Maurice, il essaie de me faire jouer au médecin avec lui ».

Il y a des règles générales qui doivent être appliquées chaque fois qu'un jeu efficace doit être amorcé.

● Refléter uniquement ce que l'enfant exprime.

---

[3]Slavson, S.: Play group therapy for young children. *The Nervous Child*, 7:320, 1948.

- Fournir le matériel qui stimule le jeu.
- Permettre un temps d'activité assez long sans interruption.
- Permettre à l'enfant de jouer à son propre rythme.
- Déterminer quand il est à propos d'aller au-delà de l'expression de l'enfant.
- Jouer pour l'enfant qui ne peut pas jouer lui-même.
- Admettre le jeu franc avec les enfants émotionnellement forts.
- Être familier avec le matériel artistique utilisé comme moyen d'expression.
- Avoir une connaissance de la croissance et du développement de l'enfant parce que cela guide les professionnels dans leur jugement clinique.

Refléter uniquement ce que l'enfant exprime

Il est évident que la création d'une situation de jeu est fondée sur une atmosphère de sécurité. Des idées et des mots non familiers sont menaçants pour l'enfant et le conduisent vers l'inhibition de sa spontanéité.

Fig. 5-3. Le jeu de groupe comporte des stimuli imaginaires et réels. Un enfant qui peut admettre seulement l'un ou l'autre est rapidement découvert. (Photographie extraite du film « Play in Hospital », Play School Association, Campus films)

La mère de Carole profita de l'hospitalisation de sa fille pour partir en vacances; cependant, l'enfant n'en parla pas. Son jeu avec des découpures de l'orpheline Annie et du chien Sandy révéla ses sentiments véritables. Dans un épisode, l'orpheline Annie, après avoir abandonné Sandy, le chien, revint du Pôle Nord et le reprit au chenil. Sandy murmura et la gronda impitoyablement. L'infirmière demanda à Carole ce que le chien disait. Carole lui expliqua, en insistant, qu'il avait détesté être abandonné. L'infirmière sympathisa avec Carole et acquiessa qu'il n'était pas plaisant d'être laissé en arrière sans personne avec qui jouer et d'être seul dans une petite boîte, entouré seulement d'étrangers; il avait raison d'être en colère. Cependant, Carole ne fut pas d'accord et répondit: « Mais il est seulement un chien ».

Il était évident que Carole n'était pas prête à admettre sa colère; alors l'infirmière n'alla pas au-delà de l'expression de l'enfant. L'infirmière avait confiance qu'éventuellement Carole serait sincère et admettrait sa colère quand elle se sentirait plus en confiance avec l'infirmière.

Fournir le matériel de jeu

Tous les jouets et le matériel que les enfants utilisent sont immédiatement investis de qualités imaginaires. Ces objets concrets deviennent alors des véhicules acceptables pour faire ressortir les fantasmes de l'enfant sur ses préoccupations les plus courantes. La clarté des thèmes variera selon le degré d'anxiété engendrée. Une trop grande anxiété amènera l'enfant à cacher le problème, à changer le sujet ou à cesser complètement de jouer. Toutes ces actions sont aussi des efforts que fait l'enfant pour faire face au même thème qui provoque l'anxiété; quoique la manifestation extérieure soit différente, le personnel ne devrait pas se laisser tromper. Un enfant restera préoccupé par le défi majeur à sa sécurité aussi longtemps qu'il n'aura pas affronté ce défi de quelque façon.

Dans son jeu, Vincent voulait continuellement que les objets tombent, comme les cheminées sur les bateaux et les ailes des avions. Cette peur évidente de la castration sembla disparaître quand il cessa ses dessins aéronautiques et courut vers la fenêtre pour expliquer qu'il y manquait un moustiquaire. Cependant, la première observation qu'il en fit était simplement une suite de la même peur.

L'enfant qui est aux prises avec un conflit spécifique y reviendra constamment. Il utilisera pourtant plusieurs déguisements jusqu'à ce qu'il en trouve un qui lui donne suffisamment de recul pour faire face au danger afin d'arriver à une solution plus heureuse.

Pour Vincent, l'emploi d'avions jouets, de bateaux et d'autres jouets de transport était un jeu ennuyeux. Même les fenêtres de l'élégante maison jouet semblaient un sujet fermé à la discussion. Il s'anima seulement quand il demanda un autre abaisse-langue — afin de remplir un espace vide sur le pont de bois qu'il construisait avec des abaisse-langue. Il ne pouvait s'approcher davantage de son angoisse de castration sans en ressentir un profond malaise. À partir de là, il fut capable d'aborder progressivement cette anxiété par les voies des moustiquaires tombés, des ailes tombées et finalement des « choses » tombées.

Ce cas démontre que le matériel de jeu ne convenait pas à cet enfant jusqu'à ce qu'il choisisse lui-même son propre moyen d'expression.

> Véronique installa un lit, une croupette et une table de chevet. Elle apporta un compte-gouttes et une tasse dans un cabaret qu'elle plaça sur la table. En ouvrant la croupette, elle dit aux deux poupées : « Je vous mets toutes les deux ensemble dans le lit. Vous serez plus heureuses de cette façon. Non, non, ne pleurez pas, cette médication est bonne pour vous. Elle goûte les biscuits et vous savez que vous ne mangez que de bons biscuits à l'hôpital, pas comme à la maison ».

Cette séquence de jeu fut rendue possible grâce à l'utilisation de matériel attrayant et pertinent aux expériences de l'enfant à l'hôpital. De vrais biscuits étaient disponibles pour le jeu. Le personnel constata par la suite que les biscuits symbolisaient la « faim » d'affection à la maison. Dans une interview avec les parents, le travailleur social confirma ce diagnostic fait par le jeu.

Permettre à l'enfant d'aller à son rythme propre

On ne doit pas s'attendre à ce que l'enfant accepte rapidement des idées d'approche qui l'angoissent et des transformations dans ses fonctions corporelles.

> Mireille, une enfant de 5 ans, rejetait complètement l'enseignement préopératoire pour un iléostomie. Elle arracha l'équipement jouet — I.V., sacs à drainage et pansements de la poupée éducative et ignora toute mention de l'opération imminente. Après l'opération, elle était renfermée, refusait de regarder l'endroit opéré et niait savoir ce qui lui était arrivé. On employa avec elle une approche indirecte parce que l'enseignement direct la bouleversait énormément. Une boîte d'équipement — tubes, petites bouteilles, pansements et collecteurs pédiatriques d'urine (CPU pour représenter les sacs pour « ostomie ») — fut laissée auprès de son lit sans aucun commentaire. Le jour suivant, l'infirmière observa que le sac CPU était fixé à la tête de la poupée. Elle ne dit rien à ce sujet. Le deuxième jour, le CPU était fixé au bras droit et le troisième jour il était rendu sur la poitrine. Le quatrième jour, il était fixé sur l'abdomen. Simultanément, Mireille parvint à regarder

son abdomen et à parler de l'opération.

Aller au-delà de l'expression de l'enfant

Dans des cas particuliers, on peut aller, dans le jeu, au-delà de ce que l'enfant a exprimé superficiellement. Cela permet à l'enfant anxieux de voir que quelqu'un d'autre peut parler d'un sujet angoissant et continuer d'être amical. On lui donne ainsi l'assurance de trouver un compagnon pour partager ses craintes.

Patricia, âgée de 8 ans, souffrait d'une blessure traumatique à un œil, suivie d'une grave infection qui entraîna la cécité de cet œil. On l'encouragea à reconstituer ses traitements sur une poupée malade — injections, perfusions, bains chauds et changements des pansements — dans le but de stimuler la discussion sur son accident et ses conséquences. En jouant le rôle de la poupée, son infirmière exprima des préoccupations sur l'issue du traitement — comment sa vue serait affectée. Cependant, Patricia nia la perte de la vision et dit à l'infirmière qu'elle pouvait voir au travers du bandage.

L'opération étant imminente, on dut, à cause du temps limité, accélérer le jeu afin qu'elle pût envisager ce qu'elle tentait d'éviter. L'infirmière jugea important de dire à Patricia qu'elle ne voyait pas au travers du bandage et que le personnel était préoccupé au sujet de sa vision. Elle devait se rendre compte que les médecins ne pouvaient pas lui promettre un bon résultat, même s'ils s'attendaient au mieux en traitant l'infection.

La veille de l'opération, l'idée d'énucléation devait être abordée avec elle. Le pédiatre et l'infirmière en santé mentale discutèrent d'abord avec la mère qui leur demanda de parler eux-mêmes à Patricia au sujet de l'énucléation. On croyait que, sous la tension, ses parents la tromperaient; en conséquence, le médecin et l'infirmière qui connaissaient très bien Patricia optèrent pour une approche conjointe.

Le médecin se montrerait ferme au sujet de la réalité; l'infirmière offrirait le réconfort et la consolation. Le médecin et l'infirmière respectaient tous deux la dignité et la bravoure de cette enfant en face d'une expérience de mutilation.

L'infirmière: « Tu as probablement beaucoup pensé aux conversations que nous avons eues au cours de la semaine et tu dois avoir quelques inquiétudes sur ce que nous avons dit. »

Patricia incline la tête.

L'infirmière: « Que fais-tu quand des pensées déplaisantes te viennent à l'esprit? »

Patricia: « Je les mets sous l'oreiller. »

L'infirmière: « Et elles ne s'en vont pas, n'est-ce pas? »

Patricia fait un signe de la tête.

L'infirmière: « C'est pour cela que nous devons en parler. Parfois elles sont plus faciles à accepter quand tu les partages avec quelqu'un d'autre. Sais-tu pourquoi le médecin est avec moi aujourd'hui? »

Patricia secoue la tête comme si elle savait, mais ne voulait pas entendre.

Médecin: « Patricia, nous avons fait l'impossible pour enrayer l'infection, mais nous ne pouvions pas faire assez. Tu sais, nous avons été très inquiets pour ton œil et nous en sommes arrivés à la conclusion qu'il n'y avait rien de plus que nous puissions faire pour le guérir et pour sauver la vision de ton œil. »

L'infirmière: (observant des larmes dans l'œil de Patricia) « Cela te donne envie de pleurer n'est-ce pas? »

Patricia commence à pleurer.

L'infirmière: « Tu as bien raison de pleurer. Vas-y, pleure. »

L'infirmière demeura avec Patricia jusqu'à ce que sa mère vînt la réconforter.

Jouer pour un enfant qui ne peut pas jouer lui-même

Louis, âgé de 2½ ans, était entièrement brûlé sur un côté; en conséquence, il était complètement immobilisé. Tout ce qu'il avait pour faire face à son problème était une extraordinaire capacité de parler et un esprit inquisiteur.

Le personnel des soins intensifs demanda l'aide de l'infirmière en santé mentale pour les aspects émotionnels de ses soins. Louis se disait mauvais garçon et refusait de parler de son accident.

C'était un défi que de jouer avec cet enfant — compliqué par le fait qu'il ne pouvait pas participer activement et par la nécessité de la technique aseptique: port de la blouse, du bonnet, du masque et des gants. Au début, on utilisa des histoires pour établir un contact. On espérait que plus tard il serait capable d'explorer les thèmes de blâme et de culpabilité.

Une version modifié des 3 ours, où on inséra les faits de l'hospitalisation de Louis, servit à cette intention: Boucles d'Or, une enfant très curieuse, visita la maison des ours, essayant tout, y compris la chaise du bébé ours. La chaise était trop petite pour elle et se brisa, mais Boucle d'Or l'arrangea pour qu'elle ne paraisse pas brisée. À son retour, le bébé ours s'est assis sur sa chaise favorite et il est tombé, se blessant très sérieusement. Il ne savait pas qu'elle était brisée; ce n'était pas sa faute. Maman et papa ours l'emmenèrent d'urgence à l'hôpital dans la voiture personnelle du chef de police ours afin que les médecins et les infirmières puissent en prendre soin.

Quand bébé ours fut à l'hôpital, on dut nettoyer ses bosses et ses blessures. Il avait aussi besoin de médicaments et de bandages pour l'aider à guérir et, en plus, il devait recevoir de la nourriture et des médicaments par un petit tube placé dans son bras (on montra cela au petit ours parce qu'il était curieux et voulait savoir ce qui se passait).

Pendant qu'on racontait cette histoire à Louis, on lui expliquait les traitements et on les lui montrait à l'aide d'une poupée et du matériel stérilisé pour cette occasion. Il ne pouvait pas utiliser son corps, sauf ses yeux et sa bouche, et il surveillait pendant qu'on animait les formes pour lui.

L'histoire de l'ours continua. Après que bébé ours fut traité à l'hôpital, un médecin lui demanda comment il avait été blessé. Bébé ours lui dit qu'il était un méchant ours, mais, bien entendu, ce n'était pas vrai. S'il avait su que la chaise était brisée, il ne se serait pas assis dessus, et si maman et papa ours avaient su qu'il était en danger, ils seraient venus l'aider. L'accident n'était pas leur faute non plus.

Après avoir écouté attentivement l'histoire, Louis demanda: « Comment suis-je venu sur la cuisinière? »

La question lui fut retournée: « Je ne sais pas. Comment es-tu arrivé là? »

Il accepta alors de le dire: « J'ai grimpé là-haut et j'ai été brûlé ». Il était assuré que ce n'était pas sa faute car il ne savait pas que la cuisinière était brûlante. Son seul désir était de savoir ce que tout cela était parce qu'il est un garçon très curieux — et ordinairement la curiosité est une chose bonne en soi. Louis sourit et demanda qu'on apporte son chien Snoopy près de lui. Cette demande indiquait qu'il était de nouveau intéressé par son objet de transition comme il l'était avant son accident.

Une fois, Louis dit à son père qu'il avait l'air d'un pâtissier avec sa blouse et son bonnet d'isolement. On lui demanda ce que faisait un pâtissier et il répondit qu'il faisait des biscuits. On dit à Louis que lui aussi pourrait faire des biscuits dans la salle de jeux quand il serait mieux. Il refusa en répliquant: « Je ne peux pas parce que j'ai été brûlé ». On lui expliqua alors qu'il y avait des moyens sûrs de cuire des biscuits sans être brûlé de nouveau.

Il y a nombre d'enfants qui, par leur maladie ou par leurs défauts physiques, ne peuvent pas utiliser leur corps au jeu. Avec ces enfants, le personnel doit assumer le processus dialectique. De cette manière, l'enfant saisira avec ses yeux ou par des mots le problème avec lequel il est aux prises. Dans le cas de Louis, sa vive curiosité fut utilisée pour lui faire revivre son accident et pour assurer et continuer son développement. Il était redevenu heureux et échangeait avec sa famille et ses visiteurs malgré son immobilité.

Même s'il est décédé plusieurs semaines plus tard, le personnel et la famille ont senti que les efforts en valaient la peine parce que Louis a été heureux jusqu'à la fin.

Jouer avec un enfant émotionnellement fort

Quelques enfants peuvent tolérer des expressions thématiques très près d'une réalité douloureuse.

> Plusieurs garçons portant des sacs à drainage urinaire fixés à leur jambe étaient rassemblés autour de l'abreuvoir. Charles ramassa une grosse seringue et découvrit accidentellement qu'elle avait trois jets d'eau. Il était ravi et montra plusieurs fois la seringue aux autres. Charles, hospitalisé pour réparation d'hypospadias, avait ce nombre de jets quand il urinait. Dans ce cas, aucune intervention complexe ne fut requise. On donna plutôt à Charles cette grosse seringue pendant quelques jours. Il essaya une variété de liquides colorés dans ses expériences. Quand les médecins vinrent auprès de son lit pour la visite, il leur joua un vilain tour en exhibant soudainement sa seringue à trois jets dans toute sa gloire.

> Hanna se tenait devant le miroir de la salle de jeux et se revêtait d'une longue robe et d'un chapeau trop grand pour elle. Elle prépara une valise et prit avec elle Élaine, une enfant plus jeune. Les deux fillettes s'assirent sur un banc en face de l'ascenseur. Hanna expliqua qu'elle attendait l'autobus pour rentrer chez elle avec la petite fille. Une jardinière parla à Hanna de son désir raisonnable de retourner à la maison. Ce fut un grand soulagement pour elle d'entendre un adulte déclarer que le foyer était un endroit où tout le monde voudrait être.

Utilisation du matériel artistique

Le matériel artistique convient bien pour exprimer les préoccupations internes[4]. L'enfant doit être libre de travailler seul sans être dirigé par les adultes et sans commentaires sur le mérite artistique de la réalisation. Chaque enfant se sert du matériel à sa façon. Les adultes ne doivent faire aucun jugement et écarter toutes idées préconçues sur la nature de l'art. La peinture devrait être considérée comme un symbole des pensées de l'enfant, et non comme une entité en elle-même. De simples questions posées après que le travail est complété permettent à l'enfant de raconter son histoire. Pour les enfants plus vieux, il est plus fécond de parler sur le thème que la peinture illustre.

> Parmi les peintures que Béatrice, âgée de 10 ans, avait faites avant son opération pour la révision de la réparation d'une fissure de la lèvre, il y avait des scènes dans lesquelles deux arbres étaient placés aux

---

[4]Rambert, M. L.: Graphic and plastic materials. *In* Haworth, M. R. (éd.): *Child Psychotherapy: Practice and Theory.* New York, Basic Books, 1964.

extrémités opposées de la feuille. La signification de ces réalisations se précisa quand elle termina son travail artistique en période postopératoire. Dans son premier dessin, elle avait uni les branches d'un arbre à l'autre — les rattachant avec un arc semblable à l'instrument utilisé sur sa lèvre pour prévenir la tension sur la ligne de sutures.

Avant l'opération, Céline, âgée de 8 ans, fit une peinture de l'Égypte représentant des pyramides et des palmiers. Elle expliqua qu'elle étudiait cela à l'école. Le lendemain de l'opération pour réparation d'une fissure de la lèvre, elle peignit un fouillis en noir et en rouge. Deux jours plus tard, elle commença à se retrouver et reprit ses thèmes égyptiens. Donc, tant qu'elle pouvait croire à la possibilité d'une réparation complète de son anomalie, elle pensait à l'Égypte — qui symbolisait pour elle un très bel endroit. Les noirs et les rouges horribles, sans définition, représentaient ses visions de l'intérieur de sa bouche.

Lors de la conférence de l'équipe de santé mentale, les peintures de Céline ont été discutées et on recommanda la psychothérapie. Il semblait qu'elle ne serait jamais satisfaite des résultats opératoires; elle devait apprendre que même avec une excellente réparation, elle n'obtiendrait pas l'atmosphère exotique parfaite de l'Égypte qui était représentée dans son esprit. En plus, un effort devrait être fait pour corriger le dégoût qu'elle éprouvait (fouillis de noir et de rouge) pour sa cavité buccale préopératoire.

Liliane, âgée de 11 ans, avait eu antérieurement plusieurs interventions chirurgicales pour corriger une difformité congénitale de la jambe. Au deuxième jour postopératoire, elle dessina une jambe dans le plâtre et, tout près, une main dont l'annulaire était porteur d'un anneau nuptial. Elle demanda à la jardinière, en lui tendant le tableau: « Êtes-vous mariée, Mlle W.? »

Mlle W. indiqua le tableau et dit: « Voici quelqu'un qui est marié. Peux-tu m'en parler? »

Liliane dit que la personne de son dessin avait trouvé quelqu'un de gentil et agréable et l'avait épousé. Elle lui demanda: « Pensez-vous que je me marierai? Ma cousine ne s'est pas mariée parce que son ami avait très peu de cheveux ».

Mlle W. demanda: « Penses-tu que ta jambe peut faire changer d'idée à quelqu'un qui voulait t'épouser? » Liliane était pensive, mais ne répondit pas et Mlle W. enchaîna: « Je ne sais pas ce qui est arrivé à ta cousine, mais ordinairement les gens se marient parce qu'ils éprouvent des sentiments profonds l'un envers l'autre, pas à cause de la sorte de cheveux ou de la ligne de la jambe ». (Liliane démontrait une précocité culturelle en cela qu'à l'âge de 11 ans elle avait des préoccupations d'adolescente au sujet de son rôle marital futur.)

Il lui avait fallu plus d'une semaine pour transmettre ce message. Après quelque temps, ses dessins représentaient des formes entières plutôt que des parties isolées du corps.

Comment jouer quand il n'y a pas d'indice sur les préoccupations préopératoires de l'enfant

Quand on connaît peu les angoisses profondes de l'enfant, un jeu efficace devrait être en relation avec le niveau chronologique de l'enfant (voir chapitre 2). Avant l'âge de 5 ans, les préoccupations les plus courantes chez l'enfant sont l'abandon, la douleur et la mutilation, l'invasion des orifices du corps et la perte de contrôle sur la routine habituelle. Les histoires sur ces thèmes pourraient être au sujet des personnes qui se ferment les yeux, des enfants qui se couvrent les oreilles, des enfants qui sont laissés à la porte ou des choses qui disparaissent ou qui changent d'apparence.

Les thèmes de domination commencent tôt et continuent pendant toute l'enfance; par exemple, le plaisir qu'on éprouve à expérimenter une nouvelle fonction et à acquérir une nouvelle connaissance. Ces thèmes peuvent être exprimés par des histoires sur l'exploration des grandes maisons et de l'hôpital, sur les rencontres avec des étrangers qui se révèlent gentils, sur les sauts dans l'eau qu'on trouve agréables, sur l'essai de nouvelle nourriture qu'on trouve délicieuse.

Pour les enfants de 5 à 10 ans, les thèmes suivants peuvent servir de point de départ: faire acquérir aux choses qui durent un talent supérieur aux autres; plaire aux adultes, autres que les parents; avoir honte ou perdre la face; faire ressortir le modèle ordinaire de vie avec les amis; les sports; les passe-temps favoris et les petites pièces de théâtre où l'on peut s'identifier à un rôle à l'hôpital. D'autres thèmes peuvent apparaître dans les histoires où l'on triomphe du danger.

Les enfants de 11 à 16 ans redoutent ordinairement de revenir à un état de dépendance à cause de la maladie. De plus, ils perçoivent leurs pairs comme le summum du succès social et s'inquiètent de leur choix professionnel.

Quelques livres disponibles dans le commerce présentent de manière attrayante un ou deux ouvrages sur le développement. Ils sont dépeints selon les individus ou les animaux avec lesquels l'enfant peut s'identifier — ni trop près ni trop éloigné du défi que l'enfant veut relever. Le protagoniste principal est suffisamment reconnaissable pour capter l'imagination.

Les livres suivants sont énumérés en fonction de l'âge. Ils ont été retenus cliniquement pour des centaines de lectures.

Deux ans et demi à quatre ans

Wezel, P.: *The Good Bird.* New York, Harper & Row, 1964. (Un poisson solitaire s'est pris d'amitié pour un oiseau et ils restent ensemble toute la nuit. Histoire sans paroles.)

Eastman, P.: *Are You My Mother?* New York, Random House, 1960. (Un oiseau éclôt pendant que sa mère est partie lui chercher un ver; sa mère lui manque et il part à sa recherche et marche longtemps. Une réunion heureuse s'ensuit.)

Piper, W.: *The Little Engine That Could.* New York, Platt, 1954. (Une locomotive abandonne presque l'ascension d'une montagne, mais finit par livrer ses jouets.)

Mayer, M.: *There's a Nightmare In My Closet.* New York Dial Press, 1968. (Un garçon pressent qu'il y a un monstre dans son placard et sa prémonition s'avère juste; cependant le monstre est plus effrayé que le garçon. L'enfant se débrouille assez bien à la fin.)

Bemelmans, L.: *Madeline.* New York, Simon et Shuster, 1939. (Une fille a été opérée et ses amis envient sa cicatrice. Au début, l'institutrice est énervée, mais elle s'apaise.)

Cameron, P.: *I can't, Said the Ant.* New York, Coward-McCann, 1969. (Une théière dont le bec est brisé est réparée avec beaucoup d'efforts.)

Sendak, M.: *Where The Wild Things Are.* New York, Harper & Row, 1963. (Un garçon puni par sa mère reconnaît sa bêtise et retourne à son repas chaud.)

De Regniers, B. S.: *How Joe The Bear and Sam The Mouse Got Together.* New York, Parents' Magazine Press, 1965. (Plusieurs animaux différents constatent après de nombreuses délibérations qu'ils aiment tous la crème glacée.)

Trois à sept ans

Hoban, R.: *Bedtime for Frances.* New York, Harper & Row, 1960. (Un ours a des craintes nocturnes, mais finit par s'endormir.)

Minarek, E. H.: *Little Bear's Friend.* New York, Harper & Row, 1960. (Une des 4 vignettes parle d'une poupée dont le bras a besoin de réparation.)

Skorpen, L. M.: *That Mean Man.* New York, Harper & Row, 1968. (Un individu désagréable est réprimandé, mais pas avant qu'il tente un tas de choses qu'on ne permet pas aux enfants.)

Alexander, M.: *We Never Get To Do Anything.* New York, Dial Press, 1970. (Un garçon trouve une manière de s'amuser en dépit des lois.)

Brown, J.: *Flat Stanley.* New York, Harper & Row, 1964. (Un garçon tire profit d'un accident.)

Weber, A.: *Elizabeth Gets Well.* New York, T. Y. Crowell, 1970. (Une petite fille est opérée et elle guérit.)

White, E. B.: *Charlotte's Web.* New York, Harper & Row, 1952. (La vie, la mort, l'amour et le travail laborieux tels qu'illustrés dans les rapports entre une araignée et un porc.)

White, E. B.: *The Trumpet of the Swan.* New York, Harper & Row, 1970. (Comment un cygne très humain surmonte un terrible défaut pour vivre d'une manière normale et exemplaire.)

Voici également quelques volumes français qui s'adressent à des enfants de divers groupes d'âge.

Éditions Pauline: *La petite fille et la fleur*
                         Mimi la petite étoile
Hachette: Nouvelle édition Babar
Dupuis: *Titou fait un gâteau*
Flammarion: *Contes d'Anderson*
                     Albums du père Castor

MAÎTRISE À TRAVERS LE JEU

Dans le processus de croissance et de développement, l'égocentrisme du début évolue constamment vers la sociabilité. Simultanément, on observe une diminution des idées magiques de suffisance à mesure que les aptitudes durement acquises deviennent la base d'un sentiment de véritable importance. Pour plusieurs enfants, ce processus constitue une injure à leur amour-propre parce que cela leur rappelle leur petite taille, leur gaucherie et leurs besoins d'aide dans leur développement. L'hospitalisation renforcera chez eux un sentiment d'impuissance et d'abandon.

Ces sentiments peuvent être exprimés et parfois surmontés en jouant des scènes représentant des individus puissants et humbles. Les histoires de la Bible (Samson) et quelques-uns des contes d'Ésope renferment plusieurs intrigues qui passent du passif à l'actif. L'enfant espérera maîtriser les situations dans lesquelles il est une victime sans défense en transformant des expériences passives en expériences actives[5]. Ce genre de jeu devrait être encouragé.

Il est important d'assurer la survivance des marionnettes, des poupées et des animaux que les enfants traitent avec cruauté ou de façon meurtrière parce que, dans le revirement de la puissance, les joueurs peuvent aller trop loin. Les enfants se sentent plus rassurés quand on les empêche de trop détruire le matériel; cependant, quand ils sont engagés dans de violentes actions non destructives, on devrait permettre au jeu de se poursuivre tout en utilisant des paroles pour apaiser la violence. Cette intervention est permise parce que,

---

[5]Freud, A.: *Normality and Pathology in Childhood.* p. 136. New York, International Universities Press, 1965.

de cette manière, l'enfant apprend à ajuster progressivement son agressivité afin d'arriver à la manifester par des paroles plutôt que par des actions. De plus, seul un enfant très perturbé pourrait ne pas différencier les choses animées des choses inanimées, et utiliser un jeu violent contre les personnes.

Plusieurs garçons jouaient à la clinique de transfusion. Ensemble, ils commencèrent à installer plusieurs perfusions sur un gros ours en peluche. Peu après, ils attaquaient violemment l'ours, se précipitant dessus les uns les autres.

À l'âge de 7 ans, Luc a subi une transplantation rénale. Son hospitalisation fut particulièrement longue et compliquée. De toutes les interventions dont il avait besoin, les injections étaient de loin les plus difficiles à supporter. On fit beaucoup de jeu avec les piqûres afin de l'aider à vaincre cette difficulté. Cela l'entraîna rapidement vers la création d'une « Clinique pour gros animaux ». Chaque animal rembourré qu'il acquérait — serpent, tigre, mouffette et chien — devenait le nouveau malade dont la maladie nécessitait des traitements prolongés toujours accompagnés d'injections. Le Docteur Luc possédait un étonnant pouvoir de guérison, et, en peu de temps, il eut une vaste pratique exigeant les services d'une infirmière qu'il commandait. « Donnez un rendez-vous à cette personne dans 3 mois; ce traitement a vraiment réussi. » En retour, son infirmière le félicitait d'avoir été capable de sauver même les victimes les plus malades.

Daniel, âgé de 5 ans, jouait avec d'autres enfants aux visites médicales. Ils encerclèrent une infirmière dans la salle de jeux et commencèrent à l'examiner avec des stéthoscopes et des abaisse-langue. David, 7 ans, dit: « Je crois que ce malade devra rester au lit pendant 10 jours et nous lui donnerons plus de médicaments ».

Tout le monde accepta sauf Daniel. Il dit: « Seulement 3 jours. Je suis le chef ici et ce que je dis l'emporte. J'ai fait des visites auparavant ».

Élise plaçait souvent ses poupées sur une civière et s'exerçait à les ramener d'avant en arrière, de sa chambre au corridor menant à la salle d'opération. Pour cette enfant de 5 ans, le voyage à la salle d'opération était familier parce qu'elle avait subi plusieurs greffes de la peau. Une fois, avant son opération, elle demanda à l'infirmière de la promener sur la civière avec ses poupées dans ce même corridor. Ces exercices parurent lui donner plus de force et de tolérance devant l'anxiété que provoquaient les opérations.

Édouard, âgé de 8 ans, était angoissé par ce qu'il apprenait sur la chirurgie cardiaque et par la vue de l'équipement éducatif miniature. « Je ne sais pas comment je pourrai supporter cela, » dit-il, et après réflexion: « Je sais ce que je ferai. Je demanderai à mon père de me faire des jouets comme ceux-là. »

PROGRAMMES DE JEUX ORGANISÉS

Personnel de la récréation

Les programmes de jeux thérapeutiques[6],[7],[8] sont la réalisation du travail à temps complet des jardinières. Une vaste connaissance du développement de l'enfant et une expérience clinique auprès des enfants en santé comme des enfants malades sont les qualifications fondamentales. Les professionnels doivent faire appel à une variété de techniques et d'aptitudes pour évaluer les problèmes du comportement et leur faire face dans une organisation d'hôpital. Pour percevoir ce que pense et ressent l'enfant et pour répondre à ses besoins tels qu'ils ressortent dans le jeu, il est essentiel que la jardinière ait une bonne préparation.

Les jardinières, dans leur rôle non médical, sont aisément acceptées par les enfants comme des adultes qui peuvent les aider. Elles facilitent aussi l'expression des craintes et des angoisses et hâtent le processus d'adaptation.

Pour la plupart des enfants, le fait de s'asseoir avec un adulte et de parler en donnant des indices de leurs préoccupations imaginaires est une expérience unique.

Auxiliaires de jeu

Les volontaires et les étudiants de toutes les disciplines sont des auxiliaires valables pour les jardinières à plein temps, proportionnellement à l'orientation et à la supervision qu'ils reçoivent. Cependant, leur efficacité est souvent limitée, faute de soutien de la part du personnel. Cet appui est rendu difficile par le fait que la plupart de ces personnes sont des travailleurs à temps partiel. Néanmoins, avec leur participation, il est souvent possible d'élargir un programme en donnant plus de soutien et d'amitié aux enfants pendant les traitements, les longues séparations d'avec les parents, les périodes d'isolement et les maladies graves qui les empêchent de fréquenter la salle de

---

[6]Blumgart, E., et Korsh, B. M.: Pediatric recreation. An approach to meeting the emotional needs of hospitalized children. *Pediatrics*, 34:133, 1964.

[7]Plank, E. N.: *Working with Children in Hospitals*. Cleveland, The Press of Case-Western Reserve University, 1962.

[8]Tisza, V. B. *et al.* The use of a play program by hospitalized children. *J. Amer. Acad. Child Psychiat.*, 19:515, 1970.

jeux.

Les malades pédiatriques peuvent plus efficacement faire face au traumatisme de l'hospitalisation dans une salle de jeux spécialement préparée à cette fin. Étant neutre, familière et différente du territoire général de l'hôpital, cette salle est orientée de façon à aider le processus de maîtrise. Ici aussi l'interaction des enfants prend une grande importance et ils reçoivent toute liberté de manipuler les jouets mis à leur disposition jusqu'à la limite permise par leur maladie. Si on leur en donne l'occasion, les enfants chercheront des solutions aux situations qui les embarrassent et ils trouveront des façons convenables de manifester leur crainte et leur colère provoquées par des expériences bouleversantes.

L'interaction du personnel infirmier et médical qui s'occupe des activités récréatives permet un échange constant d'information sur les enfants, 24 heures sur 24. Ce contact mène à une continuité de l'approche et de la façon d'agir avec les enfants. La participation du personnel médical au programme de jeux peut être rassurante pour les enfants parce que cela implique que le jeu est estimé et apprécié par le personnel qui n'a pas toujours le temps d'aller régulièrement à la salle de jeux. Les enfants doivent savoir que les médecins et les infirmières ne sont pas toujours associés à la douleur.

> Dominique, âgée de 12 ans, observait l'infirmière qui était entourée de plusieurs enfants, chacun tenant un des différents jeux de piqûres. Elle regarda, intriguée, et demanda finalement: « Qu'est-ce que vous faites, donnez-vous des piqûres? »
> L'infirmière: « Parfois j'en donne, mais j'aime mieux enseigner aux enfants comment le faire pour qu'ils aient moins peur. »
> Dominique: « Alors êtes-vous une infirmière ou... » (incapable de terminer la question).
> L'infirmière: « Ou quoi Dominique? »
> Dominique: « Une aide pour les enfants? »

D'un autre côté, la présence du personnel médical dans les secteurs de jeux peut être menaçante si les enfants sentent que son arrivée annonce qu'un traitement se fera sur les lieux. Les enfants doivent être capables de voir les salles de jeux (aussi bien que leurs chambres) comme des endroits sûrs où ils peuvent se reposer sans crainte.

Équipement de jeux

Le secteur de jeux organisé offre les meilleures conditions pour le jeu libre. « En général, les activités de jeu sont choisies en fonction de la variété d'approche qu'elles permettent, parce qu'elles ne sont pas structurées et parce qu'elles peuvent être utilisées par plu-

salle de radiologie

A

Fig. 5-4 A-E. L'hôpital miniature stimule le jeu imaginatif dans lequel les sentiments intenses sont exprimés. (Photographies par Steve Campus)

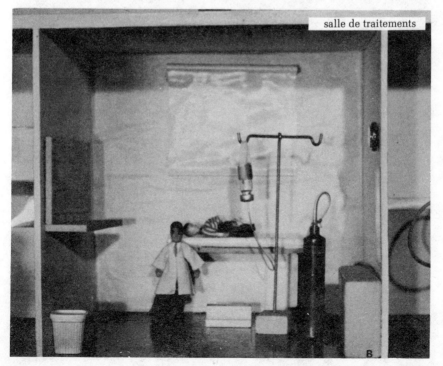

salle de traitements

B

124

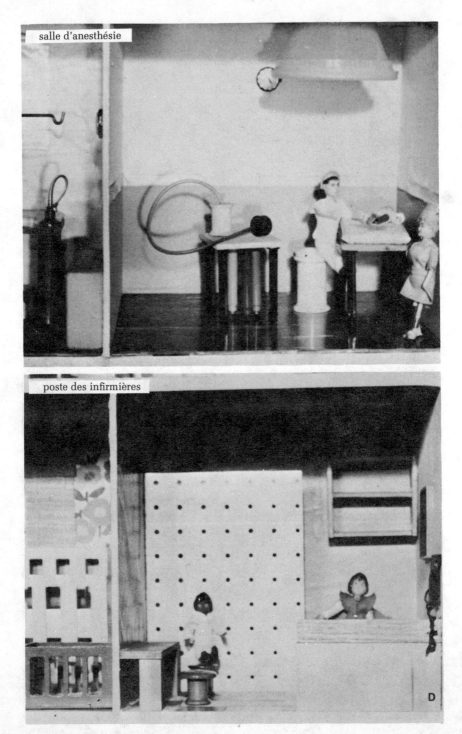

salle d'anesthésie

poste des infirmières

D

chambre de bébé

sieurs groupes d'âges, autant par les garçons que par les filles et par plusieurs enfants en même temps. Il est aussi important de choisir celles qui stimuleront et provoqueront les enfants, mais qui n'imposeront pas de demandes arbitraires de réalisation sous une forme ou une autre[9]. »

Des planches sur lesquelles les enfants peuvent marteler, de la pâte à modeler préparée par les enfants, des jeux avec de l'eau et de la peinture sont excellents pour la distraction, le divertissement et l'expression des sentiments. En plus, le professionnel sait comment utiliser ces activités pour créer des histoires et des thèmes quand les enfants choisissent de ne pas utiliser les marionnettes. Les jeux dans lesquels les enfants se servent de lits miniatures, de civières, de chaises roulantes stimulent les rôles réalistes. Des cubes, des poupées, une maison de poupée et un coin de cuisine sont idéals pour les enfants d'âge préscolaire. On stimule le jeu de groupe en procurant plusieurs objets d'une même sorte et en les regroupant. Le personnel préposé aux activités récréatives peut encourager le jeu autour de craintes et d'épisodes significatifs. Le coin d'hôpital avec

[9]Brooks, M.: Play for hospitalized children. *Young Children*, 24:224, 1969.

son équipement réel et ses jouets (poupées représentant tout le personnel de l'unité pédiatrique, poupées malades, coiffes d'infirmières, stéthoscopes, trousse de médecin contenant les seringues, les tampons d'alcool, les bandages, les tourniquets, les pansements et le matériel utilisé pour l'examen physique) est utile pour aider les enfants d'âges scolaire et préscolaire à dramatiser les expériences sur lesquelles ils ont eu peu de contrôle. L'hôpital miniature (contenant poste d'infirmière, pouponnière, chambre semi-privée, salles, salle de bains, rayons X, salles de traitements et d'anesthésie) stimule le jeu imaginatif dans lequel d'intenses sentiments sont exprimés. L'enfant devient le responsable des soins au lieu d'être la victime sans défense; donc, passant des expériences passives aux expériences actives — du silencieux au divulgué dans le processus de maîtrise.

Plusieurs hôpitaux ne reconnaissent pas l'importance d'envoyer dans les salles de jeux les enfants confinés aux lits, aux chaises roulantes ou aux civières. Même les débiles peuvent se joindre à quelques activités, car laisser un enfant à l'écart pendant que les autres s'en vont jouer est manifestement injuste.

Les aspects sociaux, rééducatifs et éducatifs du jeu sont aussi planifiés. Les arts, l'artisanat et la musique font partie d'une salle de jeux bien équipée et peuvent facilement être synchronisés avec le programme scolaire.

La meilleure assurance dont le jeu a besoin sera atteinte à travers des programmes de récréation organisés. Dans les institutions où ces programmes ne sont pas encore formés, le fardeau des activités récréatives repose lourdement sur le personnel infirmier qui a la plus grande responsabilité des activités quotidiennes de l'enfant. Cependant, cela signifie que le jeu, de toute nécessité, devient secondaire aux soins physiques; par conséquent, il est peu probable qu'il atteigne l'importance qu'il mérite.

Manière de procéder devant les sentiments d'hostilité et d'agression

Les blessures physiques graves et la perte des rapports étroits engendrent de la colère et de l'anxiété démontrées d'une multitude de manières. Les enfants qui ont déjà des rapports perturbés avec la mère, ou ces enfants qui ont déjà été soumis à des conflits familiaux sont particulièrement vulnérables.

Dans les situations où le jeu n'est pas une caractéristique régulière de la vie de l'enfant à l'hôpital, savoir comment réagir à l'hostilité et à l'agression peut être un problème majeur. La destruction d'objets, les coups de pied, les morsures, la bravade et le manque de coopération sont de fréquentes manifestations. La perturbation des enfants est en relation directe avec leur instabilité avant l'hospitalisation.

Les professionnels doivent savoir que tous les enfants n'expriment pas leurs sentiments d'agressivité dans leurs actes et que le ressentiment émerge quand on tolère certaines situations. Les enfants ne sont pas libres de se révéler quand des contrôles sévères sont maintenus. Il est plus naturel qu'un enfant exprime ses sentiments négatifs dans une atmosphère de sécurité.

Avant de pouvoir s'occuper constructivement des sentiments hostiles des enfants, le personnel pédiatrique doit en prévoir l'existence. Les sentiments ne sont pas résolus en les niant ou en les évitant. L'apprentissage des moyens d'expression non destructifs exige la direction et la compréhension des adultes. Les enfants à qui on permet d'extérioriser et de verbaliser leur hostilité peuvent trouver de nouvelles solutions pour remplacer les manifestations inacceptables et ainsi réaliser un plus grand potentiel d'adaptation.

Les professionnels ne devraient, en aucune circonstance, répondre à l'agression des enfants par de l'agression. Quand l'enfant a besoin

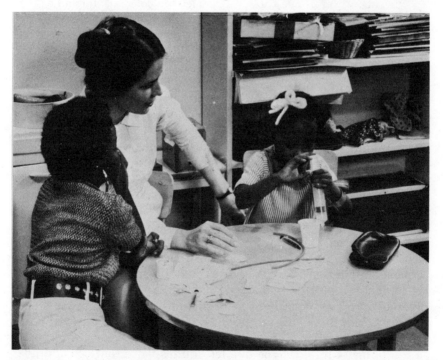

Fig. 5-5. La direction et la compréhension des adultes sont indispensables pour que l'enfant apprenne des moyens d'expression non destructifs. Les sentiments ne sont pas résolus en les niant ou en les évitant. (Photographie extraite du film « Play in the Hospital » Play School Association, Campus films)

de contrainte, le personnel doit être ferme et non hostile, parce que cela signifirait qu'il perçoit l'enfant comme un être dangereux. Cette réaction suscite en retour un plus mauvais comportement ou un retrait de la part de l'enfant.

Il y a autant d'occasions de rencontrer de l'agression dans les unités pédiatriques que dans les salles de jeux. Le personnel médical est dans une position stratégique pour s'occuper des problèmes sur-le-champ; v.g., quand Gilles refuse son dîner parce que sa mère n'est pas venue aux heures de visites; lorsque Carole bat sa poupée quand elle est forcée de prendre ses médicaments; quand Victor refuse de parler à son pédiatre parce qu'il n'a pas le congé qu'il anticipait.

> Plusieurs garçons, de 4 à 7 ans, attaquèrent l'infirmière alors qu'elle distribuait les médicaments. Comme elle entrait dans leur chambre, ils giclèrent sur elle le contenu de leurs seringues. Au début, elle resta interdite, mais ne perdit pas contenance. S'attendant à ce qu'elle leur retourne leur agression, ils commencèrent à s'enfuir jusqu'à ce qu'ils constatent qu'elle n'avait pas l'intention de rendre la pareille. À la place, elle les étonna en exprimant de la sympathie pour leurs sentiments. « Je crois que vous êtes vraiment en colère contre moi à cause de toutes les injections que je vous ai données. Je ne vous blâme pas. » Sa remarque provoqua un barrage de sentiments agressifs et ouvrit des discussions afin de savoir pourquoi chacun recevait des injections intramusculaires. Elle les aida à examiner consciemment leurs réactions.

Selon sa nature, l'agression doit être identifiée d'une manière ou d'une autre; cela se vérifie aussi dans l'organisation familiale. Cependant, le développement de l'affection — la capacité d'aimer — est rarement, sinon jamais reconnu dans aucune organisation. Cet état de chose peut être dû au caractère plus menaçant de l'agression envers son objet et à la force qu'elle prête à l'agresseur si elle n'est pas contrôlée. L'affection et la tendresse peuvent facilement passer inaperçues. Celui qui présente des sentiments positifs est exposé au rejet et par conséquent est réticent.

L'évocation de l'hostilité est une partie intégrante d'un programme de jeu thérapeutique, mais ne constitue que la moitié du travail. Le personnel doit aussi s'harmoniser aux chuchotements de tendresse, de générosité et de chaleur de l'enfant[10]. Le jeu de rôles, particulièrement les aspects de la médecine et des soins infirmiers concernant la nutrition, doit acquérir de l'importance une fois l'hostilité suscitée. Montrer à l'enfant à être gentil envers les marionnettes ou les animaux lui enseigne que les adultes valorisent ces aptitudes

---

[10]Josselyn, I. M.: The capacity to love: a possible reformulation. *J. Amer. Acad. Child Psychiat.*, 10:1, 1971.

qu'il peut facilement faire naître en lui-même. Une séance de jeu très habile provoquera l'enfant à demander et à donner de l'amour. De plus, ce programme va au-delà de la réduction du traumatisme et du refoulement des enfants — il amorce et augmente la croissance vers l'humanité.

L'habileté d'un individu à susciter l'expression des sentiments chez les autres dépend en grande partie de la tolérance de tels sentiments en lui-même. Les membres du personnel qui ne peuvent pas tolérer les sentiments positifs et négatifs évidents les admettront difficilement chez les enfants; avec de telles personnes, les enfants apprendraient à dissimuler leurs réactions ou à développer de la culpabilité vis-à-vis de ces réactions.

> Une infirmière de la pédiatrie rapporta qu'elle avait trouvé nécessaire d'arrêter un jeu de piqûres chez un enfant, à cause de l'intensité des réactions de celui-ci. « Adam piquait la tête de la poupée, son abdomen et son dos à plusieurs reprises. Le regard de haine dans son visage m'a fait peur. Il ne voulait pas jouer gentiment, alors j'ai dû lui retirer le matériel. »

Jeu de piqûres

Presque tous les enfants craignent les injections qui font généralement partie de leur traitement. On ne peut pas trop insister sur l'importance du jeu thérapeutique dans ce secteur. L'enfant interprétera comme une attaque brutale de la part d'une personne plus puissante l'introduction de tout objet pointu dans une partie de son corps.

De manière idéale, le jeu de piqûres suit immédiatement une injection (quelle qu'elle soit) ou il peut s'organiser entre les injections. La plupart des enfants se mettent au jeu sans beaucoup d'aide, mais l'infirmière, le médecin et la technicienne doivent être disposés à fournir le matériel, la supervision et l'aide, de manière à en faire une interaction.

Il est à conseiller d'avoir dans l'unité de soins un tiroir contenant le nécessaire de jeu dramatique afin de stimuler l'action du moment. Les poupées ou les animaux rembourrés, les tampons d'alcool, les seringues et les aiguilles propres, les fioles de 30 cm³ étiquetées pour le jeu dramatique, les nécessaires miniatures d'intraveineuses fabriqués avec des tubes à perfusion usagés, les agrafes et les petites bouteilles, les verres à médicaments, les petits tourniquets, les abaisse-langue (servant de planchettes pour le bras), les tubes pour le sang, le diachylon et les sparadraps sont les aides indispensables pour le jeu. Les enfants plus vieux préfèrent retirer le liquide des fioles tandis que les plus jeunes sont plus habiles, avec une seringue, à retirer l'eau d'un contenant ayant une grande ouverture. Quelques malades refusent de donner une injection à leur poupée favorite, mais ils acceptent facilement un substitut.

Pour amorcer le jeu, un membre du personnel peut expliquer la méthode à suivre pour donner une injection. On capte l'attention de l'enfant en retirant la solution et en en giclant un peu en l'air. Cette démonstration est fascinante pour l'enfant et l'aide à découvrir les aspects non douloureux de l'injection. Le maintien étroit de son attention sur la technique véritable l'implique dans le processus et le rend moins craintif devant l'instrument. Faire exprimer à la poupée son angoisse au moment de l'injection apprend à l'enfant que les protestations et les pleurs sont permis et que le donneur sait que les piqûres font mal. Un membre du personnel jouant les rôles de la poupée et de l'infirmière (ou du médecin) peut demander pourquoi les piqûres sont nécessaires et répondre ensuite à sa propre question afin de faire ressortir quelques-uns des fantasmes de l'enfant.

> La poupée: « Aie! cela fait mal. Pourquoi dois-je recevoir ces affreuses piqûres? »
>
> L'infirmière: « Je sais que c'est douloureux. Aide-moi en restant tranquille afin que je puisse terminer rapidement. Je ne te reproche pas de ne pas aimer cela. »
>
> La poupée: « Ne le fais pas, je serai gentille. »
>
> L'infirmière: « Oh! tu ne sais pas pourquoi tu reçois cette piqûre. Tu penses que tu es punie? Ne sais-tu pas ce qu'il y a dans la seringue et ce que fait le médicament? »
>
> La poupée: « Non, je ne sais pas. » (en larmes)
>
> L'infirmière: « Ce médicament te rendra un peu somnolente avant ton opération comme je te l'ai dit. Des enfants pensent qu'ils sont punis — mais nous ne faisons pas cela ici. Quand nous n'aimons pas ce que font les enfants, nous le leur disons, ainsi que ce que nous attendons d'eux. Nous ne donnons jamais d'injections pour punir. »

Quand l'enfant ne veut pas participer, il est sage de lui dire qu'il n'y est pas obligé et de continuer à jouer à sa place de manière à retenir son attention. S'il est toujours hésitant, prétendez qu'il est trop difficile de le faire seule. Demandez à l'enfant de placer sa main sur la vôtre pour vous aider à aspirer l'eau et ensuite à la pousser dans l'aiguille. En peu de temps, il devrait pouvoir travailler seul. Le jeu de scène collectif est une autre façon d'encourager un enfant craintif. Très rares sont les malades qui ne se laissent pas prendre par l'enthousiasme et la confiance de leurs pairs. Permettre à l'enfant de garder une seringue jetable (sans aiguille) et d'autre matériel non dangereux lui permet de pratiquer ensuite sans surveillance du personnel. Parce qu'un enfant semble à l'aise avec un groupe ou avec ses parents, cela ne signifie pas qu'il en est ainsi quand il est seul. En conséquence, après un jeu d'injection quel qu'il soit, on doit vé-

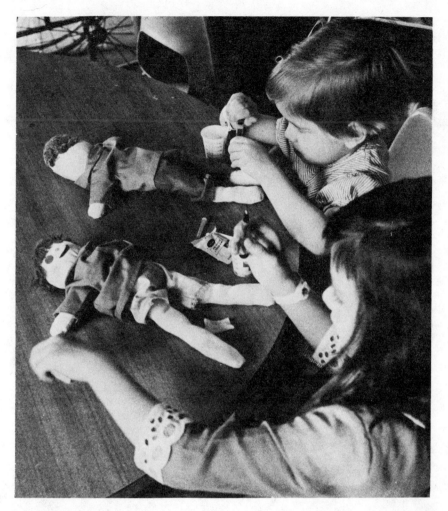

Fig. 5-6. Le jeu de scène collectif est une façon d'encourager un enfant craintif. (Photographie de Hilary Smith)

rifier si l'enfant a bien compris l'expérience et s'il l'a complétée. Les enfants plus vieux (7 ans et plus) peuvent avoir proportionnellement moins de jeux et plus d'explications scientifiques sur la nécessité d'injecter un médicament directement dans le corps ou de prélever un échantillon de sang.

Les enfants sont plus à l'aise pour participer si les parents approuvent les jeux de piqûres. Souvent, on a peur que ce jeu révèle des sentiments et rende l'enfant violent. Les parents auront moins de réticences si on leur explique que la technique est une manière d'aider l'enfant à surmonter ses craintes en le rendant plus familier avec les instruments et en lui procurant une façon acceptable de prendre en main ses sentiments. Cependant, si la désapprobation des parents persiste, l'enfant ne pourra pas continuer en leur présence (voir chapitre 4).

En résumé, le jeu est un moyen efficace par lequel on peut aborder un monde réel, parfois douloureux et intriguant. Quand l'enfant peut s'occuper d'objets petits et inanimés, il peut maîtriser des situations qui autrement lui seraient insurmontables. En miniaturisant et en expérimentant le danger du monde extérieur de l'hôpital et du monde intérieur de l'imagination de l'enfant, le jeu renforce le moi vers une adaptation plus confiante et vers la solution de problèmes ultérieurs.

Chapitre 6

Préparation des enfants et des parents pour les examens et les interventions chirurgicales

Dans les pages qui suivent nous présentons des modèles d'enseignement pour préparer les enfants et les parents aux examens et aux interventions chirurgicales les plus souvent rencontrés. Ces modèles ont été préparés pour être utilisés dans un hôpital spécifique et, par conséquent, exigeront quelques modifications pour être employés dans d'autres institutions.

La matière est divisée en 7 parties et préparée de manière à réduire au minimum les répétitions. Les 2e, 4e, 5e et 6e parties sont générales et s'appliquent à tous les malades. La 1re partie renferme 6 divisions (A à F) et concerne les divers groupes d'âge. La 3e partie comprend 8 sections (A à H) et traite des interventions spéciales.

Première partie   Guide de travail selon le groupe d'âge.

        A. Nouveaux-nés.
        B. Nourrissons.
        C. Tout-petits et jeunes de 3 ans.
        D. Enfants de $3^1/_2$ ans à 7 ans.
        E. Enfants de 7 à 13 ans.
        F. Adolescents.

Deuxième partie   Guide pour amorcer l'enseignement quand un examen ou une intervention chirurgicale sont au programme.

Troisième partie   Préparation d'un enfant aux interventions suivantes.

        A. Amygdalectomie.
        B. Herniorraphie.
        C. Chirurgie oculaire.
        D. Biopsie du rein.
        E. Chirurgie urologique.
        F. Cathétérisme cardiaque.
        G. Chirurgie cardiaque.
        H. Chirurgie cérébrale.

Quatrième partie	Recommandations générales pour tous les malades la veille du traitement.
Cinquième partie	Recommandations pour tous les malades le jour de l'intervention chirurgicale.
Sixième partie	Comment aider l'enfant à faire face aux sentiments reliés à l'hospitalisation et aux traitements: période post-interventions.
Septième partie	Silhouettes corporelles utilisées pour les enfants et les parents.

Manière de procéder Choisissez un groupe d'âge et une intervention mentionnés plus haut; par exemple, préparer un enfant de 7 ans pour la chirurgie cardiaque. Regardez dans les sections suivantes: 1re partie, E; 2e partie; 3e partie, G; 4e partie; 5e partie et 6e partie.

Première partie A
Guide de travail auprès des nouveaux-nés

INSTRUCTIONS	COMMENTAIRES
1. Affecter un membre du personnel aux soins du nouveau-né.	On a découvert que dès l'âge de 10 jours les nouveaux-nés font la distinction entre deux individus d'égale compétence.
2. Créer un environnement calme, paisible et rassurant: a. lumière tamisée b. bruit atténué c. maintien d'une chaleur constante d. gestes doux et assurés avec stimulation tangible (rapprochement, le prendre dans ses bras, le bercer et l'apaiser quand il est angoissé).	Dès sa naissance, le nouveau-né est très conscient de son entourage. Cela inclus la vue, l'audition, le toucher et la température ambiante. Le réflexe de sursaut de quelques nouveaux-nés identifie ceux qui ont une sensibilité accrue. L'établissement de la confiance fondamentale repose en partie sur la réponse immédiate à soulager le chagrin (voir chapitre 2).
3. Permettre au nouveau-né de déterminer sa routine: a. alimentation b. changement de couche c. bain d. sommeil e. examens.	Chaque nouveau-né est unique. Il est inhumain d'établir des horaires fondés sur la commodité des changements de services à l'hôpital. Les nouveaux-nés commenceront leurs périodes végétatives propres si on le leur permet. Ces dernières ne s'observent que par des mesures spéciales pendant les quelques premières semaines. Cependant, si on ne permet pas cette liberté à chaque bébé, des modèles cliniquement évidents apparaissent plus tard de façon chaotique chez les uns ou se fixent de manière permanente chez les autres. Les périodes de sommeil, en particulier, peuvent être perturbées pendant des mois après un trop long séjour dans une pouponnière brillamment éclairée. Si les examens sont faits quand le bébé est réveillé, l'ambiance de calme soigneusement créée est moins dérangée.
4. Expliquer aux parents le pourquoi des politiques de la pouponnière.	Les parents assimileront ces principes par l'enseignement et les exemples. Libérés de la pression exercée par la parenté, ils ont aussi le loisir et la liberté de parler de leurs doutes à leur médecin ou infirmière.

5. Encourager la résidence.

Quand la mère réside à l'hôpital avec son enfant, elle peut mieux surveiller l'entourage et a l'avantage d'apprendre à connaître son bébé. Elle est ordinairement très réceptive aux suggestions pour mieux s'occuper de son enfant et répondre à ses besoins.

6. Organiser des cours pour les parents.

Cela favorisera la discussion sur les différents soins à donner aux bébés et sur les attitudes culturelles des familles.

Première partie B

Guide de travail auprès des nourrissons

INSTRUCTIONS	COMMENTAIRES
1. Affecter un membre du personnel et une personne suppléante pour prendre soin de l'enfant et travailler avec la mère.	Pour ce jeune groupe, le personnel donne la plus grande partie de son appui à la mère afin de lui permettre de continuer d'assumer ses responsabilités maternelles, même sous tension.
2. Établir les premiers contacts avec le nourrisson en présence de la mère jusqu'à ce qu'il vous considère comme une personne sûre.	Cela s'avère particulièrement important pour les nourrissons de plus de 5 mois.
3. Interviewer les parents pour connaître la routine de l'enfant. Introduire avec souplesse ce qui est convenable dans l'horaire d'hôpital.	Le personnel devrait s'informer des habitudes alimentaires, de la routine de la maison et des méthodes de soulagement afin que le nourrisson soit assuré que ses besoins seront satisfaits. Il est possible, au moment de l'interview, de relever des points où les parents ont besoin d'aide pour les soins du nourrisson.
4. Fournir aux parents l'occasion d'exprimer leurs sentiments envers la maladie du bébé et l'hospitalisation.	Quand les parents sont oppressés, sous tension, ils essaient souvent de s'en sortir en faisant du personnel leur bouc-émissaire ou en devenant très irrités contre l'enfant ou l'un contre l'autre.
5. Procurer au nourrisson, par des stimulations tactiles et sensorielles, le plaisir autant que la consolation.	On devrait fournir à l'enfant: chansons, paroles, caresses, musique, sièges de nourrisson, balançoires, poussettes, voitures d'enfants, berceaux, objets de sécurité provenant de la maison et jouets plus petits. Les méthodes de consolation sont particulièrement importantes quand le nourrisson est privé de nourriture avant un examen ou une opération.
6. Encourager la mère à participer autant que possible aux soins du nourrisson.	Il est important pour une mère de se sentir à l'aise avec son enfant malade. Un contact constant facilite cela. Quand la participation de la mère aux soins de l'enfant n'est pas possible, on doit insister

sur l'importance de visites régulières. Plus le nourrisson est vieux, plus la présence de la mère devient impérative parce qu'il traverse la période de séparation-individualisation qui exige la présence de la mère pour réussir. La résidence avec l'enfant ou dans les environs est-elle possible?

La continuité des soins aux nourrissons (dont dépend la croissance émotionnelle, sociale et intellectuelle) est capitale. En l'absence d'une figure maternelle constante, procurer à l'enfant un substitut. Le personnel doit prendre la responsabilité de maintenir des soins constants. Les remplaçantes sont semblables et les nourrissons savent cela immédiatement.

7. Voir la 2ᵉ partie pour plus d'informations sur les nourrissons.

Première partie C

Guide de travail auprès des tout-petits et des jeunes de 3 ans

INSTRUCTIONS	COMMENTAIRES
1. Affecter une personne pour les soins de l'enfant et pour le travail avec la mère.	Pour ce jeune groupe, le personnel apportera presque tout son appui à la mère afin de lui permettre de continuer d'assumer ses responsabilités maternelles, même sous tension.
2. Interviewer les parents pour connaître les habitudes et la routine de l'enfant. Introduire ce qui est convenable dans l'horaire de l'hôpital.	Procurer à l'enfant un pot quand il est entraîné; si le mère désire qu'un enfant de 2 ou 3 ans ait un biberon, ne pas tenter de changer cette habitude à l'hôpital. Laisser une veilleuse si on en utilise une à la maison.
3. Fournir aux parents l'occasion d'exprimer leurs sentiments envers la maladie de l'enfant et l'hospitalisation.	
4. Encourager la mère à participer aux soins de son enfant et à le visiter souvent au cours de la journée.	Le groupe des tout-petits connaît le plus haut taux de régression due à la séparation. L'attachement à la mère est très fort et la capacité d'expression verbale n'est pas encore bien établie. Leurs préoccupations majeures sont l'abandon et l'isolement. Est-il possible de résider avec l'enfant ou dans les alentours? Procurer à l'enfant un substitut quand une figure maternelle constante n'est pas disponible.
5. Permettre aux parents de quitter l'enfant et les aider à se séparer de lui. Avertir les parents d'indiquer l'heure de leur retour en fonction des activités de l'enfant parce qu'à cet âge, ils n'ont aucune conception du temps. Demander aux parents de laisser à l'enfant des objets qui leur appartiennent pour l'assu-	Plusieurs parents éprouvent de la culpabilité quand l'enfant s'oppose à leur départ et ont besoin d'aide supplémentaire à ces moments. Quelques-uns tentent de partir furtivement pour éviter les scènes. Ils doivent comprendre qu'une telle façon d'agir diminue la confiance de l'enfant en eux. Le cramponnement doit être interprété comme de l'angoisse de séparation qui s'apaise quand les parents établissent un modèle de visites et tiennent les promesses faites à l'enfant.

rer de leur retour. Aider les parents à partir immédiatement après avoir annoncé leur départ. Rester avec l'enfant pour l'aider à traverser cette période difficile.

6. Demander aux parents d'apporter des jouets familiers et des photographies de la famille. Raconter des histoires qui impliquent les activités agréables de la maison. Encourager les parents à faire de même.

Répéter les histoires efficaces encore et encore. Cela procure un élément de stabilité quand tout semble changer autour de l'enfant. Éviter les histoires avec des thèmes de séparation à moins qu'elles ne se terminent par une réunion (par exemple, « Histoire de Babar: le petit éléphant »); elles intensifient les sentiments de l'abandon. Éviter les contes de fée et les analogies parce qu'à cet âge l'enfant ne peut distinguer la réalité de la fiction, ni faire de comparaisons. Si l'enfant révèle des fantasmes, l'aider à les terminer heureusement.

7. Procurer au tout-petit des stimulations intellectuelles et motrices.

8. Permettre au tout-petit de s'amuser avec le matériel inoffensif utilisé pour son traitement.

Cet enfant devrait utiliser des stéthoscopes, des marteaux à réflexes, des abaisse-langue, des seringues sans aiguille, des poupées ainsi que le matériel pour un traitement particulier.

9. Quand un traitement ou une opération sont au programme, en avertir le tout-petit juste avant. Les enfants qui parlent beaucoup peuvent être informés la veille ou tôt le matin de l'opération quand celle-ci doit avoir lieu plus tard dans la journée. Les enfants de 3 ans sont avertis la veille ou plus tôt si une longue préparation est nécessaire. Parler franchement de la douleur. Per-

Avertir d'un événement qui a lieu par la suite assure l'enfant que le personnel pense ce qu'il dit.

mettre les objections, mais être positifs dans ce que vous faites. S'il n'y a pas d'alternative, ne pas laisser croire à l'enfant qu'il en a, en lui demandant si vous pouvez procéder.

10. Éviter de parler d'un jeune enfant qui peut vous entendre. Prendre pour acquis qu'il vous comprend.

La capacité de comprendre d'un jeune enfant dépasse sa capacité de verbaliser. Ses interprétations sont littérales. Choisir les mots avec soin. *Voir pensées égocentriques,* p. 23. L'hospitalisation est un événement moins dévastateur pour le tout-petit et le jeune de 3 ans quand le personnel médical comprend la nécessité (1) de la continuité de la relation mère-enfant, (2) de l'incorporation de routine et de rituels familiers (quand ils n'entrent pas en conflit avec les buts médicaux), (3) de structure et de cadre établi et (4) de la maîtrise et du contrôle.

11. Voir la 2e partie pour de plus amples renseignements qui peuvent s'appliquer aux tout-petits et aux jeunes de 3 ans.

Première partie D

Guide de travail auprès des jeunes de $3\frac{1}{2}$ ans à 7 ans

INSTRUCTIONS	COMMENTAIRES
1. Affecter de façon aussi stable que possible une infirmière pour l'enfant. Nommer une personne pour la relève.	
2. Utiliser une silhouette corporelle et d'autres aides visuelles didactiques.	Ce groupe d'âge peut comprendre l'intérieur du corps; donner alors une explication simple de l'anatomie et de la psysiologie et en dessiner une ébauche. Une poupée est utilisée pour visualiser l'apparence extérieure postopératoire (tubes, bandages, matériel de perfusions). Des jouets ou des maquettes représentant le matériel utilisé pour les soins de l'enfant augmentent la compréhension et conduisent au jeu dramatique. C'est un défi que d'enseigner à ce groupe d'âge; les enfants de 3 à 7 ans sont très imaginatifs et ont développé des méthodes de communication qui facilitent la participation active à l'enseignement. Encourager les questions de l'enfant et le féliciter de sa curiosité et de sa compréhension. Mettre l'accent sur l'initiative et la maîtrise afin qu'il soit fier de lui.
3. Parler des fantasmes de castration et de mutilation communs à ce groupe d'âge (phase phallique) en termes de dommage et de réparation.	Voir un exemple de jeu où l'on reconstitue les choses dans l'histoire de Robinson, p. 222.
4. Rassurer souvent l'enfant et, chaque fois que c'est nécessaire, lui répéter que personne n'est responsable de sa maladie ou de son hospitalisation et que les interventions sont limitées.	Bien que cela soit recommandé pour tout enseignement, c'est particulièrement important pour les enfants de 3 à 7 ans qui sont préoccupés par la culpabilité et le blâme. L'enfant a tendance à généraliser et pense que toutes les parties de son corps sont vulnérables.
5. Pour les jeunes de 3 et 4 ans, encourager la participation	Cela montre à l'enfant que la mère accepte la routine de l'hôpital et aide l'enfant à

de la mère aux soins de l'enfant.

assimiler les notions de soins corporels.

6. Bien faire comprendre à la mère l'importance des visites régulières.

Un modèle de visites assure l'enfant du retour de sa mère. L'ambivalence est un trait particulier aux enfants de 3 à 4 ans comme le démontre le comportement alternatif: expression d'amour et de haine, défi et consentement, cramponnement et indépendance.

7. Encourager les enfants de 5 ans à participer aux soins médicaux et d'hygiène personnelle.

À cet âge, l'enfant a tout juste commencé à prendre soin de lui-même; il est donc inquiétant pour lui de laisser aux autres cette prérogative. L'enfant a tendance à être bouleversé par les odeurs et les souillures alors qu'il vient à peine d'acquérir le contrôle de l'intestin et de la vessie et d'apprendre la répugnance de la saleté. Il importe qu'on lui permettre de participer aux corvées de nettoyage. La responsabilité des soins personnels inclus également qu'il doit éviter les risques inutiles et connaître les mesures à prendre pour assurer sa sécurité.

8. Rechercher les indices d'attachement silencieux envers le personnel. Ce signe positif chez l'enfant peut être ouvertement reconnu et convenablement soutenu.

Le personnel doit être attentif au développement d'attachements oedipiens chez l'enfant de 3 à 7 ans; les filles peuvent devenir coquettes ou silencieuses avec le personnel masculin. Les garçons peuvent démontrer ouvertement ou secrètement de la curiosité sexuelle envers le personnel féminin. Garçons et filles peuvent rivaliser les uns avec les autres pour gagner les faveurs de l'adulte aimé en secret. Obtenir une réponse chaleureuse d'un adulte estimé et préféré peut parachever une identification saine et créer la confiance dont l'enfant a besoin pour entrer dans les compétitions latentes: physiquement, socialement et académiquement.

9. Voir la 2e partie pour plus d'explications qui peuvent s'appliquer aux enfants de 3 à 7 ans.

Fig. 6-1 Une explication de l'anatomie et de la physiologie est donnée et dessinée selon les contours du corps après avoir évalué la compréhension de l'enfant sur sa maladie. (Photographie de Steve Campus)

Première partie E

Guide de travail auprès des enfants de 7 à 13 ans

INSTRUCTIONS	COMMENTAIRES
1. Affecter de manière stable une personne aux soins de l'enfant. Nommer quelqu'un pour assurer la relève.	
2. Enseigner à l'enfant la terminologie scientifique des parties de son corps et des procédés médicaux après avoir appris comment l'enfant les nommait.	Ce groupe d'âge s'intéresse à l'approche scientifique
3. Déterminer si une poupée doit être utilisée pour l'enseignement.	Quelques enfants les demandent pendant que d'autres sont gênés d'être vus avec des poupées. Si utilisée, la poupée peut être appelée mannequin ou poupée didactique. Quand l'aspect postopératoire est difficile à décrire, la visualisation sur la poupée est recommandée.
4. Continuer l'utilisation de silhouettes corporelles pour l'explication de l'anatomie et de la physiologie et la visualisation de l'aspect postopératoire.	
5. Assurer à l'enfant qu'aucune autre partie de son corps ne sera impliquée — seulement la région opératoire décrite.	Si l'enfant manque de maturité pour son âge ou est préoccupé par la mutilation, suivre les instructions pour les enfants de moins de 7 ans.
6. Encourager les questions, l'expression des sentiments et la participation active à son enseignement.	Quoique le plan d'enseignement soit semblable à celui des plus jeunes enfants, la réponse des enfants de 7 à 13 ans est ordinairement plus enthousiaste. Relativement à ce niveau d'âge, nous pouvons profiter des caractéristiques déjà acquises: la capacité de raisonner, de faire des généralisations et d'avoir une conception du temps. En général, ces enfants ont très peu de pro-

blèmes d'adaptation causés par l'hospitalisation. Ils peuvent tolérer la séparation d'avec les parents; ils s'intéressent aux nouvelles relations à l'extérieur de la famille et aiment partager leurs expériences avec leurs pairs. L'hospitalisation peut devenir une expérience éducative et sociale pourvu que la préparation soit adéquate. Le groupe est plus orienté vers la réalité et capable d'apprendre beaucoup au contact du personnel et des autres enfants. L'enseignement et la façon d'agir avec eux sont plus faciles parce que ces enfants peuvent verbaliser leurs sentiments, en comprendre la cause et l'effet et avoir une orientation scientifique. Dans ce groupe d'âge, un enfant régressé peut craindre la mutilation, les monstres et la séparation. La crainte de la mort est courante à cette période; il n'est pas rare qu'un enfant demande directement s'il va mourir, ou raconte des histoires d'enfants qui ont eu des maladies compliquées.

7. Se garder de rassurer un enfant sur son état avant de découvrir sa notion de ce qui est mal et comment cela est arrivé. Vérifier ensuite ses expériences de la maladie et de l'hospitalisation et celles de sa famille et de ses amis. Il est aussi utile de manifester de la confiance envers son médecin et le personnel qui sont bien formés pour s'occuper de son problème et de mentionner les nombreux enfants traités avec succès.

Cela est important afin d'accentuer les différences et les similarités entre son problème et ceux des autres. Cela est plus rassurant. Bien que ce groupe soit orienté vers la réalité, on doit savoir que certains enfants ont des idées fausses sur la maladie. Ces enfants peuvent comprendre une simple probabilité statistique (voir chapitre 2).

8. Voir la 2e partie pour de plus amples informations qui peuvent s'appliquer aux enfants de 7 à 13 ans.

Fig. 6-2. A-D. Cette séquence illustre bien l'atténuation de l'anxiété de l'enfant à travers la participation à un jeu dramatique préopératoire. Sur la dernière photographie on peut voir le début d'un sentiment de confiance. (Photographie de Steve Campus)

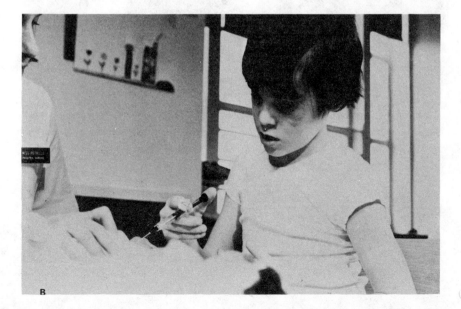

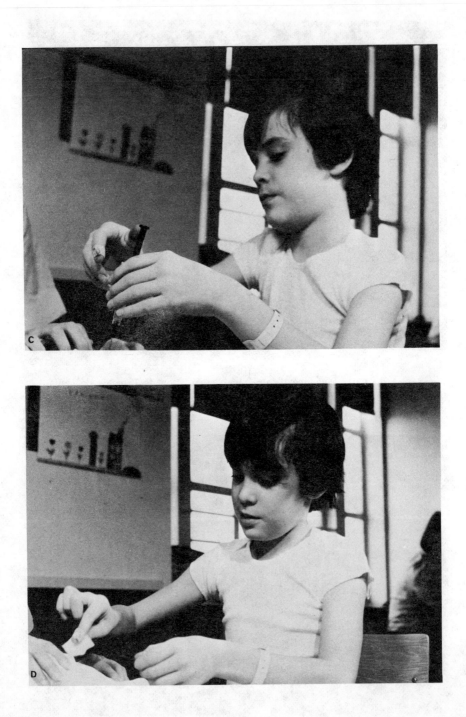

Première partie F

Guide de travail auprès des adolescents

INSTRUCTIONS	COMMENTAIRES
1. Affecter de manière stable une infirmière aux soins du malade. Nommer une personne pour assurer la relève.	L'infirmière désignée ne devrait pas être elle-même trop près de l'adolescence. De façon idéale, ce devrait être une personne conséquente, mais flexible, ayant atteint une certaine maturité et comprenant son propre comportement.
2. Planifier l'enseignement pour les périodes où les parents sont absents. Prendre des mesures pour voir les parents à un autre moment.	Il est difficile à un adolescent de se confier à son infirmière ou à son médecin en présence de ses parents. Respecter son besoin d'intimité.
3. Trouver les mots qu'il utilise pour nommer les parties de son corps. Lui enseigner ensuite les termes scientifiques pour compléter ses connaissances.	La terminologie médicale entrera rapidement dans son vocabulaire.
4. Encourager l'adolescent à poser des questions.	Il lui sera plus facile d'approcher le personnel quand il connaît les termes appropriés. Lui dire que la plupart des malades pensent plus tard aux questions et qu'il fera probablement de même. De manière caractéristique, l'adolescent est préoccupé par les transformations physiques et le fait d'avoir un corps différent des autres. Il est curieux au sujet du sexe et peut donner l'impression d'en savoir plus ou moins qu'il n'en sait effectivement. Une atmosphère de confiance peut amener des occasions d'éducation sexuelle. Le personnel devrait être réceptif et donner des informations adéquates. L'angoisse de castration se révèle à ce stade par des préoccupations sur la dimension corporelle, le développement sexuel secondaire et par l'hostilité des garçons envers les filles ou la dénégation de la féminité chez la fille.
5. Assurer au malade que ses	Si cette confidence démontre que le malade

questions et vos conversations sont confidentielles.

est exposé à un danger, alors seulement, elle ne peut être respectée. En un tel cas, en avertir le malade.

6. Déterminer si l'adolescent a fait des lectures concernant sa maladie ou son état. Si le malade est préoccupé par les facteurs génétiques de sa maladie ou de son état, prendre des dispositions pour une consultation en génétique.

7. Utiliser un diagramme corporel pour donner une explication scientifique de l'anatomie et de la physiologie impliquées dans ses interventions chirurgicales.

Souvent, le personnel médical prête à l'adolescent une compréhension qu'il n'a pas. Ses idées fausses doivent être élucidées. Il peut avoir de vagues idées de ses fonctions corporelles, mais elles demeurent obscures parce qu'il se sent gêné de poser des questions ou n'a pas la capacité de faire connaître ses besoins. Il peut avoir besoin d'aide pour y parvenir, mais il est capable de pensées abstraites et peut apprendre des choses compliquées.

8. Faire participer le malade aux conférences avec la famille et l'équipe médecin-infirmière afin de discuter de l'élaboration d'un plan pour son traitement.

L'adolescent veut participer à la planification de ses soins bien que parfois il préfère ne pas savoir, lorsque les conclusions sont trop menaçantes. Donc, ne pas donner invariablement des réponses directes aux questions avant d'avoir vérifié le pourquoi de la question.

9. Prendre des dispositions pour la continuation des activités sociales et des identifications de maturité.

L'enfant devrait pouvoir se servir du téléphone et avoir l'avantage de faire des visites à l'extérieur de l'hôpital quand le séjour y est prolongé. Un programme récréatif pour adolescents, des relations avec ses pairs hospitalisés et ceux qui le visitent devraient être permises. Inciter l'adolescent à vous aider auprès des plus jeunes enfants ainsi que dans d'autres activités.

10. Adapter la diète selon les préférences (si médicalement saines).

Les adolescents aiment préparer eux-mêmes leur nourriture et leurs casse-croûte.

11. Prendre les dispositions

Des conversations intellectuelles peuvent

pour la poursuite des études (école à l'hôpital ou tuteur) quand la maladie se prolonge.

12. Déterminer des directives et des règlements pour les adolescents dans l'unité ou pour une unité d'adolescents. Faire en sorte que l'information soit accessible au personnel et aux malades et de préférence par écrit.

être une façon utile d'établir une relation.

Prime adolescence
De façon particulière pendant cette phase l'adolescent se désintéresse de ses premiers objets d'amour à mesure qu'il fait ses premiers essais pour s'émanciper de la famille. L'hostilité, le comportement provocateur, la remise en question des valeurs traditionnelles, la dissimulation et la vacillation entre les attitudes dépendantes et indépendantes (comme les mesures pour relâcher les liens) sont très forts et peuvent se manifester aussi bien dans les relations avec l'autorité (comme le personnel d'hôpital) qu'avec les parents. Il peut être antisocial ou délinquant. Avant que ne s'établissent de nouvelles relations amoureuses, l'adolescent expérimente la solitude et la dépression secondaires à beaucoup de préoccupations de soi. Le repli sur soi augmente avec la maladie, parfois jusqu'à l'hypochondrie.

13. Si cela semble le rassurer, parler au jeune de son corps.

14. Les membres du personnel doivent être plus discrets sur la façon dont ils ont choisi leur vocation.

Une hospitalisation à cette période influence l'adolescent et l'amène à considérer sérieusement une carrière dans les sciences de la santé (formation d'un nouvel idéal du moi).

15. Prendre garde d'être entraîné dans la colère de l'enfant à l'égard de la famille. Appuyer sur les difficultés et la suffisance, mais éviter l'identification (permettant au moi de se charger des hostilités et des désirs ardents de l'adolescent).

Adolescence moyenne

L'adolescent cherche de plus en plus à s'émanciper de ses parents; il s'appuie lourdement sur son groupe de pairs. Cependant, il est capable de rechercher de nouveaux objets d'amour maintenant qu'il a acquis un certain sens de lui-même. Être triste ou amoureux sont des états d'âme caractéristiques. Souvent, jusqu'à ce qu'un lien étroit s'établisse avec le sexe opposé, la rêverie introspective aide à soulager le sentiment d'isolement. Les objets d'amour hétérosexuel varient: ils peuvent ressembler fortement au parent du sexe opposé ou en être complètement différents. Bien que les attachements ou les hostilités imprévus envers le personnel de l'hôpital puissent paraître sans fondement, ils sont effectivement très à-propos pour faire comprendre les dynamiques du comportement et la vulnérabilité de l'adolescent au rejet. On devrait prendre les dispositions nécessaires afin d'assurer la stabilité des rapports avec les personnes-clés pendant toute la durée de l'hospitalisation.

Les sentiments intenses sont aussi courants que l'est l'intellectualisation pour éviter ces mêmes sentiments pénibles. Afin de soutenir le refus des sentiments inacceptables, il y a tendance à l'ascétisme; *v.g.*, l'épreuve et la douleur sont les bienvenues. La solitude est trompée par l'auto-stimulation — la masturbation, les risques physiques, l'usage de drogues. En conséquence, l'adolescent peut être enclin à l'intoxication, particulièrement si c'est une manie du groupe de pairs.

Fin de l'adolescence

À cette période, l'adolescent est capable de réflexion logique et mûre. Il évalue ses idéaux, ses forces, ses aspirations et il pense en termes d'avenir — d'un plan de vie. Il a résolu le conflit entre la dépendance et l'indépendance. Il s'est émancipé de ses parents aussi bien que de son groupe de pairs. C'est une période de consolidation, d'acceptation et de prise en charge de ses sentiments.

À l'hôpital, l'adolescente réagit à la maladie en se préoccupant de son apparence — portant attention à tout son corps. Le traitement est perçu en fonction de ses effets sur les relations avec les garçons et le processus de reproduction.

16. Féliciter raisonnablement. On doit reconnaître à l'adolescent son stoïcisme en face des humiliations que lui impose la maladie.

L'adolescent est préoccupé par sa virilité et ses prouesses et par la manière dont la mutilation du corps affectera ses capacités. L'image de soi est menacée pour les deux sexes. Ils sont orientés vers l'avenir en fonction du sexe opposé et du choix professionnel. Le personnel doit leur apporter, de façon réaliste, tout l'appui possible dans ces domaines. Une maladie chronique ou sérieuse pendant l'adolescence peut nuire à un ou à tous les objectifs de développement de cette période — l'émancipation de la famille, les liens hétérosexuels, la prise en charge de ses sentiments et la préparation à une vocation.

17. Voir la 2ᵉ partie pour plus d'informations pouvant s'appliquer aux adolescents.

Deuxième partie

Guide pour amorcer l'enseignement quand un examen ou une intervention chirurgicale sont au programme

INSTRUCTIONS	COMMENTAIRES
1. Après avoir consulté la 1re partie pour les informations relatives à la préparation des enfants d'un groupe d'âge spécifique, vous êtes prêts à amorcer l'enseignement. Affecter une personne pour s'acquitter de la préparation et une autre pour assurer la relève.	La stabilité des rapports favorisera la confiance de l'enfant en son instructeur. Dans la plupart des hôpitaux, présentement, le personnel infirmier est mieux placé pour assurer l'enseignement et le jeu dramatique. Il est plus pratique que cet aspect du programme relève d'une seule discipline. Cependant, on devrait encourager la participation d'autres professionnels.
2. Consulter le pédiatre et le chirurgien en ce qui concerne le plan de traitement et l'information donnée aux parents.	
3. Vérifier si les parents ont bien compris ce qui doit se produire et comment ils l'ont expliqué à leur enfant. Quels termes ont-ils utilisés? Quels symptômes l'enfant a-t-il manifestés à la maison? Comment furent-ils reliés à l'état de l'enfant?	Cette information indiquera si l'enfant et les parents ont besoin d'aide supplémentaire et aussi la direction que devrait prendre l'enseignement.
4. Déterminer si les parents participent à l'enseignement ou s'ils devraient être présents. Voir la participation des parents à la p. 71.	Quand les parents coopèrent et aident l'enfant, leur présence est désirable. Autrement, il est mieux de planifier des séances séparées pour les parents et l'enfant.
5. Donner une explication appropriée à l'âge et à la maturité émotionnelle et choisir un vocabulaire adaptable à la compréhen-	Les mots neutres effrayeront vraisemblablement moins l'enfant et lui permettront d'entrer dans des connotations plus dangereuses ou de s'en tenir aux significations inoffensives.

sion intellectuelle de l'enfant. Utiliser des mots neutres comme ouverture, drainage et suintement au lieu de coupure et saignement.

6. Réunir toutes les aides visuelles et le matériel de jeu qui doivent être utilisés.

Il est plus facile de procéder si le matériel didactique et de jeu est préparé à l'avance et placé dans un endroit précis; *v.g.*, silhouettes corporelles, poupées, tubes à drainage, matériel miniature d'intraveineuse, bandages, seringues et aiguilles, masque pour anesthésie, croupette miniature faite avec des sacs de plastique et même des miniatures des appareils les plus souvent utilisés.

7. Planifier de façon à couvrir le programme d'enseignement approximativement en 3 séances.

Cela permet à l'enfant d'assimiler la matière et de poser des questions, même si le temps est limité. Trop à la fois accable l'enfant et peut fausser le résultat. D'ailleurs, avec un plus grand nombre de séances, on perd de vue l'objectif. Idéalement, les enfants sont admis au moins 2 jours avant une opération majeure afin que le personnel dispose de suffisamment de temps.

8. Tracer les grande lignes de chaque séance et s'y rapporter afin que tout soit couvert.

9. Déterminer si l'enfant comprend le problème et le motif de son hospitalisation avant de lui donner quelque information.

Cette façon d'agir révèle souvent des fantasmes qui pourraient passer inaperçus si l'enseignement était commencé immédiatement. Ses réponses indiqueront sur quoi l'enseignement devra appuyer et quelle sorte de réconfort l'enfant a besoin. Quand l'enfant nie toute connaissance, on doit se méfier. Il peut espérer que sa dénégation empêchera l'événement de se produire. Lui demander plutôt: « Comment as-tu su que tu devais venir à l'hôpital? Qu'a dit le médecin? Que t'ont dit ton père et ta mère? » S'il continue à protester de son ignorance, essayer cette approche.

« Je crois que tu dois t'inquiéter de tout cela. Naturellement, tu ne peux pas savoir si tes idées sont justes, mais dis-moi ce qui t'est passé par l'esprit. » Ou, « Tu ne peux pas savoir puisque tu n'as jamais été dans cette situation auparavant. Es-tu ce genre de personne qui laisse les choses survenir sans poser de questions? Si j'étais à ta place, j'aimerais savoir. Je n'aime pas les surprises ». Une autre façon d'approcher l'enfant serait de lui raconter une histoire d'un animal ou d'un enfant laissé dans un atelier de réparation.

10. Voir maintenant la 3ᵉ partie pour des informations relatives à la préparation d'un malade à des examens ou à une intervention chirurgicale.

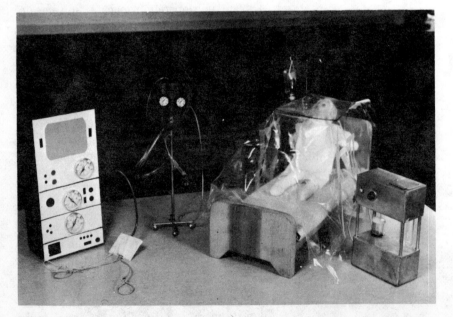

Fig. 6-3. Avoir un approvisionnement d'aides visuelles et de matériel de jeu dramatique facilite l'enseignement préopératoire. (Photographie de Steve Campus)

Troisième partie A
Préparation d'un enfant à une amygdalectomie

INSTRUCTIONS	COMMENTAIRES ET EXEMPLES
1. Voir la 1re et la 2e parties avant de commencer.	
2. Après avoir vérifié ce que l'enfant comprend de son hospitalisation, lui donner une explication simple pour renforcer cette connaissance ou pour corriger ce qu'il n'a pas compris. Amener ensuite la conversation sur les symptômes.	« Les amygdales sont 2 petites bosses à l'arrière de ta gorge (ou ta bouche). Quand tu étais plus jeune, tes amygdales t'aidaient à te protéger du mal de gorge, d'oreilles et des rhumes. Mais maintenant, tes amygdales fonctionnent mal. En fait, elles te causent des problèmes comme les maux d'oreilles, le mal de gorge et les rhumes (selon ce qui convient) et nous savons que ce n'est pas drôle. Ton médecin peut t'aider. Tu n'as plus besoin de tes amygdales alors elles seront enlevées. C'est pour cette raison que tu es venu à l'hôpital. »
3. Assurer à l'enfant qu'il n'y a personne de responsable de cet état de choses. Rien de ce qu'il a pu faire n'en est la cause.	
4. Lui indiquer ce à quoi il doit s'attendre en période post-opératoire. a. mal de gorge b. collier de glace c. médication d. coagulation et dégagement de vieux sang e. restriction d'aliments et de liquides.	« Quand tu t'éveilleras après l'opération, ta gorge sera douloureuse. Mais nous pouvons te soulager en plaçant un collier de glace autour de ta gorge. » (Lui montrer un collier, l'ouvrir et lui indiquer où l'on introduit la glace. Lui permettre de l'essayer. Insister sur la fraîcheur.) « Et si c'est nécessaire, nous pouvons aussi te donner des médicaments. » « Tu seras couché sur le ventre parce qu'il est plus facile ainsi de cracher le vieux sang et de tousser. Il y aura probablement un peu de vieux sang aussi dans ton nez. Cela se produit habituellement. Nous nous y attendons. » « Environ 2 heures après ton retour, tu pourras boire quelque chose. D'abord nous te donnerons du ginger ale froid parce que cela te fera du bien. Plus tard, tu pourras boire des jus de fruits. Demain matin, tu mangeras de la crème glacée pour ton petit

déjeuner et cela te soulagera aussi. À ce moment tu te sentiras beaucoup mieux et tu seras prêt à retourner à la maison. Ta gorge te fera encore mal, mais à chaque jour elle s'améliorera et bientôt tu seras guéri. »

5. Demander à l'enfant de vous montrer la région opératoire sur la silhouette corporelle.

Il y a souvent confusion.

6. Rassurer l'enfant en lui disant qu'aucune autre partie de son corps ne sera opérée.

Pour les enfants de moins de 6 ans, utiliser des répétitions enjouées pour bien situer la région opératoire (voir p. 11). On peut le dire directement aux enfants plus âgés.

7. Introduire le jeu de piqûres en rapport avec les prélèvements de sang déjà connus.

Parce qu'il est très stimulant pour l'enfant, ce jeu est introduit à la fin de la séance. Nous voulons nous assurer son attention au début pour la matière qui précède. Permettre le jeu des piqûres. Voir le jeu des piqûres p. 129.

8. Le jeu est valorisant — combien il en aura à raconter à sa famille et à ses amis au sujet de l'hôpital, des choses nouvelles qu'il a vues, des différentes personnes qu'il a rencontrées.

Cela permet d'associer le souvenir des examens angoissants à la bravoure et au désir de bonne santé.

9. Voir la 4ᵉ partie.

Troisième partie B
Préparation d'un enfant à une herniorraphie

INSTRUCTIONS	COMMENTAIRES ET EXEMPLES
1. Voir la 1re et la 2e parties avant de poursuivre.	
2. Après avoir déterminé les fantasmes de l'enfant à l'égard de la maladie et de l'hospitalisation, lui donner une explication simple de l'anatomie et de la physiologie impliquées, y faire entrer les symptômes.	Les tout-petits et les jeunes de 3 ans « Le médecin va réparer cette bosse. » (Indiquer la région sur l'enfant et sur la poupée.) « Il fera une petite opération. » Les enfants de 3½ ans à 7 ans « As-tu déjà entendu parler des muscles? Montre m'en un (biceps). Les muscles sont les parties de ton corps qui te permettent de bouger tes bras et tes jambes. Les muscles aident aussi à conserver ton dos droit et ton ventre ferme. Pour quelque raison que nous ignorons, ton muscle ici,... » (montrer sur le dessin) « ... n'est pas aussi fort qu'il devrait l'être. Plusieurs sont nés de cette façon, mais ton médecin sait comment rendre ton muscle plus fort et plus serré afin que la bosse disparaisse. Pour cela, il doit faire une petite opération. Le médecin fera une petite ouverture ici... » (la dessiner sur la silhouette) «... afin de pouvoir atteindre le muscle qu'il doit réparer. » Les enfants de 7 ans et plus. Comme déjà cité plus haut.
3. Faire comprendre à l'enfant que personne n'est responsable de son état. Lui assurer que rien de ce qu'il a fait n'y a contribué.	Cela est particulièrement important entre 3 et 7 ans parce qu'à ces âges la culpabilité concernant la maladie est un trait dominant.
4. Expliquer l'aspect postopératoire: a. sutures b. bandages c. perfusion (n'est pas pratiquée ordinairement chez les nourrissons et les tout-petits).	« Quand le médecin aura réparé les muscles, il coudra l'ouverture avec de petits points noirs, comme ceux-ci » (les dessiner sur la silhouette de la poupée). « Par-dessus l'incision, il placera un gros pansement afin de la garder propre et de la protéger. » (Si indiqué) « Tu auras aussi dans ton bras un petit tube relié à une bouteille d'eau sucrée. Après une opération, c'est de cette façon qu'on nourrit les enfants jusqu'à

ce qu'ils puissent manger de nouveau. C'est pour empêcher ton estomac de devenir malade. »

5. Vérifier si l'enfant comprend l'explication en lui posant des questions simples et en lui permettant de placer le matériel sur la poupée (pansement, I.V.) ou de dessiner les réponses sur le tracé. Lui dire qu'il peut poser des questions en tout temps; en fait, plusieurs enfants le font.

Utiliser une poupée pour les tout-petits; une poupée et un tracé pour le groupe de 3 à 7 ans; et un tracé pour les enfants de 7 ans et plus. Si l'enfant le permet, on peut se servir de son propre corps.

6. Bien assurer à l'enfant qu'aucune autre partie de son corps ne sera opérée.

Utiliser la répétition enjouée pour bien situer les régions opératoires pour les enfants de moins de 6 ans (voir p. 11). On peut le dire directement aux autres enfants.

7. Faire entrer le jeu de piqûres en relations avec les prélèvements sanguins déjà faits.

Ce jeu doit être introduit à la fin de la séance parce qu'il est très stimulant pour l'enfant. On doit d'abord retenir son attention sur la matière qui précède. Voir le jeu de piqûres, p. 129.

8. Le jeu est valorisant — combien il en aura à raconter à sa famille et à ses amis au sujet de l'hôpital, des choses nouvelles qu'il a vues, des différentes personnes qu'il a rencontrées.

Cela permet d'associer le souvenir des examens angoissants à la bravoure et au désir de bonne santé.

9. Voir la 4ᵉ partie.

Troisième partie C

Préparation d'un enfant à la chirurgie de l'œil (Strabisme)

INSTRUCTIONS	COMMENTAIRES ET EXEMPLES
1. Voir la 1re et la 2e parties avant de continuer.	
2. Après avoir déterminé la compréhension de l'enfant sur son état et les raisons de son hospitalisation, lui donner une explication simple pour renforcer ses pensées ou pour corriger son incompréhension. Y faire entrer les symptômes.	Les tout-petits et les jeunes de 3 ans « Le médecin va redresser tes yeux. » Les enfants de 3½ ans à 7 ans « Connais-tu les muscles? » (montrer le bras et la jambe). « Ce sont tes muscles qui te permettent de bouger. Quelques muscles sont gros, comme ceux de tes bras et de tes jambes; il y a aussi de petits muscles comme ceux qui font bouger tes yeux. Nous savons que les muscles de chaque œil ne travaillent pas ensemble; un œil tourne vers l'intérieur (ou l'extérieur) et les yeux ne s'alignent pas ensemble. Et tu dis que tu vois double » (si cela s'applique). « C'est parce que les muscles de chaque œil ne sont pas de la même grosseur. Nous ne savons pas pourquoi; quelques enfants sont probablement nés ainsi. Ton médecin sait comment réparer les muscles afin qu'ils travaillent ensemble. » Les enfants de 7 ans et plus. En plus de ce qui est cité plus haut: « Les muscles ayant une grosseur et une force inégales tirent plus fort dans une direction et provoquent la déviation de l'œil. Cette déviation est survenue à un œil (aux deux yeux). »
3. Dire à l'enfant que personne n'est responsable de cette situation. Lui assurer que rien de ce qu'il a fait n'y a contribué.	
4. Lui indiquer ce à quoi il doit s'attendre en période postopératoire: a. bandages sur un ou les deux yeux b. reconnaissance des personnes par la voix	Quelques chirurgiens élimineront tous les bandages. Quand les deux yeux doivent être bandés, il est important d'assurer à l'avance la présence constante d'un membre de la famille.

c. un membre de la famille ou une infirmière sera tout près pour lui faire la lecture, de la musique, le faire manger, le garder en sécurité et lui dire ce qui se passe

d. les poignets seront retenus pour lui rappeler de ne pas toucher à ses yeux (quand il n'y prête pas attention ou qu'il sommeille).

5. Vérifier si l'enfant comprend l'explication en lui posant des questions simples et en lui permettant de placer le matériel sur une poupée. Lui dire que vous vous attendez à ce qu'il pose des questions et qu'il peut le faire en tout temps.

Familiariser l'enfant avec les bandages oculaires et les contraintes. Jouer aussi à reconnaître des voix et des événements dans la chambre en se fermant les yeux.

6. Rassurer l'enfant qu'aucune autre partie de son corps ne sera opérée.

Pour les enfants de moins de 6 ans, utiliser la répétition enjouée pour bien situer la région opératoire; on peut le dire directement aux enfants plus vieux (voir p. 11).

7. Faire entrer le jeu de piqûres en relation avec les prélèvements sanguins déjà faits.

Ce jeu doit être introduit à la fin de la séance parce qu'il est très stimulant pour l'enfant. Auparavant, il faut retenir son attention sur la matière qui précède. Voir le jeu de piqûres p. 129.

8. Le jeu est valorisant — combien il en aura à raconter à sa famille et à ses amis au sujet de l'hôpital, des choses nouvelles qu'il a vues, les différentes personnes qu'il a rencontrées.

Cela permet d'associer le souvenir des examens angoissants à la bravoure et au désir de bonne santé.

9. Voir la 4e partie.

Troisième partie D
Préparation de l'enfant à une biopsie du rein

INSTRUCTIONS	COMMENTAIRES ET EXEMPLES
1. Voir la 1re et la 2e parties avant de continuer.	
2. Après avoir déterminé les fantasmes de l'enfant concernant la maladie et l'hospitalisation, lui donner une explication simple de l'anatomie et de la physiologie du système urinaire, utilisant un tracé du corps pour un enfant de plus de 3 1/2 ans.	Les tout-petits et les jeunes de 3 ans « Le médecin fera un examen pour trouver ce qui ne va pas et ensuite, il pourra te guérir. Voici l'endroit où il fera l'examen. » (Indiquer la région) Continuer à retenir son attention sur l'extérieur du corps et les événements qui ne sont pas reliés à l'examen.

Les enfants de 3 1/2 ans à 7 ans « Tu n'as jamais entendu parler auparavant du mot rein? Je ne suis pas surprise, plusieurs garçons et filles n'en ont jamais entendu parler. Je vais te les dessiner sur le tracé d'un petit garçon (petite fille) que j'ai apporté pour toi. Les reins ressemblent à de grosses fèves, comme cela » (dessiner les reins sur le tracé). « Il y en a deux. Peux-tu deviner ce que font les reins? Leur travail est de faire l'urine. Qu'est-ce que l'urine — pipi? Quand l'urine est fabriquée, elle passe par ces tubes qui viennent des reins et s'en va dans la vessie où elle est collectée. La vessie ressemble à un ballon; quand elle est remplie d'urine, elle est grosse. Quand tu urines (tu fais pipi), l'urine sort de ton pénis (ou petite ouverture entre tes jambes) et la vessie se vide. »

Le groupe de 7 ans et plus Les termes d'adultes, comme uretère et urine, sont utilisés; le jargon enfantin et les analogies sont éliminés. En plus, une explication scientifique peut être comprise: « Le travail des reins est de purifier et filtrer le sang qui passe constamment à travers les reins. Les reins retiennent les parties du sang dont ton corps a besoin et laissent l'eau et les résidus ou l'urine. C'est pourquoi ton médecin fait des analyses d'urine et de sang afin de vérifier si tes reins font bien leur travail ».

3. Pour un enfant de 3¹/₂ ans, parler de ses symptômes et les lui expliquer en relation avec l'examen.

« Tu as l'air de comprendre comment les reins fonctionnent. Rappelle-toi pourquoi ton médecin t'a fait hospitaliser; v.g., fièvre, enflure, hypertension. Ces choses ont fait croire à ton médecin que tes reins ne fonctionnaient pas aussi bien qu'ils le devraient. Ton médecin veut donc faire un examen pour connaître exactement le problème. Pour cet examen, il doit prendre une toute petite parcelle de ton rein pour l'examiner au microscope (c'est un appareil qui montre les objets beaucoup plus gros qu'ils ne sont). Quand le médecin sait comment tes reins fonctionnent, il peut savoir comment t'aider. »

4. Expliquer la biopsie du rein en termes d'étapes spécifiques:
   a. région de l'examen
   b. table de radiographie
   c. manchette pour la tension artérielle
   d. perfusion

« Tu te demandes probablement comment se fait cet examen. Tu iras à la salle de radiologie. As-tu déjà eu une radiographie auparavant? » (Rappeler des détails, montrer une photographie d'un appareil à rayons X.) « Tu seras couché sur la table et il y aura une caméra suspendue au-dessus de toi. Tout le temps de l'examen, une manchette pour la tension artérielle sera enroulée autour de ton bras. Sur l'autre bras, le médecin te fera une injection intraveineuse; un petit tube sera fixé à ton bras et communiquera avec une bouteille d'eau sucrée. Ce tube demeurera en place pendant quelques heures, même quand tu reviendras à ta chambre. »

   e. les membres du personnel et leurs vêtements

« Plusieurs personnes seront avec toi; quelques-unes que tu connais — tes médecins, une infirmière et l'homme ou la femme qui prend les photographies. Ils porteront des bonnets, des masques, des blouses et des gants. »

   f. position

« Tu seras placé sur la table de cette façon — sur ton ventre avec un coussin sous le ventre. » (Faire une démonstration au lit de l'enfant, placer un coussin sous son ventre.) « On fait cela pour soulever tes hanches et pour que ton médecin trouve plus facilement la place pour effectuer l'examen. Où ai-je dit que les reins étaient?

Que font-ils? »

g. préparation du champ opératoire

« Quand tu es en position, un médecin met des gants et nettoie ta peau sur un seul côté avec un remède spécial et place ensuite des serviettes autour de l'endroit où l'examen sera fait. On fait cela pour être sûr que tout reste propre. »

h. anesthésie locale

« Pour être sûr que tu ne ressentiras rien durant l'examen, le médecin injectera un remède sous ta peau avec une petite aiguille. Tu la reconnaîtras; tu sentiras comme un pincement, mais ensuite tu ne sentiras rien, sauf une pression. »

i. prélèvement du spécimen

« Le médecin est maintenant prêt à prendre un petit morceau de ton rein — gros comme un grain de riz — avec un instrument spécial. Tu n'auras pas de douleur, mais tu sentiras les mains du médecin sur ton côté. C'est inconfortable, mais ce doit être ainsi. »

j. fluoroscopie

« Pendant l'examen, le monsieur ou la dame de la radiologie prendra des radiographies de ton rein. C'est pour aider le médecin à trouver le meilleur endroit. Pour prendre ces radiographies, la salle doit être très sombre. »

k. lecture de la tension artérielle

« Pendant que les médecins font l'examen, l'infirmière prendra ta tension artérielle assez souvent. Elle te rappellera aussi ce qui se passe. Tu voudras peut-être lui poser des questions. »

l. bandage.

« Quand les médecins ont prélevé la petite parcelle de rein, l'examen est terminé. On te fera un petit pansement sur l'incision afin qu'elle reste propre et soit protégée. »

Terminer la séance ici. Reprendre après un intervalle.

5. Vérifier la matière qui a été donnée dans une séance antérieure. Évaluer ce qui a été retenu. Demander à l'enfant s'il a pensé à

d'autres questions depuis que vous lui avez parlé.

6. Expliquer la routine consécutive à l'examen.

« Quand l'examen sera terminé, tu reviendras à ta chambre et voici ce que tu dois anticiper:
a. repos au lit sur le dos pendant 24 heures (1 jour)
b. vérification fréquente de ta tension artérielle, ta température et ta pulsation
c. collecte d'urine pour 24 heures
d. perfusions pour quelques heures
e. repas réguliers. »

7. Expliquer la préparation avant l'intervention:
a. jeûne

« Quand tu te coucheras ce soir, nous placerons sur ton lit une carte sur laquelle on lira: À jeûn. Tu recevras des médicaments avant ton examen et nous ne voulons pas que tu manges ou boives pendant la nuit ou le matin pour que ton estomac ne soit pas malade. »

b. prémédication.

« Pendant l'examen, il est important de rester dans la position que je t'ai décrite. (La rappeler à l'enfant.)
« Pour t'aider à conserver cette position et à ne pas trop t'en faire, nous te donnerons un médicament qui te rendra somnolent. Il doit être donné avec une petite aiguille. Je vais te montrer sur cette poupée comment on fait. »

Faire une démonstration et permettre le jeu de piqûres. Voir le jeu de piqûres à la p. 129.

8. Rassurer l'enfant qu'aucune autre partie de son corps ne sera opérée.

Pour les enfants de moins de 6 ans, utiliser la répétition enjouée pour bien situer la région opératoire (voir p. 11). On peut le dire directement aux enfants plus vieux.

9. S'assurer que l'enfant comprend notre explication en lui posant des questions simples en relation avec le diagramme ou la poupée. Lui permettre de reconstituer la technique — pla-

Quelques enfants ne pourront pas verbaliser les réponses, mais seront capables de jouer ou de dessiner les réponses sur un diagramme.

çant le matériel, la position de la poupée et le prélèvement du spécimen.

10. Dire à l'enfant, si c'est le cas, que vous serez avec lui pendant l'examen et qu'il sera amené dans son lit (ou sur une civière) à la salle de radiologie.

Cela peut être la façon la plus efficace d'aider l'enfant. Et on peut le faire si on planifie à l'avance.

11. Y aller de quelques compensations — il verra beaucoup de choses nouvelles et rencontrera plusieurs personnes différentes; il en aura beaucoup à dire à sa famille et à ses amis sur la grosseur de l'appareil à rayons X, comment les médecins et les infirmières étaient vêtus et sur les lumières qui s'allumaient et s'éteignaient.

Cela permet d'associer le souvenir des examens angoissants à la bravoure et au désir de bonne santé.

12. Supprimer la 4e partie et passer à la 5e.

Troisième partie E.

Préparation d'un enfant à la chirurgie urologique
(réparation de la vessie — obstruction du col et réimplantation d'un uretère)

INSTRUCTIONS	COMMENTAIRES ET EXEMPLES
1. Voir la 1re et la 2e parties avant de continuer.	
2. Après avoir déterminé les fantasmes de l'enfant envers la maladie et l'hospitalisation, lui donner une explication simple de l'anatomie et de la physiologie impliquées.	Voir les explications pour une biopsie du rein à la p. 163.
3. Faire entrer les symptômes en relation avec l'anatomie et la physiologie pour l'enfant de plus de 3½ ans.	« Tu m'as déjà dit que tu es venu à l'hôpital parce que tu faisais de la fièvre et que tu avais de la difficulté à uriner. Il y a une raison à cela. Je t'ai expliqué comment les reins, les uretères (tubes) et la vessie fonctionnent et à quoi ils ressemblent » (montrer sur le dessin). « Voilà comment ils doivent être, mais pour des raisons que nous ne comprenons pas, les tiens ont l'air de ceci. Cette partie de la vessie a une très petite ouverture et l'urine (pipi) ne peut pas passer facilement, et cet uretère (tube) est attaché à la vessie plus haut qu'il devrait (ou à une partie étroite). C'est pour cela que l'urine a de la difficulté à couler. C'est pour cette raison que parfois l'urine remonte, presse sur les reins, fait mal ou cause de la fièvre. Nous savons cela à cause des examens que tu as eus (P.I.V., cystoscopie) et par ce que tu ressentais. »
4. Quand il n'y a pas de symptômes, modifier l'approche.	« Même si tu ne te sens pas malade, le médecin sait que tes reins, tes uretères et ta vessie ne fonctionnent pas comme ils le devraient parce qu'il t'a fait des examens et qu'il t'a examiné à son bureau (à la clinique). Il a pris ta tension artérielle, t'a fait des radiographies et des analyses d'urine. Le médecin sait que s'il ne soigne pas cela maintenant, tu seras malade plus tard. »
5. Assurer l'enfant que per-	« Nous ne savons pas pourquoi il en est

sonne n'est responsable de cet état de choses et que rien de ce qu'il a fait n'y a contribué.

ainsi. Il y en a qui naissent de cette façon. Il n'y a personne à blâmer. Ce n'est certainement pas à cause de ce que tu as fait. Mais ton médecin sait comment réparer les endroits atteints pour les élargir afin que l'urine passe sans problème. C'est pourquoi tu auras une opération. »

Éviter les détails spécifiques de l'intervention chirurgicale. « Le médecin fera une ouverture ici afin de pouvoir atteindre la partie malade et la réparer. » La dessiner sur le diagramme ou la poupée.

6. Expliquer l'apparence postopératoire avec des dessins pour l'enfant de plus de 3$\frac{1}{2}$ ans. Pour l'enfant de moins de 3$\frac{1}{2}$ ans, parler de l'apparence extérieure à l'aide d'une poupée:

« Quand le médecin aura réparé le tube et la vessie, il voudra que ces parties se reposent pour pouvoir guérir vite. Pour aider cette guérison, il place des tubes aux trois endroits. Ils sont placés comme ceci: le 1re en haut dans l'uretère, l'autre plus bas dans l'uretère et le 3e dans la vessie » (les dessiner sur le tracé). « Cela signifie que l'urine passera sans toucher les parties réparées. »

    a. tube à drainage urinaire et sacs collecteurs

« Tu n'urineras pas (faire pipi) pendant quelques temps. L'urine passera des tubes aux sacs collecteurs » (dessiner). « Au début, l'urine est foncée, ensuite elle devient rose et finalement reprend sa couleur normale, jaune. Tu peux parfois sentir l'envie d'uriner, mais tu n'auras PAS BESOIN de le faire. »

    b. sutures
    c. bandages

« Après avoir placé les tubes à drainage, le médecin referme l'ouverture avec des petits points et ensuite il place un gros pansement sur l'incision. Quand ce sera guéri, le médecin enlèvera les tubes, probablement un à la fois. Plus tard, il enlèvera les points. Nous te montrerons comment, avant que cela n'ait lieu. »

    d. perfusion

« Tu ne mangeras pas et tu ne boiras pas après ton opération. Nous ne voulons pas que tu aies mal au cœur. Pour remplacer la nourriture, nous te donnerons de l'eau sucrée par un tube placé dans ton bras » (le dessiner). « Quand tu pourras recommencer à manger, nous te donnerons d'abord des gorgées d'eau et du jus. »

e. croupette.

« Très souvent après une opération, nous plaçons les enfants dans une petite tente de plastique. Tu les as probablement déjà vues. C'est pour les aider à respirer et à ne pas avoir trop chaud. Tu en auras une aussi. » Montrer à l'enfant une croupette ou une miniature.

7. Vous assurer que l'enfant comprend votre explication en lui posant des questions simples sur le dessin. Lui aider à installer le matériel I.V., les tubes et les pansements sur une poupée.

Quelques enfants ne pourront pas verbaliser les réponses aux questions, mais pourront les montrer sur le tracé ou les dessiner sur le diagramme ou jouer ce qu'ils ont compris.

8. Rassurer l'enfant qu'aucune autre partie de son corps ne sera opérée.

Pour les enfants de moins de 6 ans, utiliser la répétition enjouée pour bien situer la région opératoire (voir p. 11). On peut le dire directement aux enfants plus vieux.

9. Le jeu rapporte — il verra beaucoup de choses et rencontrera différentes personnes; il en aura beaucoup à raconter à sa famille et à ses amis au sujet de l'opération; il pourra l'expliquer sur le diagramme ou la poupée.

Cela permet d'associer le souvenir des examens angoissants à la bravoure et au désir de bonne santé.

10. Faire entrer le jeu de piqûres relativement aux prélèvements sanguins qu'il a déjà eus. Faire la démonstration et le laisser pratiquer.

On doit introduire ce jeu à la fin de la séance afin de ne pas distraire l'enfant de la matière qui précède. Voir le jeu de piqûres, p. 129.

11. Continuer à la 4e partie après un intervalle.

Troisième partie F

Préparation d'un enfant à un cathétérisme cardiaque

INSTRUCTIONS	COMMENTAIRES
1. Voir la 1re et la 2e parties avant de continuer.	
2. Après avoir évalué la compréhension de l'enfant sur l'hospitalisation, clarifier et renforcer sa compréhension en parlant des examens et des visites au cardiologue qu'il a déjà faites dans le passé — les reliant à sa présente hospitalisation.	Plusieurs enfants ont déjà eu des E.C.G. et des radiographies pulmonaires et peuvent se rappeler le médecin qui écoutait les poumons ou le cœur. Quelques-uns savent qu'ils ont un souffle; d'autres ont entendu les adultes parler d'eux et, en conséquence, ils en savent plus que ne le croient les parents.
3. Si l'enfant présente des symptômes, expliquer qu'ils indiquent au médecin que son cœur ne travaille peut-être pas comme il le devrait. Dire à l'enfant que personne n'est responsable de cela.	
4. Expliquer à l'enfant qu'il doit avoir un examen particulier et des images de son cœur afin que le médecin puisse découvrir le problème et aussi le traitement.	
5. Si l'enfant est asymptômatique, lui expliquer comment le médecin a été averti que son cœur ne fonctionnait peut-être pas comme il devrait. Lui dire que l'examen et les radiographies aideront à trouver le problème de son cœur.	Par exemple, dire à l'enfant que le médecin a entendu un murmure dans sa poitrine avec son stéthoscope. Le laisser jouer avec le stéthoscope.
6. Lui expliquer qu'il sera conduit dans un endroit particulier qu'on appelle la salle de cathétérisme cardiaque.	

7. Décrire comment les personnes seront vêtues.

8. Lui expliquer qu'il sera couché sur une table mobile et que des électrodes de E.C.G. seront placés sur ses jambes et ses bras.

Lui rappeler ses expériences des E.C.G.

9. Dire à l'enfant que ses bras et ses jambes seront légèrement retenus.

« Les liens légers autour de tes bras et de tes jambes t'aideront à te rappeler de ne pas les bouger. »

10. Lui expliquer que l'infirmière qui sera là lui introduira un thermomètre rectal et le laissera en place afin de pouvoir lire sa température tout au long de l'examen.

11. Expliquer que le médecin lavera le bras et l'aine et injectera un médicament sous la peau avec une petite aiguille, qu'il sentira un pincement, mais que par la suite, il ne sentira aucune douleur. Après l'injection, le médecin fera une petite ouverture pour y insérer un petit tube. Terminer ici, reprendre après un intervalle.

Utiliser une poupée avec les tout-petits, une poupée et un tracé avec les enfants de $3^{1}/_{2}$ ans à 6 ans et un tracé avec les enfants plus vieux pour indiquer où le tube sera inséré.

12. Poser quelques questions à l'enfant pour déterminer sa compréhension de la matière précédante. Rectifier s'il y a lieu.

13. Décrire l'atmosphère:
    a. bruit et conversation

« Un appareil fera un son sourd pendant toute la durée de l'examen. »
« D'autres appareils feront des bruits de tic-tac. »
« Les personnes parlent beaucoup — surtout de leur travail. »
« Parfois le médecin te posera des questions. »
« Parfois tu poseras des questions. »

b. lumière.

« Parfois l'infirmière te rappellera des choses qui t'ont déjà été dites. »

« Tu entendras des portes s'ouvrir et se refermer tout au long de l'examen. »

« Quand le médecin prend des radiographies de ton cœur, il doit éteindre les lumières. Il ne fera pas trop noir. Durant tout l'examen, on allume et éteint les lumières. »

14. Décrire l'angiogramme — on en fait au moins un à tous les malades.

« Pour cet examen, on envoie un remède (éviter le mot colorant) par un tube dans ton bras ou ton aine; ensuite plusieurs radiographies sont prises rapidement. Les bruits de clac-clac que tu entendras seront produits par la chute des photos dans une boîte. Les enfants se demandent souvent de quoi il s'agit. L'infirmière te dira quand cela sera sur le point de se produire. Pendant ce temps, tout le monde présent dans la salle sortira dans le corridor. »

« Tu sauras quand on utilise le remède parce que tu auras dans la poitrine une sensation de chaleur qui disparaîtra rapidement. Cela doit être ainsi. Le remède spécial nous permet de voir ton cœur sur le film. »

« Après les radiographies, tout le monde revient dans la salle. »

15. Décrire l'examen à l'hydrogène. Si on soupçonne un défaut septal, prévoir cet examen.

« L'infirmière tiendra un masque sur ton nez et ta bouche pour te donner un peu d'air, tu entendras un bruit comme ch, ch. »

16. Décrire la fin de l'examen — sutures et pansement.

« Quand les examens seront terminés, le médecin enlèvera le tube de ton bras ou de ton aine. Il devra faire quelques points pour refermer l'ouverture. Ces points ne seront peut-être pas nécessaire. Il placera ensuite un pansement sur l'incision. »

17. Expliquer à l'enfant qu'il sera transporté dans une autre salle où l'on prendra d'autres radiographies avant son retour à sa chambre.

On fait cela si une pyélographie intraveineuse est prise afin de déterminer s'il y a anomalie génito-urinaire, parce que le médicament est déjà dans le système.

18. Décrire la routine postopératoire après le retour dans

l'unité:

a. repos au lit pendant 4 heures ou plus

b. beaucoup de liquide afin de débarrasser l'ornisme du médicament

c. T.P.R. (signes vitaux)

d. pulsation radiale ou pédieuse

e. pansement ordinaire si une veine a été utilisée, et pansement compressif si une artère a été utilisée.

Terminer la séance ici. Reprendre après un intervalle.

19. Poser quelques questions à l'enfant pour vérifier sa compréhension de la matière précédante.

20. Parler à l'enfant de la préparation avant l'examen:

a. carte attachée au lit la nuit précédant l'examen

« La carte À JEÛN signifie que tu n'auras rien à manger ou à boire après t'être mis au lit; tu ne déjeuneras pas non plus. Nous faisons cela afin que les remèdes ne te rendent pas malade. »

b. transport à la salle de cathétérisme — il sera transporté dans son lit (si vous devez l'accompagner, le lui dire, sinon lui expliquer qu'une autre infirmière sera avec lui)

c. prémédications; faire une démonstration du jeu de piqûres et le faire participer.

« Avant ton examen, nous te donnerons un médicament qui te rendra somnolent et insouciant du temps que prendra l'examen (approximativement 3 heures). Tu dormiras peut-être la plupart du temps; c'est bien ainsi. » Cette information est transmise à la fin de la séance. Autrement, l'enfant peut devenir agité et ne pas écouter les autres informations. Voir le jeu de piqûres p. 129.

21. Rappeler à l'enfant qu'après la petite piqûre, il ne sentira aucun mal. Faire comprendre à l'enfant que si jamais quelqu'un lui fait mal, il le regrette, mais qu'il n'aura peut-être pas le temps de le prévenir.

22. Rassurer l'enfant qu'aucune autre partie de son organisme ne sera impliquée.

Pour les enfants de moins de 6 ans, utiliser les répétitions enjouées pour bien situer la région opératoire (voir p. 11). Rassurer directement les enfants plus vieux.

23. Autoriser l'enfant à poser des questions en tout temps afin de parler des choses que vous pouvez avoir oubliées.

24. Le jeu est valorisant — il pourra parler à sa famille et à ses amis des événements, il verra de nouvelles choses et rencontrera beaucoup de monde.

Cela permet d'associer le souvenir des examens angoissants à la bravoure et au désir de bonne santé.

25. Vous assurer de la compréhension de l'enfant en lui posant quelques questions simples, vous servant d'une silhouette corporelle ou d'une poupée; lui permettre de fixer les électrodes d'E.C.G., les contraintes et le cathéter sur la poupée.

Quelques enfants ne peuvent pas verbaliser les réponses aux questions, mais sont capables de dessiner les réponses sur le tracé ou d'indiquer les régions appropriées.

26. Supprimer la 4e partie; tourner à la 5e partie.

Note: l'anesthésie générale est utilisée seulement dans les cas de sténoses aortiques graves quand une radiographie du ventricule gauche s'impose. Dans un tel cas, préparer l'enfant pour l'anesthésie. Voir 4e partie.

Troisième partie G
Préparation d'un enfant à la chirurgie cardiaque
(Réparation d'une anomalie du septus ventriculaire)

INSTRUCTIONS	COMMENTAIRES ET EXEMPLES
1. Voir la 1re et la 2e parties avant de continuer.	
2. Après avoir déterminé les fantasmes de l'enfant concernant la maladie et l'hospitalisation, lui donner une explication simple de l'anatomie et de la physiologie du système cardiovasculaire. Parler des symptômes et tenter de les relier à son problème. Se servir d'un tracé corporel avec l'enfant de plus de 3¹/₂ ans.	Pour les tout-petits et les jeunes de 3 ans « Le médecin va réparer ton cœur. »
	Les enfants de 3¹/₂ ans jusqu'à 7 ans « Le cœur est au centre de ta poitrine. Son travail est d'envoyer partout dans ton corps du sang transportant les aliments qui te feront grandir et rester fort. Dans ton cœur, il y a un petit trou qui ne doit pas être là. Il oblige ton cœur à travailler plus fort. Nous ne savons pas pourquoi; tu es né ainsi. Ton médecin sait comment coudre le trou afin que cela ne te cause plus de problème. »
	Les enfants de 7 ans et plus. Donner les mêmes explications que celles données au groupe de 3¹/₂ ans à 7 ans. En plus, utiliser un modèle et/ou un diagramme du cœur.
3. S'il n'y a pas de symptômes, modifier l'approche.	« Quoique tu ne te sentes pas malade, nous savons que si ton cœur n'est pas réparé, il te causera des problèmes plus tard. Nous nous occupons de cela maintenant afin que tu continues à grandir en santé. »
4. Faire comprendre à l'enfant que personne n'est responsable de cette situation. Lui dire clairement que ni sa maladie, ni son hospitalisation ne sont une punition.	
5. Montrer la région opératoire et l'apparence postopératoire: a. incision	« C'est ici que le médecin fera l'ouverture sur ta poitrine (latérale ou médiane). Pour qu'il puisse coudre le trou dans ton

coeur. » Dessiner l'incision sur le diagramme ou la poupée.

b. tube pectoral, sutures et pansement

« Après ton opération, il y aura un tube dans ta poitrine pour drainer le vieux sang et l'air. Le tube sera relié à un sac à côté du lit. Dans un jour ou deux, le médecin enlèvera ce tube parce que tu n'en auras plus besoin. Il y aura aussi des points noirs qui refermeront l'ouverture. Un gros pansement protégera tout cela et le gardera propre. »

c. stimulateur cardiaque (pacemaker) (si prévu par les données du cathétérisme cardiaque)

« Après l'opération, tu te rendras compte que le médecin a placé un petit fil sous ta peau à l'endroit de l'ouverture. Ce fil est fixé à une petite boîte qui ressemble à une radio de poche. Il est utilisé pour régulariser les battements de ton cœur et pour s'assurer que ton cœur bat aussi vite qu'il le devrait. Nous ne pouvons te dire maintenant combien de temps tu auras besoin de cette boîte, mais nous te le dirons plus tard. » Lui montrer un pacemaker.

d. sonde de Foley (si utilisée)

« La vessie est l'endroit où se conserve l'urine (pipi). Quand la vessie est pleine, tu ressens le besoin d'uriner (faire pipi) et l'urine sort de ton pénis (ou d'une petite ouverture entre tes jambes). » (Faire le tracé de la vessie.) « Après l'opération, tu auras un petit tube pour drainer l'urine de la vessie afin que nous sachions combien d'urine il y a. Cela signifie que *tu n'auras pas à uriner*. Peu après, on enlèvera ce tube et tu urineras comme auparavant. »

e. tube naso-gastrique appelé aussi tube de levin (si utilisé)

« À ton réveil, tu auras un petit tube dans le nez; ce tube descend jusque dans ton estomac (ventre). C'est pour garder ton estomac vide et t'empêcher d'être malade. Cela peut être inconfortable. »

f. perfusion, ordinairement 2; on pourrait en canceller une

« Tu ne pourras pas manger; alors tu auras un tube dans ton bras et ta jambe. Par ce tube, nous pouvons te donner de l'eau sucrée et des remèdes jusqu'à ce que tu puisses encore manger. »

g. électrodes d'E.C.G. et appareils de vérification (moniteur)

« Te souviens-tu d'avoir eu une image des battements de ton cœur (électrocardiogramme)? Après ton opération, le médecin voudra surveiller les battements de ton cœur pendant quelque temps; tu porteras donc ces petites plaques de métal sur tes bras et tes jambes. Cependant, le médecin surveillera les battements de ton cœur sur un appareil de télévision plutôt que sur une bande de papier. » Montrer le témoin ou vérificateur.

h. tube endotrachéal et appareil respiratoire à volume contrôlé.

« Quand tu t'éveilleras, il y aura un tube dans ta bouche pour t'aider à respirer profondément. Le tube sera maintenu en place par un ruban adhésif et tu ne pourras pas nous parler, mais nous te parlerons et tu nous entendras. Si tu veux nous dire quelque chose, ton infirmière te donnera un crayon et du papier pour écrire des notes » (les enfants plus jeunes peuvent l'indiquer sur des images). « Nous savons que ce tube est inconfortable, mais le premier jour et la première nuit, tu dormiras presque tout le temps. Ordinairement, on enlève le tube le lendemain de l'opération. »

6. Poser des questions simples à l'enfant pour l'aider à se rappeler ce que vous lui avez dit. L'aider à placer le matériel sur sa poupée (afin de visualiser l'apparence postopératoire) et à dessiner ses réponses sur le diagramme corporel.

Pour la chirurgie complexe, on recommande l'usage d'une poupée, même pour les enfants de plus de 7 ans. Continuer d'utiliser le diagramme corporel et la poupée pour les malades de plus de $3^{1}/_{2}$ ans.

7. Rassurer l'enfant qu'aucune autre partie de son corps ne sera opérée.

Pour les enfants de moins de 6 ans, utiliser les répétitions enjouées pour bien situer la région opératoire (voir p. 11). Rassurer directement les enfants plus vieux.

8. Introduire le jeu de piqûres selon les prélèvements sanguins déjà expérimentés. Faire une démonstration et amener l'enfant à participer. Voir le jeu de piqûres, p. 129.

On doit introduire ce jeu à la fin de la séance parce qu'il est trop excitant pour l'enfant. La matière précédante ne serait peut-être pas écoutée autrement.

9. Le jeu est valorisant. Dire à l'enfant qu'il sera capable de parler de ces événe-

Cela permet d'associer le souvenir des examens angoissants à la bravoure et au désir de bonne santé.

ments excitants à sa famille et à ses amis — des nouvelles choses qu'il verra et qu'il fera et des gens qu'il rencontrera. Lui dire que tout le monde sera étonné d'entendre parler de l'hospitalisation. Lui dire qu'il peut leur expliquer sur sa poupée malade.

10. Commander un respirateur Bennet ou Bird ou des bouteilles spirométriques afin qu'ils soient disponibles pour la prochaine séance d'enseignement.

Terminer la séance ici. Reprendre après un intervalle.

11. Poser à l'enfant des questions simples pour vérifier sa compréhension de la matière précédante. Rectifier si nécessaire.

12. Parler de la croupette.

« Environ 1 ou 2 jours après l'opération, le tube qui t'aide à respirer profondément sera retiré de ta bouche. Quand cela se produira, ton infirmière placera une tente de plastique au-dessus de ton lit ou un morceau de plastique autour de ton visage. Un vaporisateur pompera de l'air frais et humide dans la tente pour t'aider à mieux respirer et à te sentir plus à l'aise. La chambre te semblera brumeuse. »

13. Parler de l'humidificateur.

Montrer à l'enfant une croupette ou une tente.

14. Parler du respirateur Bennet ou Bird ou des bouteilles spirométriques.

« Il faudra que tu respires profondément et que tu tousses et craches le mucus comme lorsque tu as un rhume. C'est difficile à faire tout seul. Cet appareil respiratoire va donc t'aider à le faire. Parfois, ton infirmière mettra un médicament ici (montrer sur l'appareil) pour dégager le mucus afin que tu puisses tousser facilement. Cet appareil sera ton ami; il t'aidera à mieux malade. C'est difficile à apprendre, mais le personnel des soins intensifs doit avoir la coopération de l'enfant.

15. Parler de l'appareil à succion.

« Parfois, il est très difficile de se débarrasser du mucus. Ce petit tube descend dans ta gorge et l'aspire. Ce n'est pas très agréable, mais après coup, tu te sentiras beaucoup mieux. » Lui montrer un appareil à succion ou un modèle.

16. Expliquer les changements de position et la toux. Faire une démonstration sur le

« Nous savons qu'il te sera difficile de tousser après l'opération, ici encore ton infirmière peut t'aider. Elle placera un oreiller sur ta poitrine ou tiendra ta poitrine avec ses mains afin que cela ne te fasse pas mal. »
Faire une démonstration. Le malade comprend-il ce que l'on veut dire par:
    1. respire profondément
    2. tousse
    3. crache le mucus.

17. Expliquer à l'enfant qu'il ressentira quelques douleurs, mais que les infirmières et les médecins lui donneront des médicaments pour le soulager.

« Tu pourrais avoir de la difficulté à ne pas te mettre en colère, mais les infirmières et les médecins apprécieraient ta coopération. Ils savent que c'est difficile pour toi. »

18. Lui expliquer que la salle où il sera après l'opération est ordinairement très bruyante; il y a une grande activité et plusieurs personnes le visiteront là et parfois toutes ensemble.

19. Informer l'enfant qu'il sera pesé chaque jour sur une balance-civière (nu). Lui montrer la balance, si c'est une routine.

Quelques enfants refuseront d'aller sur la balance-civière, croyant qu'on les conduit de nouveau à la salle d'opérations, si ce n'est pas expliqué à l'avance.

20. Placer les instruments didactiques de l'enfant — poupée, diagramme corporel et autre matériel — dans un sac attaché au

pied du lit pour que les
membres du personnel des
soins intensifs aient ces articles pour les aider dans
les soins de l'enfant.

21. Voir la 4ᵉ partie.

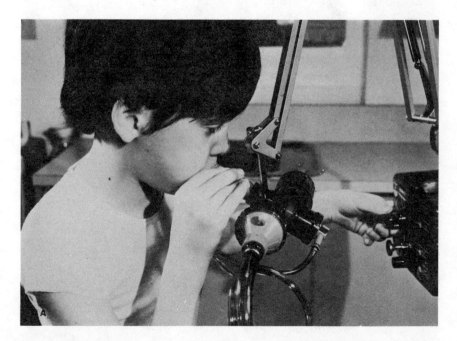

Fig. 6-4 A et B. L'enfant est plus coopératif et moins susceptible de devenir anxieux
si on lui montre le matériel compliqué et inquiétant avant qu'il en ait effectivement
besoin. (Photographie 6-4. A de Steve Campus, 6-4. B de Hilary Smith.)

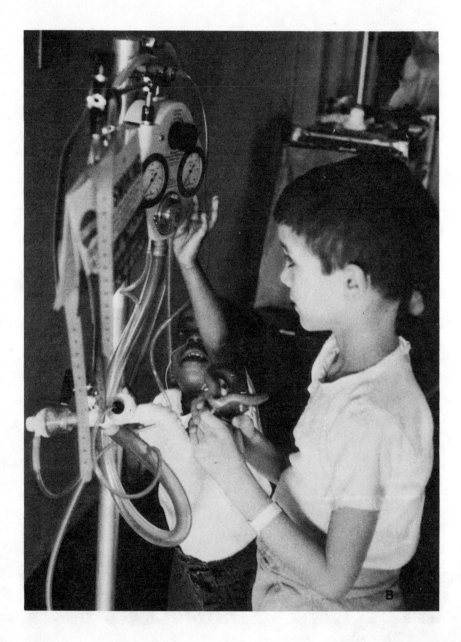

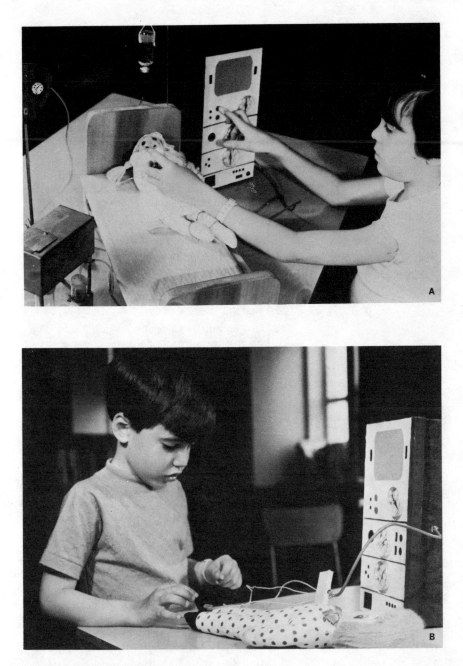

Fig. 6-5. A et B. L'enfant apprend qu'il aura à coopérer aux traitements qui exigeront de la contrainte physique et de l'inconfort. L'enfant supporte mieux une longue épreuve quand il s'intéresse au confort de ses marionnettes.

184

Troisième partie H
Préparation de l'enfant à la chirurgie cérébrale

INSTRUCTIONS	COMMENTAIRES ET EXEMPLES
1. Voir la 1re et la 2e parties avant de continuer.	

1. Voir la 1re et la 2e parties avant de continuer.

2. Après avoir déterminé les fantasmes de l'enfant sur l'hospitalisation et la maladie et ses concepts du cerveau, lui donner une explication simple de l'anatomie et de la physiologie impliquées. Parler des symptômes, faisant appel aux examens.

Il est préférable de parler des régions affectées comme de régions nerveuses ou du dedans de la tête parce que plusieurs enfants réagissent mal à la discussion sur le traitement du cerveau.

Tout-petits et jeunes de 3 ans « Le médecin sait comment te guérir; comment faire disparaître la douleur (quels que soient les symptômes que présente l'enfant). Il fera une opération ici... » (l'indiquer sur la poupée) « ... pour réparer ce qui te rend malade. »

Les enfants de 3½ ans jusqu'à 7 ans « Tu as eu plusieurs examens dernièrement (radiographies, pneumo-encéphalogramme, électro-encéphalogramme, ponction lombaire). En faisant ces examens, ton médecin a trouvé ce qui te rendait malade — pourquoi tu avais certains mouvements de tes yeux, de la difficulté à marcher et à te tenir debout, des difficultés de langage ou des problèmes visuels, des maux de tête et des vomissements » (quels que soient les symptômes présentés).

« Les examens et ce que tu ressentais ont indiqué à ton médecin qu'il y a dans ta tête une petite bosse (tumeur) qui presse sur des nerfs (ou une collection de liquide qui comprime les nerfs). Il y a différentes sortes de nerfs; ils servent à voir, parler, entendre, sentir, avaler. La tumeur qu'il a trouvée fait pression sur tes nerfs... C'est pourquoi ton médecin a décidé de faire une opération pour te débarrasser de la tumeur (ou du liquide). Voici où l'opération sera faite. » Le montrer sur le tracé.

Les enfants de 7 ans et plus Une variation de ce qui est dit plus haut. « Quand la tumeur grossit, elle cause une pression et irrite les nerfs qui contrôlent la vue, l'audition et la marche. Tes problèmes nous disent quels nerfs sont atteints. C'est pourquoi ton médecin a décidé d'enlever la tumeur. »

Quand les symptômes sont consécutifs à l'obstruction du liquide cérébro-spinal: « La tumeur bloque la circulation du liquide autour du cerveau et des cordes spinales » (le dessiner sur le diagramme). « Quand cela se produit, une pression s'établit et tu te sens mal à l'aise et malade. C'est pourquoi tu as été irritable et fatigué, que tu as vomi, que tu as des difficultés avec ta vision » (dire ce qui s'applique). « Le médecin peut enlever la tumeur qui cause ce blocage. C'est pourquoi tu subiras cette opération. »

3. Expliquer à l'enfant l'endroit de l'incision et la préparation de la région opératoire.

Pour les lésions cérébrales, la région opératoire est frontale, derrière la ligne des cheveux; pour les lésions du cervelet et de la tige cérébrale, l'incision est occipitale.

« Pour cette opération, on doit raser une partie de tes cheveux — seulement la partie où le médecin fera l'ouverture. » (On peut dire aux enfants de 7 ans et plus qu'un morceau du crâne sera enlevé afin que le médecin puisse atteindre la partie affectée et épargner l'os.) « Quand les cheveux auront repoussé, l'ouverture (incision) ne se verra plus. En attendant nous peignerons tes cheveux de manière à cacher la plaque... » (si les cheveux sont assez long)... « ou peut-être voudras-tu porter un fichu, une perruque ou un chapeau. »

4. Décrire l'apparence post-opératoire et les expectatives:
   a. sutures

« Quand l'opération sera terminée, le médecin fermera l'ouverture avec des points noirs, ou, le médecin replacera l'os pour couvrir l'incision afin que ce soit comme avant. »

   b. pansement

« Il enroulera ensuite un gros bandage autour de ta tête. Il sera gros, tu le sentiras comme un oreiller pour reposer ta tête. Il peut ressembler à un turban ou à un cas-

	que. »
c. position du lit	« Tu remarqueras peut-être que ton lit est tourné de manière à ce que la tête soit au pied. Ce sera plus facile de te soigner de cette façon. »
d. position dans le lit et changements de position	« Tu seras placé dans ton lit comme l'aura demandé ton médecin, sur le côté (ton côté non opéré) — et nous te retournerons souvent. »
e. succion	« Nous t'aiderons à te débarrasser du mucus parce qu'il est difficile de tousser quand tu es couché droit dans ton lit. Nous aspirerons le mucus à l'aide d'un petit tube qui va dans la gorge. Ce n'est pas très agréable, mais après tu te sentiras mieux. Cela t'aidera à mieux respirer. Quelle que soit la personne qui fait cela, elle sait que c'est difficile à supporter et elle regrette qu'il n'y ait pas de meilleur moyen. » Montrer à l'enfant un appareil à succion.
f. signes vitaux	« Tes infirmières vérifient ta température, ta pulsation et ta tension artérielle très souvent. C'est normal. Ces signes nous indiquent ce que nous devons faire pour toi; par exemple, tu peux avoir très chaud, et nous devrons te rafraîchir. »
g. croupette ou tente à oxygène	« Une des manières dont nous pouvons te rafraîchir est de te placer sous une tente de plastique après l'opération. Un vaporisateur pompera de l'air frais et de l'humidité dans la tente. On emploie cela aussi pour t'aider à mieux respirer et à te sentir plus à l'aise. Je vais te montrer à quoi ressemble une tente. »
h. perfusion	« Tu n'auras pas envie de manger ou de boire pendant quelque temps après l'opération. Nous savons comment prendre soin de toi afin que tu reçoives la nourriture et l'eau dont tu as besoin pour rester fort. Le médecin place un tube dans ta veine (du bras ou de la jambe); il est relié à une bouteille d'eau sucrée. Ton bras ou ta jambe sera placé(e) sur une planchette pour t'aider à ne pas bouger. »
i. contraintes des coudes et côtés de lit	« Parfois il est difficile de te souvenir de ne pas toucher le bandage sur ta tête ou de ne pas bouger ton bras. Si cela est néces-

saire, nous placerons des contraintes légères autour de tes bras et de tes jambes pour te le rappeler. » (Ne pas laisser croire à une punition.) « Pour que tu te sentes en sécurité, nous installerons des côtés à ton lit. »

j. œdème et changement de couleur (*dans le cas d'une incision frontale,* préparer la famille et l'enfant à une possibilité d'œdème de la tête et de la face — particulièrement l'enflure des paupières — et le changement de couleur autour des yeux — ecchymoses)

« Parfois, après ce genre d'opération, il y a de l'enflure autour de la tête, de la face et des yeux. La peau autour des yeux peut devenir noire ou bleue. Peut-être que cela ne se produira pas, mais je t'en avertis pour que tu ne crois pas que c'est inhabituel. Si cela se produit, tout disparaîtra dans une semaine ou deux. Nous pouvons mettre de la glace autour de ton visage pour que tu te sentes plus à l'aise. »

k. cathéter ventriculaire

Expliquer à la famille la possibilité d'un cathéter ventriculaire. « Parfois, après l'opération, un petit tube est placé (cathéter) à l'intérieur du crâne pendant quelques jours afin de drainer l'excès de liquide et prévenir la pression. Le liquide est collecté dans une bouteille fixée à la tête du lit. S'il est utilisé, vous le verrez tout de suite. Nous ne le savons pas de manière certaine maintenant. Nous pouvons en avertir votre enfant après l'opération, si nécessaire. »

l. trachéotomie (s'il y a trachéotomie de routine, en avertir l'enfant).

Dans la chirurgie impliquant la région du tronc cérébral, on peut prévoir une pression des centres respiratoires. Quelques chirurgiens pratiquent de routine une trachéotomie. En avertir l'enfant et la famille. « Pour ce genre d'opération, on pratique une intervention spéciale pour faciliter la respiration. On l'appelle trachéotomie. C'est une petite ouverture dans la trachée. On peut voir l'ouverture sur le cou. On y insérera un tube pour empêcher l'ouverture de se refermer. Nous te montrerons plus tard comment tu peux placer tes doigts sur le tube quand tu veux parler. Si tu oublies de le couvrir, il n'y aura pas de son quand tu parleras. » Reparler de la succion.

5. Rassurer l'enfant et la famille sur la compétence des chirurgiens et du personnel devant ce genre de problème; que cette opération a été pratiquée plusieurs fois.

Ce genre de chirurgie est très angoissant pour l'enfant et la famille; ils auront besoin d'un appui continu.

6. Quand un enfant semble stupéfié ou ne pas comprendre, avertir la famille de cesser toute discussion sur son état en sa présence. Les aviser de parler des activités et des événements, comme si l'enfant comprenait.

Souvent, un enfant apparemment comateux comprend ce qui est dit, bien qu'il ne donne aucun indice.

7. Établir des signaux afin que l'enfant qui ne parle pas puisse indiquer oui ou non et représenter ses besoins. Informer le personnel et la famille du système de communication.

8. Rassurer l'enfant qu'aucune autre partie de son corps ne sera opérée.

Pour les enfants de moins de 6 ans, utiliser les répétitions enjouées pour bien situer la région opératoire (voir p. 11). Rassurer directement les enfants plus vieux.

9. Poser des questions simples à l'enfant pour s'assurer qu'il a bien compris l'enseignement. L'aider à dessiner les réponses sur le diagramme corporel. Aider les jeunes enfants à placer le matériel sur la poupée.

10. Le jeu valorise — combien il en aura à raconter à sa famille et à ses amis au sujet de l'hôpital, des nouvelles choses qu'il a vues et des différentes personnes qu'il a rencontrées.

Cela permet d'associer le souvenir des examens angoissants à la bravoure et au désir de bonne santé.

11. Voir la 4e partie.
Avant de continuer, déterminer si la sédation pré-

opératoire doit être utilisée. Les dépresseurs du système nerveux central sont ordinairement éliminés avant la chirurgie cérébrale.

Note: parce qu'un ventriculogramme exige l'anesthésie générale, la chirurgie suivra immédiatement s'il y a évidence de tumeur. Quand la chirurgie dépend du résultat de cet examen, la famille et l'enfant doivent être préparés à l'avance.

Quatrième partie
Recommandations générales pour tous les malades la veille du traitement

INSTRUCTIONS	COMMENTAIRES ET EXEMPLES
Expliquer à l'enfant les événements imminents.	
1. Jeûne après le coucher et le matin.	« Tu trouveras fixée à ton lit une carte sur laquelle on lira: À JEÛN. Cela signifie qu'après ton coucher tu n'auras rien à boire ni à manger. Tu n'auras pas de petit déjeûner non plus; alors tu pourrais avoir faim ou soif. Nous faisons cela afin que ton estomac (ventre) ne soit pas malade quand nous lui donnerons des remèdes. » Si on prévoit l'alimentation intraveineuse, en parler ici. Lui expliquer qu'il mangera de nouveau dès qu'il sera capable de le tolérer et qu'on lui donnera d'abord des liquides.
2. Expliquer le bain au pHisoHex pour rendre la peau très propre.	
3. Expliquer le transport à la salle d'opération dans son lit ou sur une civière. Si vous devez accompagner l'enfant, le lui dire.	C'est une des mesures les plus réconfortantes qu'on puisse apporter à l'enfant. L'insécurité de l'enfant est minimisée quand une personne familière et réconfortante l'accompagne. C'est possible quand cela est planifié à l'avance.
Dire à l'enfant que vous savez que les enfants se sentent seuls à ces moments et qu'ils préfèrent être avec les parents; parce que les parents ne peuvent pas les accompagner, vous serez là comme si c'était sa mère ou son père. Lui assurer (si c'est vrai) que ses parents l'attendront dans sa chambre.	Essayer d'apporter un jouet préféré; le fixer au lit.
4. Décrire l'habillement du personnel de l'anesthésie et de la salle d'opération.	« En allant à la salle d'opération, si tu ne dors pas, tu verras probablement des médecins et des infirmières vêtus de blouses bleues ou vertes et portant des bonnets

et des masques. As-tu déjà vu quelqu'un vêtu ainsi? Ici, on porte ces vêtements pour protéger les autres des rhumes, s'il y en a un qui a un rhume. »

La plupart des enfants associent les masques aux individus méchants ou au jeu, il est donc nécessaire d'expliquer leur utilisation. Donner à l'enfant un masque jetable afin qu'il puisse jouer avec et le montrer à ses amis.

5. Expliquer l'anesthésie — qu'il ne se réveillera pas durant l'opération parce qu'on lui fera respirer, à travers un masque placé sur sa bouche et son nez, un remède à odeur sucrée (modifier si anesthésie intraveineuse); qu'il n'aura pas connaissance de l'opération et qu'il ne se souviendra de rien. Lui montrer un masque et lui permettre de le tenir et de le manipuler.

Plusieurs enfants craignent de se réveiller pendant l'opération ou ne croient pas qu'ils ne ressentiront aucune douleur. Rassurer l'enfant en lui disant qu'un médecin est chargé uniquement de surveiller le masque pour qu'il reste en place et que tout se passe bien.

Il est difficile d'éviter le mot « dormir » quand il est question d'anesthésie. Il est donc important de faire la différence entre le sommeil provoqué par l'anesthésie et le sommeil normal afin de prévenir les problèmes qui pourraient surgir par la suite autour du coucher. Certains enfants ont peur qu'on leur fasse autre chose pendant leur sommeil.

6. Parler de la salle de recouvrement. Lui dire qu'il ne reviendra pas à sa chambre tout de suite après l'opération, mais qu'il passera par la salle de recouvrement et y restera jusqu'à ce qu'il soit complètement réveillé. Lui expliquer que les personnes qui travaillent là ont été formées spécialement pour soigner les malades qui viennent d'être opérés. Lui expliquer que les infirmières de la salle de recouvrement informeront les infirmières de l'unité de son retour de la salle d'opération afin que son infirmière puisse aller le

Décrire l'habillement du personnel et le nombre d'autres malades qui seront là.

voir (si c'est la vérité).

OU

7. Parler de l'unité des soins intensifs. Lui expliquer que c'est un endroit où le personnel est préparé pour soigner sa maladie et son genre d'opération. Lui donner une idée de la durée approximative de son séjour et lui dire que ses parents et le personnel le visiteront là.

Si l'enfant doit aller dans une unité de soins intensifs d'adultes, il est préférable de ne pas permettre de visite préopératoire; c'est trop angoissant pour l'enfant. Si l'enfant doit être conduit dans une unité de soins intensifs pédiatriques, prendre des dispositions pour lui faire visiter l'unité à un moment qui ne soit pas trop apeurant. Sinon, demander à un membre du personnel des soins intensifs de le visiter dans sa propre unité. Décrire les activités, les bruits et les personnes des soins intensifs. Faire en sorte qu'un membre du personnel accompagne les parents lors de leur visite à l'unité des soins intensifs et les prépare à la vue de l'enfant.

8. Discuter de la douleur et des moyens de la soulager.

« Tu peux, après l'opération, te sentir un peu mal (ressentir de la douleur). La douleur signifie que l'opération est terminée et que ton corps a mal. Nous te donnerons alors des remèdes pour soulager ta douleur. Ordinairement, nous savons quand tu en as besoin, mais tu peux aussi nous le dire. »

9. Revoir l'enseignement donné dans la 3e partie. Pour aider l'enfant à se rappeler, poser des questions simples en utilisant le tracé corporel. Faire le bilan de ce qui a été retenu, répéter si nécessaire. L'encourager à poser des questions.

10. Lui expliquer la prémédication qu'il doit recevoir — qu'une (ou deux) injections le rendront somnolent et le prépareront à l'opération.

Introduire ce sujet à la fin de la séance afin de ne pas énerver l'enfant. Nous devons nous assurer de toute l'attention de l'enfant pour la matière précédante.
Faire de nouveau une démonstration du jeu de piqûres et encourager la participation. Voir le jeu de piqûres, p. 129.

11. Voir la 5e partie.

Cinquième partie
Recommandations pour tous les malades le jour de l'opération

INSTRUCTIONS	COMMENTAIRES
1. Inciter les parents ou un autre adulte en qui l'enfant a confiance à être présent, quelle que soit l'heure de l'intervention.	Les parents croient souvent que leur présence n'est pas importante. Ils doivent comprendre le point du vue de l'enfant; v.g., il veut que ses parents l'aident à faire face à la tension qui l'assaille. Il trouve l'événement beaucoup plus supportable sachant que ses parents l'attendent. Il est réconfortant pour lui de savoir que ses parents sont attentifs à ce qui lui arrive. Les parents doivent savoir que, même sous le couvert de l'indépendance, les adolescents ont toujours des désirs de dépendance qui sont accentués au moment d'une tension. Les bébés ne peuvent pas comprendre ce qui leur arrive, mais ils sont capables de percevoir l'anxiété chez les autres. Ils sont souvent irritables et agités à cause de cela. On peut les calmer en leur donnant une sucette et en les berçant. Si les parents sont anxieux, une brève visite suffira pour montrer à l'enfant qu'ils sont là et qu'ils attendent.
2. Revoir rapidement les événements de dernière minute. Dire à l'enfant ou aux parents que vous croyez avoir tout expliqué, mais s'il y a quelque chose qui a été oublié, ils devraient demander des explications un peu plus tard.	
3. Préparer les prémédications et les tenir éloignées de la vue de l'enfant. Quand ce sera le temps, lui expliquer qu'il doit recevoir une injection et la lui donner *immédiatement*. L'informer que cela fera un peu mal; que c'est désagréable, mais que cela doit être fait. Com-	Un très court laps de temps est suffisant pour permettre à l'enfant de devenir très anxieux. Quand on a informé l'enfant qu'il doit recevoir une injection, procéder très rapidement. Il n'y a aucun moyen d'éliminer totalement la crainte — donc, faire vite, pour le mieux.

me l'enfant n'a pas le choix, ne pas lui demander s'il est prêt. Par contre, lui permettre de protester et de pleurer, mais l'avertir de ne pas bouger; que ce sera plus rapide. Lui dire que vous avez amené quelqu'un pour l'aider à rester tranquille. Ne pas lui laisser croire qu'il s'agit d'une punition.

Lui expliquer que les injections le rendront somnolent comme vous le lui avez dit. Le laisser jouer très rapidement à la piqûre afin de l'aider à maîtriser la situation. Les tout-petits et les bébés répondent bien aux caresses.

Une voix calme et pondérée est rassurante. Tout ce qui est familier est réconfortant. Converser de façon amicale et scientifique avec les plus vieux peut aussi les réconforter.

4. À l'appel, accompagner l'enfant à la salle d'opération. S'il ne dort pas, parler avec lui de l'événement qui doit avoir lieu (inclure l'enfant dans toute conversation) et lui désigner les différents membres du personnel rencontrés.

5. Rester avec lui jusqu'à ce qu'il soit anesthésié.

Dans la plupart des institutions, on exigera que l'infirmière ou la personne désignée porte les vêtements appropriés à la salle d'opération.

6. Voir la 6e partie.

Sixième partie

**Comment aider l'enfant à faire face aux sentiments
reliés à l'hospitalisation et au traitement**

PÉRIODE POST-INTERVENTIONS

INSTRUCTIONS	COMMENTAIRES
1. Permettre à l'enfant de reprendre ses activités le plus tôt possible et de porter ses propres vêtements ou les vêtements de jour fournis par l'hôpital.	Il est très réconfortant pour l'enfant de s'habiller et de sortir du lit. Même les jeunes bébés et les tout-petits ayant des perfusions peuvent être amenés à la salle de jeux et placés de façon à ce qu'il puissent observer les activités.
2. Donner l'occasion de jouer des scènes dramatiques. Mettre à la disposition de l'enfant le matériel inoffensif qui a servi à son traitement — stéthoscope, abaisse-langue, appareil à tension artérielle; ainsi que poupée, diagramme corporel et matériel de jeu.	Un coin d'hôpital dans la salle de jeux donne une bonne occasion d'exprimer les sentiments et de clarifier les événements.
3. Encourager les enfants qui verbalisent facilement à parler de leurs expériences d'hôpital avec le personnel, la famille, les visiteurs et les pairs.	On peut le faire en demandant simplement à l'enfant de parler de ce qui lui est arrivé.
4. Comme moyens de communiquer aux amis les expériences vécues à l'hôpital, encourager l'enfant à écrire et à téléphoner.	
5. Procurer à l'enfant du matériel afin qu'il puisse dessiner ou peindre ses expériences de l'hôpital. Demander à l'enfant de raconter une histoire sur ses dessins.	
6. Quelques enfants aiment mieux montrer un cahier où ils collectionnent les	

découpures de revues médicales ou infirmières. Demander à l'enfant d'écrire ou de raconter une histoire en relation avec ses découpures.

7. Les enfants plus âgés préfèrent écrire leur journal.

8. Encourager les parents à photographier des scènes d'hôpital impliquant leur enfant afin qu'il ait une histoire imagée des événements qui lui rappellent sa bravoure.

Les mesures qui précèdent donnent à l'enfant l'avantage d'acquérir une maîtrise de soi devant les situations difficiles en lui permettant de s'y arrêter consciemment. Elles permettent aussi de faire la distinction entre le fantasme et la réalité et prévenir ainsi la répression et le refoulement des fantasmes irréalistes.

9. Fournir des projets éducatifs. Inscrire les jeunes dans des programmes d'alescents et d'études si ces programmes sont disponibles.

Consulter l'institutrice scolaire, la thérapeute de jeu et d'occupation afin d'avoir leurs suggestions.

10. Permettre à l'enfant de rapporter à la maison du matériel de jeu inoffensif. Expliquer aux parents l'importance de continuer à discuter ouvertement de l'hospitalisation et du traitement afin de permettre à l'enfant de clarifier les faits et d'intégrer cette expérience à sa vie.

Cela est particulièrement vrai chez les enfants de 3 à 6 ans qui ont besoin qu'on leur répète souvent qu'ils ne sont en aucune façon responsables de la maladie et parce que la culpabilité est un problème majeur à cet âge (pensées égocentriques).

11. Préparer les parents aux genres de comportement que l'enfant peut présenter une fois à la maison.

Voir Préparation des parents pour le congé de l'enfant, p. 81.

12. Inviter l'enfant à visiter l'unité après son congé, quand il viendra à la clinique ou au bureau du médecin. Le personnel aura alors l'occasion d'évaluer l'adaptation de l'enfant et

Ces visites aident à corriger les souvenirs déformés et à diminuer l'anxiété dans l'éventualité d'hospitalisation future.

l'aider à maintenir un bon contact avec le personnel. Cela facilite l'adaptation des enfants qui sont hospitalisés souvent.

Septième partie

Silhouettes corporelles pour les enfants et les parents

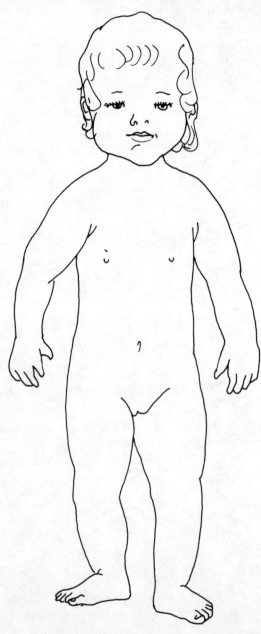

Fig. 6-6.

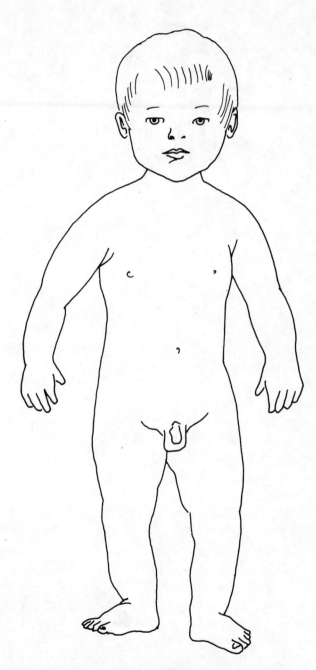

Fig. 6-7.

Fig. 6-8.

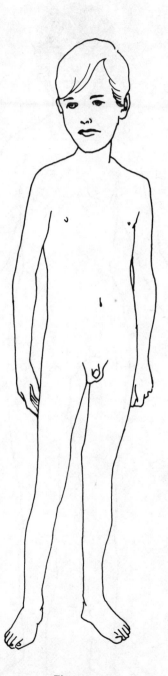

Fig. 6-9.

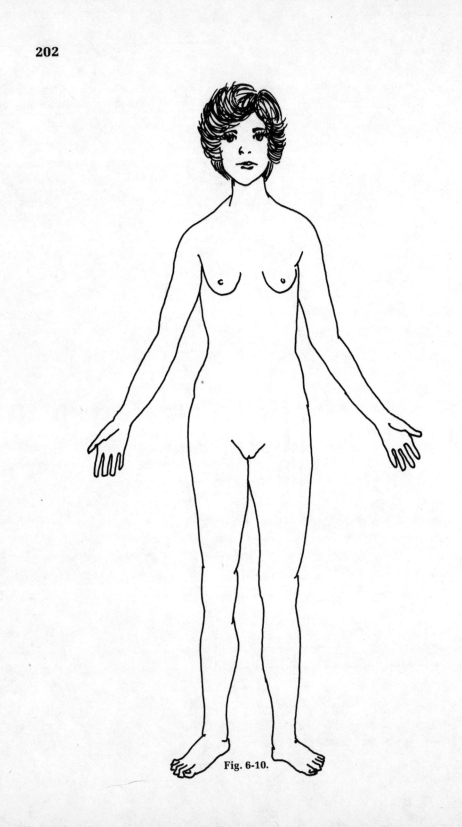

Fig. 6-10.

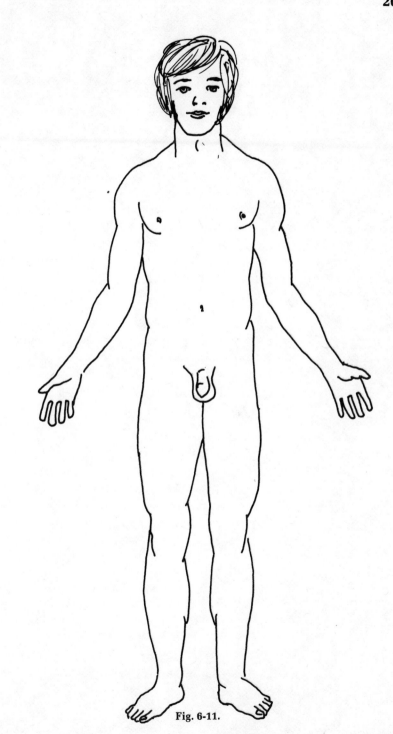

Fig. 6-11.

Chapitre 7

La perte, le chagrin et la mort

LES PARENTS ET LE PERSONNEL

La plupart des gens réagissent de façon similaire au chagrin. La négation, les protestations, l'ahurissement, la tristesse, le vide et l'idéalisation se rencontrent dans la première phase. Plus tard, avec l'acceptation lente de la réalité de la mort, les liens existants sont raffermis entre les parents et de nouvelles relations sont recherchées. C'est le dénouement espéré. Cependant, plusieurs personnes affligées demeurent à l'un ou l'autre niveau de la première phase.

Il est possible de prévoir la réaction d'une personne devant la mort. Presque tout le monde possède des ressources saines pour s'adapter à une perte; ordinairement, un modèle a déjà été établi dans ce sens. On peut assez facilement déterminer ce modèle en parlant aux parents des séparations récentes, comment la famille a réagi comme groupe, vers qui ses membres se sont tournés durant leurs difficultés et comment ils ont expliqué la maladie actuelle aux autres enfants.

On a beaucoup écrit sur la façon d'agir avec les enfants et la famille. Il est évident que le personnel doit faire preuve d'empathie, respecter la solitude et partager le chagrin; quoiqu'il en soit, le travail des professionnels doit se poursuivre et quelques membres du personnel devront faire des concessions pour permettre à certains d'entre eux de s'occuper de la famille.

Pour une planification efficace, on devrait penser un système[1] d'approche pour chacun des étages de l'hôpital. Du moins les membres du personnel — étudiants en médecine et en nursing, médecins, infirmières, travailleurs sociaux, auxiliaires, diététiciennes, opérateurs d'ascenseurs et parents — doivent-ils avoir un minimum

---

[1]La théorie des systèmes énonce que pour qu'un grand système fonctionne, il doit y avoir de la coordination entre tous les sous-systèmes et un fonctionnement homogène à l'intérieur.

d'aptitudes pour agir efficacement dans les moments de perte. Le travail quotidien de l'unité doit se poursuivre, mais les personnes affligées ont le droit d'être protégées d'une atmosphère indifférente de « travail comme de coutume ». Tous les membres du personnel peuvent être respectueux, se conduire avec dignité et demeurer disponibles au moment du deuil.

Le problème de l'implication du personnel revient constamment. Il est difficile de déterminer à l'avance une façon d'agir qui convienne, cela peut varier selon le cas. Il est certainement essentiel que le personnel soit avec les parents au moment où ils apprennent la mort. Seule l'expérience peut apprendre au personnel à faire face à ces situations pénibles. Chaque équipe professionnelle devrait discuter à l'avance les méthodes qui doivent être utilisées, planifier pour telle famille particulière et affecter un membre du personnel pour aider la famille après la mort. Ainsi, la confusion de dernière minute et la non-disponibilité peuvent être évitées.

Au contraire, une trop grande implication et trop de disponibilité envers la famille amènent le personnel à avoir des relations sociales non professionnelles avec celle-ci. Cela signifie que le personnel devient vulnérable à la substitution de rôle et aux identifications dépressives — il se comporte comme un membre de la famille. Si le personnel devient trop émotionnellement impliqué, il est incapable d'accorder son appui et peut lui-même en avoir besoin. Cela viole les droits de la famille à son propre chagrin, attire l'attention sur les besoins du personnel et confond les rôles; i.e., qui doit consoler qui. Trop de familiarité avec les malades et les familles n'entraîne que des difficultés. En outre, le personnel, cherchant à se protéger d'une trop forte implication dans les réactions de chagrin, peut en venir à se retirer progressivement des implications familiales afin de prévenir un tel enchevêtrement.

Le personnel doit préciser clairement son rôle professionnel. Il doit déterminer les mécanismes habituels de défense de la famille qui démontrent l'aide dont elle a besoin et vers qui elle se tournera. Dans l'anticipation de la mort, on devrait faire venir les parents et les préparer à l'événement affligeant en leur parlant de l'enfant mourant. Le personnel devrait prendre part à la discussion avec les parents, les félicitant avec modération sur leur façon de supporter la maladie; v.g., il devrait admettre que malgré une connaissance plus limitée de l'enfant, il est profondément ému, ce qui est vrai. Il devrait aborder de façon pratique et amicale la façon de dire la vérité aux autres enfants (comment aider les parents à préparer les frères à la mort d'un enfant, chapitre 4).

La culpabilité des parents et leur colère réprimée augmentent habituellement quand l'enfant a une longue maladie terminale ou quand les épisodes terminaux se succèdent. En d'autres mots, les cycles périodiques d'optimisme et de défaillance ou la vue d'un processus ininterrompu et désespéré exposent les parents à une douleur psychique extrême. Le bouleversement consécutif peut pousser le personnel à offrir une médication aux parents. En général, la sédation des parents fait avorter le processus de deuil. Les indications pour une sédation sont les actes auto-destructeurs, une psychose imminente ou l'apparition des symptômes graves comme: insomnie prolongée, anorexie, retrait sérieux et paniques. Une politique de consultation psychiatrique devrait être déterminée à l'avance pour ces cas.

L'ENFANT, LES PARENTS ET LE PERSONNEL

Les enfants réagissent différemment à la mort selon leur âge; par exemple, les enfants de moins de 3 ans craindront la séparation d'avec les adultes protecteurs et réconfortants (angoisse de séparation). Ils ne peuvent pas comprendre le rapport qui existe entre la mort et la vie jusqu'à ce qu'ils développent une idée du temps infini.

Les enfants de 3 à 6 ans sont plus concernés par la maladie comme symbole de punition pour de mauvaises actions réelles ou imaginaires. L'enfant croit que la séparation d'avec les parents, qui survient avec l'hospitalisation, est une punition pour sa méchanceté, et les méthodes douloureuses d'examens et de traitements accentuent cette idée. Les enfants peuvent devenir déprimés quand ces afflictions semblent être sans fin, parce que cela implique qu'ils ne seront jamais capables d'expier leurs mauvaises actions et regagner les bonnes grâces des adultes qu'ils aiment.

Entre 6 et 10 ans, l'enfant commence à avoir peur de la mort elle-même. Cette conscience fait partie d'une plus grande ouverture d'esprit générale qui inclut plus d'idées réalistes de conception, le développement familial, le contraste entre les objets animés et inanimés et une vue plus large sur le monde. De là provient l'idée que la mort est la cessation de la vie et du mouvement. Contrairement au sommeil, les horreurs de la mort résident dans la douleur inattendue, la mutilation progressive et son mystère.

À compter de l'âge de 10 ans, un enfant peut comprendre la permanence de la mort et son universalité. La réaction de l'adolescent est semblable à celle de l'adulte quoique souvent empreinte de sensiblerie. C'est aussi à cet âge que les jeunes s'efforcent d'atteindre les réalisations, le succès, l'indépendance, l'amélioration physique et une image de soi idéale. L'enfant perçoit la maladie et la mort possible comme un empêchement à ces buts. L'enfant craint donc la mort avant l'accomplissement: que le temps et l'effort consacrés à grandir soient gaspillés. L'angoisse au sujet de la mort est particulièrement forte chez les malades provenant des familles orientées vers le futur parce qu'ils retirent peu de consolation du passé. Les adolescents peuvent devenir très déprimés quand ils font face à la détérioration corporelle évidente, la dépendance et la perte de l'environnement social où ils ont trouvé beaucoup de joie et de confiance à développer les talents spécifiques de leur âge.

Tôt ou tard, un enfant qui va mourir demandera aux membres du personnel: « Vais-je mourir? »; il est donc important de connaître les réactions à la mort selon les différents niveaux d'âge ainsi que quelques réponses adéquates. Les hésitations dans la réponse ou l'embarras ne peuvent que signaler à l'enfant leur propre malaise. Il y a des règles générales à suivre quand le personnel discute de questions délicates avec les enfants.

On doit tracer le plan suivant. Les parents devraient être consultés pour évaluer leurs attitudes devant la mort, quelles informations ils peuvent aisément donner eux-mêmes à l'enfant et celles qu'ils souhaitent être transmises par le personnel. L'information devrait ensuite être recueillie sur ce que l'enfant sait déjà ou peut soupçonner: (1) selon ce qui lui a déjà été dit; (2) selon ce que l'enfant a dit; (3) selon la façon dont l'enfant s'amuse à certains jeux; ou (4) selon les malades de l'étage.

Cette image rudimentaire de l'orientation de l'enfant doit être éclaircie en lui retournant la question et en demandant directement à l'enfant ce qu'il sait sur la mort et sur son état de santé. Les techniques de communication devraient être adaptées à l'âge; on demandera à un enfant de 4 ans ce qui est arrivé au chien jouet quand il a été tué par une automobile jouet en courant dans la rue. D'un autre côté, un enfant de 9 ans pourrait parler de la maladie fatale d'un des grands du baseball. Toutes les questions de l'enfant méritent une réponse. Si aucune planification n'a été faite à ce sujet, il est préférable de dire: « C'est une bonne question; nous en discuterons plus tard ». Ensuite, faites un plan afin que l'enfant reçoive une réponse.

L'attitude des parents devant la mort détermine de façon décisive comment ils parleront de la mort à l'enfant ou ce qu'ils répondront à ses questions. Ils doivent eux aussi trouver une façon de parler de la mort avec leur enfant. Souvent, les parents sont effrayés et prennent une attitude de duperie. Cette attitude peut être destructive parce qu'elle modifie les relations en rompant l'intimité réconfortante dont tous les enfants ont besoin quand ils sont sous une tension. Les sortes de duperies varient du retrait complet ou absence du père ou de la mère, aux parents intarissablement joyeux, pendant que d'autres laissent leurs larmes inexpliquées. Ces parents pensent que la simulation et son manque de sincérité, le mystère et le maintien de la routine sont préférables à un partage sincère de la tristesse mutuelle; cependant, ces façons d'agir ne fonctionnent pas. Malheureusement, presque tous les enfants, sinon tous, voient au travers de ces semblants et développent des craintes qui sont souvent pires que la réalité.

En outre, l'hypocrisie des parents les dévalorise et place l'enfant dans une position de double attache; *i.e.*, il reçoit deux messages — les choses vont bien, et les choses sont terribles — mais il ne peut parler que du premier. Dans bien des cas, il se retient anxieusement de dire ce qu'il sait pour protéger les parents! Il n'est donc pas étonnant que l'enfant devienne de plus en plus docile, passif et effrayé tant qu'il est sujet à la supercherie ou au silence. L'abdication des parents amène l'enfant à se soustraire à la réalité. Ce retrait a souvent été perçu par les professionnels comme un événement calme et souhaitable. Rien ne peut s'éloigner davantage de la vérité parce que l'enfant est plus seul que jamais pour faire face à la réalité. La régression entraîne une perte d'identité. Cette perte est alarmante en ce sens qu'elle provoque un sentiment d'effritement du fonctionnement avec l'angoisse d'anéantissement qui s'ensuit. La persistance de la régression chez l'enfant est un insuccès au niveau du traitement. Pour tous les groupes d'âge, la perte d'une personne importante et aimée est le désastre suprême.

Le personnel peut aider les parents à être francs avec leur enfant. Les parents peuvent lui dire qu'ils l'ont trompé dans une tentative de prendre leurs désirs pour des réalités (les enfants font cela couramment et comprennent l'idée), et que leurs pleurs proviennent en partie du tourment causé par la maladie qui éloigne leur chéri de la maison et de ses activités coutumières. Ils peuvent aussi lui dire que les adultes aiment démontrer leur amour dans les activités familiales (*v.g.*, nourriture, sports et jeux); et qu'ils sont tristes à la pensée qu'il ne saura pas combien ils l'aiment parce qu'à l'hôpital, ils ne peuvent pas vaquer aux activités familiales habituelles.

Les sentiers de l'honnêteté ne sont pas aussi variés que ceux de la supercherie car l'honnêteté au sujet de la mort conduit directement à des sentiments de désespoir, d'impuissance et de tristesse. L'honnêteté exige que les gens réagissent activement afin d'accepter les faits et les intégrer à leur vie tandis que la duperie est passive, cache les faits et mène à l'élaboration détournée et au subterfuge.

L'honnêteté au sujet de la mort éprouve la famille et le personnel dans leur capacité à faire face à la dépression (désespoir, impuissance, tristesse), à la mort, à leur manque d'aptitude à soigner leur enfant, à l'échec du traitement, ce qui peut entraîner la colère et l'humiliation. Une attitude de « faire pour le mieux dans les circonstances », en tirant le plus d'avantages possibles du temps qui reste, semble être la ligne de conduite la plus efficace avec ces enfants et ces adultes qui ne peuvent pas être réconfortés par des croyances religieuses. Des efforts héroïques tels qu'illustrés dans Gunther's *Death Be Not Proud*, Hersey's *The Wall*, et *Anne Frank: Le journal d'une jeune fille* montrent les conséquences d'un défi à la vie et à l'amitié. Les adultes qui ont des vues romanesques de l'enfance sont toujours étonnés d'apprendre que les enfants sont capables de comprendre une attitude de « faire pour le mieux dans les circonstances » et sont souvent inventifs et pratiques en ce qui concerne leur affliction. Cependant, pour trouver de nouvelles solutions, leur imagination et leur finesse d'esprit sont tributaires d'un niveau d'anxiété réduit à son minimum.

La préoccupation majeure concerne l'immédiat — savoir que la mort n'est pas dans l'avenir immédiat. D'un autre côté, savoir quand dire à l'enfant qu'il ne guérira pas demande un jugement clinique accompli, fondé sur un environnement hospitalier vraiment soucieux. Le danger d'une révélation trop hâtive (comme dans le cas de la leucémie) est qu'elle devienne un fardeau pour l'enfant et les parents et brise les relations normales. Une révélation trop tardive laisse l'enfant seul, aux prises avec cette connaissance. Il apprend inévitablement la vérité (voir Waechter)[2]. La question est donc de savoir comment et quand aider l'enfant à parler de la mort plutôt que, devrait-il y avoir un tel dialogue.

Il ne faut pas oublier la résistance des parents et du personnel qui s'exprime par la déformation des idées citées plus haut. On peut craindre, sans raison, que l'équipe de santé mentale recommande de dire à tous les enfants atteints de maladie mortelle, sans faire de distinction, qu'ils vont mourir. Si cette situation apparaît, c'est un indice que le personnel et les parents doivent recevoir plus d'aide et d'enseignement.

Les angoisses de chaque âge sont notées plus haut; on voit donc que la constance et le rapprochement physique des parents sont plus importants pour l'enfant de moins de 3 ans. En général, plus l'enfant connaît des relations constantes et continues avec ses parents, moins il souffrira d'anxiété. Pour les enfants de 3 à 6 ans, l'intimité garde toute son utilité, mais il faut parler de la maladie — dire qu'elle n'est pas reliée à de mauvaises actions, que l'amour ne dépend pas du comportement — afin de diminuer l'anxiété. Le maintien de l'ordre et de la discipline est aussi à la base de la constance.

Les enfants de 6 ans et plus seront rassurés si on leur explique ce qui leur arrivera, leur donnant l'assurance qu'ils ne souffriront pas

---

[2]Blake, F., Wright, F. et Waechter, E.: *Nursing Care of Children*, 8e éd. pp. 42-43. Philadelphia, J. B. Lippincott, 1970. (Voir aussi Waechter, E.: *Death Anxiety in Children with Fatal Illness*. Unpublished Doctoral Dissertation. Stanford University, 1968.)

ou très peu, que les surprises seront réduites au minimum et que certaines techniques peuvent être confiées à d'autres compétences académiques et athlétiques. Pour apaiser l'anxiété de l'adolescent, il faut insister davantage sur les réalisations actuelles, la continuité des relations avec ses pairs, réduire l'importance de la perfection physique, du développement de l'esprit, apprendre le souvenir, et peut-être, l'aide altruiste aux adultes qui trouvent la mort insupportable.

Il existe un problème particulier: l'enfant qui est gardé vivant par des moyens artificiels. Les parents peuvent d'abord consentir à conserver ainsi leur enfant vivant, mais plus tard, ils le regrettent. Quand ils demandent l'arrêt de ce traitement, le personnel devrait considérer cette demande dans le contexte de la famille; voir comment elle en souffre, émotionnellement et financièrement. Il doit exister, dans le service, des politiques particulières relatives à cette éventualité.

La culpabilité parentale peut être quelque peu allégée en transférant la responsabilité de la décision sur le processus impersonnel et inévitable de la maladie. Les parents devraient savoir que l'idée d'irréductibilité d'une maladie s'appuie sur le diagnostic scientifique et la probabilité, et non sur l'épuisement émotionnel des parents.

En dernier lieu, on doit revoir les parents afin de contrôler les effets résiduels produits sur eux-mêmes et sur les jeunes membres de la famille. Le personnel et le pédiatre peuvent inciter la famille à revenir afin de savoir comment elle s'est adaptée. On cherchera un processus de recouvrement pour que la famille retrouve ses habitudes de vie saines et ses défenses et pour qu'elle se remémore avec chaleur l'être aimé. D'un autre côté, le médecin devrait étudier sérieusement les réactions provoquées par la perte récente si les parents et les frères montrent des signes de: dépression non résolue, envie d'être malade, préoccupations morbides et un piètre fonctionnement au travail ou à l'école. Une évaluation psychiatrique est indiquée quand les réactions semblent intenses ou chroniques.

Mort et enfance

Enfant

	AVANT		PENDANT			APRÈS	
	Idées sur la mort	*Mort et phases de l'anxiété*	*Soudain*	*Aiguë*	*Chronique*	*Aiguë*	*Chronique*
0-5	abandon punition	peur de la perte d'amour		tentative d'éviter la douleur besoin d'amour	retrait séparation	colère envers M.D. besoin d'aide	remords soulagement et culpabilité
5-10	concept d'inévitabilité confusion	castration anxiété			anxiété	idéalisation excessive	
10-15	réalité	contrôle corporel et autres tâches de développement		culpabilité (méchant) régression négation	culpabilité (religieuse) régression négation	fantasmes de pertes	

Parents

AVANT			PENDANT			APRÈS		
Soudaine	*Aiguë*	*Chronique*	*Soudain*	*Aiguë*	*Chronique*	*Soudaine*		
	anxiété	deuil prématuré chagrin, culpabilité, formation de réactions et déplacements anticipés besoin d'information	refus de croire rage déplacée chagrin accéléré torpeur prolongée	dépression désespoir pour l'avenir	dépression désespoir anxiété colère	culpabilité deuil		
	préoccupations			préoccupations désespérées négation culpabilité	négation remords résurrection de l'amour			
	espoir							

Frères

0-5	réactions aux changements chez les parents (sentiments de perte d'amour et retrait)	
5-10	préoccupations re. leur implication craintifs pour eux-mêmes	1. réponse à la réaction des parents
10-15	en général peuvent aider	2. culpabilité du survivant

Personnel

anxiété
conspiration du silence

réaction: tactique de retrait:
1. corriger les déformations, *v.g.*, « Suis-je en sécurité? »; « Y aura-t-il quelqu'un avec moi? »; « M'aidera-t-on à me sentir mieux? »
2. réconforter les parents
3. favoriser l'espoir et promouvoir les sentiments de participation active
4. protéger la dignité du malade

soins aux survivants
l'autopsie demande du tact
information précise pour la disposition du corps; facturation différée

---

³De Lewis, M.: *Clinical Aspects of Child Development.* p. 198. Philadelphia, Lea & Febiger, 1971.

Chapitre 8

L'équipe de santé mentale à l'œuvre

Les résumés des cas suivants ne sont qu'une petite sélection parmi les quelques 500 enfants qui ont été portés à l'attention de l'équipe de santé mentale durant une année. Ce chapitre constitue un échantillonnage des difficultés typiques de l'adaptation. Chaque cas illustre l'approche par l'environnement et les habiletés d'arrière-plan décrites dans les autres chapitres. Les résultats spectaculaires immédiats chez plusieurs enfants étaient courants et constituaient un facteur important pour recueillir au sein du personnel nouveau un appui à ce programme. L'absence de complications dans les descriptions de cas est en partie dans l'intérêt d'un exposé clair. En fait, le plus souvent on arrivait, par négociations et compromis, à établir un plan de traitement. Cela devait toutefois être exécuté malgré la résistance de ceux qui paraissaient accepter le plan, mais chez qui persistait une opposition émotionnelle subtile. Le désaccord franc était toujours plus fécond parce qu'il permettait la clarification de la situation et le débat sain. Cela amenait souvent une entente dans laquelle une tentative de changement de l'environnement enseignait à chacun l'approche la plus efficace.

ANTOINE — HUIT MOIS

Défaut de développement

Mme C. était préoccupée parce qu'Antoine ne se développait pas aussi bien que ses 3 plus vieux enfants. Il n'était pas vigoureux, ne mangeait pas aussi bien, vomissait facilement et ne répondait pas favorablement à son environnement. En conséquence, sa mère éprouvait peu de plaisir à le soigner.

Un rapide coup d'œil confirma la description de Mme C. Antoine semblait souffrir d'un problème de nutrition ou de malabsorption. Une investigation consciencieuse fut faite, mais les résultats furent négatifs.

On considéra la possibilité d'une stimulation tactile et sensitive inadéquate. Par la suite, on bombarda Antoine de stimuli — musique, chant, bercement, caresses et beaucoup d'activité — mais rien ne changea chez lui. Un après-midi, cette atmosphère de cirque s'arrêta brusquement quand plusieurs membres du personnel virent ensemble Antoine et sa mère. Ils découvrirent que la mère croyait aussi à des interactions fortement stimulantes; elle le caressait, le chouchoutait, le brassait et le bousculait sans merci provoquant involontairement des vomissements. Cette fois-ci, son vomissement était rouge clair. Mme C., prise de panique, courut dans le corridor en criant pour obtenir de l'aide. Antoine criait aussi. Le chaos s'apaisa quand une des infirmières nota que l'enfant avait mangé des betteraves au dîner. Il fallut un moment pour calmer Mme C. qui continuait de craindre que le personnel la blâme d'avoir mal agi.

Ce fut une expérience valable. Le personnel fut convaincu qu'il ne s'agissait pas d'un cas d'hypo-stimulation — mais de mauvaise stimulation. Un compte rendu détaillé de la routine quotidienne d'Antoine a confirmé cette hypothèse. Il était nourri devant un appareil de télévision en compagnie de 3 jeunes enfants qui rivalisaient tous pour gagner l'attention de leur mère harassée.

Nous avons réussi à obtenir la coopération de Mme C. pour tenter une approche différente dans l'environnement hospitalier. Voici ce qui fut fait pour Antoine.

1. On le plaça dans une chambre calme de nourrissons.

2. On lui affecta une infirmière, et sa mère le nourrissait une fois par jour avec l'appui et la surveillance de l'infirmière. On assura Mme C. que ses techniques maternelles étaient très bonnes, mais que quelques bébés étaient plus sensibles et qu'il fallait agir plus délicatement avec eux.

3. Il reçut des stimulations tranquilles comme le bercement, la musique douce, les gestes doux, la lumière tamisée et des mobiles brillants. On demanda à son infirmière de répéter les sons qu'il émettait comme moyen de le récompenser et de l'encourager.

Les résultats furent spectaculaires. Antoine s'installa rapidement dans une routine. Il cessa de vomir, gagna du poids et souriait volontiers. Sans aucune persuasion de notre part, la mère déclara qu'elle pouvait trouver un endroit tranquille à la maison pour nourrir le bébé en même temps qu'elle procurait des activités aux autres enfants. On lui avait donné l'assurance qu'elle était une bonne mère et elle en était reconnaissante. Après son congé, Antoine fut suivi comme client externe. Il continuait à se développer et devint un garçon robuste qui donnait beaucoup de satisfaction à sa mère.

SERGE — HUIT MOIS

Rumination

Serge fut admis pour retard pondéral et rumination (il mastiquait et se gargarisait de nourriture partiellement digérée et vomissait par très petites quantités). Les examens ordinaires de l'hôpital eurent un résultat négatif.

On se réunit pour mettre en commun ce que chacun avait observé sur cet enfant. Les infirmières apprirent que pendant les premiers mois de sa vie, il dormait dans des locaux successifs temporaires et était soigné et nourri selon l'horaire de la mère qui était diseuse amateur. Une remarque faite au hasard, par la mère, au personnel, indiquait qu'elle percevait cet enfant comme un dérangement dans sa carrière. Le personnel rapporta aussi que Serge était incapable de soutenir un regard, qu'il arquait le dos et devenait rigide quand on le prenait, ramenait les doigts devant son visage et tournait la tête d'un côté à l'autre. On crut que l'enfant souffrait de privation maternelle. On affecta à ses soins, avec un minimum de contacts importuns, une infirmière par équipe de travail. On demanda à ses infirmières de répondre immédiatement à ses pleurs et d'ignorer la rumination. Les pleurs furent ainsi renforcés comme une méthode plus satisfaisante d'obtenir de l'attention et d'exprimer sa détresse. En 12 jours, les ruminations diminuèrent et Serge était capable de soutenir un regard pendant plusieurs secondes.

L'équipe médicale décida de procéder à d'autres sérieux examens afin de compter les calories absorbées qui ne se réflétaient pas sur la balance parce que les vomissements persistaient et que le gain de poids était minime. Les ruminations revinrent très fortes et le contact des yeux cessa quand les infirmières furent remplacées. Le personnel était inquiet car l'enfant continuait à perdre du poids malgré l'alimentation naso-gastrique.

On tint une autre conférence où le personnel exprima son désaccord sur la valeur des améliorations minimes du début et sur la technique d'alimentation pour assurer une nutrition adéquate. À contre-cœur et au milieu des rumeurs voulant que la recommandation d'une faible stimulation faite par le psychiatre signifiait effectivement une chambre d'isolement, on établit de nouveau un régime maternel. Serge fut placé dans une chambre calme; on lui affecta une infirmière par équipe de travail et on le protégea des brusques changements de lumière et de bruit.

Il a fallu plusieurs jours à l'enfant avant de commencer à se développer. Peu après, il fit un gain pondéral significatif, devint plus sociable et rumina rarement. Après plusieurs semaines, il commença à s'asseoir, à ramper et son développement progressa. Par la suite, il fut prêt à être placé dans une famille nourricière. La suite fut sans incident.

Lors d'une conférence ultérieure, la façon d'agir avec Serge et avec d'autres enfants présentant des symptômes similaires fut revue à la lumière des écrits de plus en plus nombreux sur le syndrome de défaut de développement. En conséquence, les médecins consentirent à accepter une approche plus souple pour le traitement de ces enfants. On planifia une rencontre à l'échelle départementale afin d'établir des politiques pour ces cas qui créent des obstacles et nécessitent une approche individualisée.

PHILIPPE — DEUX ANS ET DEMI

Reprise de croissance — physique, émotionnelle et intellectuelle — pendant l'hospitalisation

La mère de Philippe remarqua que la croissance de son fils s'était arrêtée après l'âge de 1½ an malgré qu'il mangeât beaucoup. Il fut admis pour des examens et pour observation, ce qui nécessita une longue hospitalisation. La séparation d'avec sa famille ne semblait causer aucun problème chez ce tout-petit; il fut immédiatement comme chez lui et recherchait des relations avec tous les membres du personnel.

Il était charmeur et, en peu de temps, tout le monde sollicitait son attention. Il agissait avec les gens de manière à obtenir des plaisirs et des privilèges interdits aux autres enfants. Quand on refusait ses demandes, il trouvait du personnel des autres étages pour exécuter ses ordres. Il avait des amis dans toutes les unités qui communiquaient avec la sienne. Ses tactiques réussissaient si bien qu'il devenait complètement indiscipliné. Ses accès de colère étaient alimentés et rien ne le contrôlait.

Au début, Philippe semblait préoccupé par la propreté. Il était bouleversé quand ses mains et ses vêtements étaient souillés; il était rigide dans ses habitudes alimentaires et devenait anxieux dès qu'il échappait ou touchait la nourriture. Il voulait que tout soit nettoyé sur le champ.

Philippe devint le sujet d'une conférence de nursing à cause de la souplesse prématurée de ses relations, sa trop grande préoccupation de la propreté et parce que ses parents ne le visitaient pas régulièrement. On mit en opération le plan suivant.

1. Affecter une infirmière comme premier substitut de la mère et un autre membre du personnel pour remplacer l'infirmière. Les autres ne devaient pas s'impliquer dans les soins de Philippe, mais le diriger

vers sa mère suppléante pour la satisfaction de ses besoins.

2. Ignorer ses accès de colère et ne pas renforcer son comportement en s'en occupant.

3. Envoyer Philippe régulièrement à la salle de jeux et le faire peindre avec ses doigts, s'amuser avec de l'argile, de l'eau et du savon.

4. Les substituts de la mère devaient (a) favoriser l'autonomie en protégeant les aptitudes déjà maîtrisées — toilettes, habillement, alimentation sans aide; (b) participer à des jeux, chanter et lire pour lui, lui enseigner des rimes et des mots nouveaux; (c) permettre le jeu dramatique en fonction des expériences de traitement, plus particulièrement le jeu des piqûres.

5. Inciter les parents à des visites régulières, à laisser des photographies de la famille et permettre à Philippe de téléphoner chez lui chaque jour.

6. Demander l'intervention des membres du Service social pour évaluer la situation au foyer et conseiller la mère.

7. Observer les relations de Philippe avec sa famille, lors des visites.

Au début, Philippe et le personnel regimbèrent contre la restriction des relations; pour certaines personnes, il était satisfaisant d'être les sauveteurs de Philippe. Pour Philippe, cette restriction signifiait la fin de son pouvoir de manipulation. Au début, il fallut une constante vigilance pour garantir l'adhésion au plan. Philippe a vite appris que ses besoins étaient satisfaits par 2 personnes. Comme ses relations avec elles se solidifiaient, il les préférait naturellement aux autres. Une fois ces relations établies, il fut facile de lui déterminer des limites parce que la désapprobation de ses infirmières spéciales était maintenant significative pour lui.

Les premières expériences de Philippe avec l'argile et l'eau lui causèrent quelques difficultés. Il vérifiait souvent les réactions de ceux qui l'entouraient. Il s'amusa beaucoup à ces activités, une fois qu'il fut convaincu que le personnel ne le punirait pas. Il était moins préoccupé par la malpropreté, mangeant souvent avec ses mains, et une fois, on le vit s'amuser avec ses fèces.

Encouragé et loué, Philippe conserva ses aptitudes antérieurement acquises. Il se montrait aussi très curieux, apprenait des jeux et des chansons et enrichissait rapidement son vocabulaire. Il aimait jouer au médecin avec sa poupée et démontrait une compréhension des techniques. Quand il eut trouvé d'autres moyens d'expression, ses accès de colère s'apaisèrent.

Il fut difficile de convaincre la mère de Philippe de le visiter parce qu'elle n'avait personne pour prendre soin des autres enfants. De plus, elle n'aimait pas visiter Philippe parce qu'il refusait d'aller à elle spontanément. Chaque fois qu'elle le visitait, elle réprouvait son apparence négligée, lui lavait les mains et arrangeait ses vêtements. Elle croyait que le personnel l'avait gâté et nous avons eu de la difficulté à la convaincre que personne ne voulait usurper son rôle maternel. Nous lui avons expliqué que Philippe, ne l'ayant pas vue depuis longtemps, réagissait ainsi pour lui exprimer sa colère. Elle consentit à téléphoner quotidiennement et accepta l'aide des membres du Service social.

Pendant la dernière période de son hospitalisation, Philippe commença à engraisser. Afin d'assurer son progrès, le personnel prit des mesures pour que les travailleurs sociaux assurent une surveillance étroite et il fit aussi des plans dans l'éventualité du placement dans un foyer nourricier si le travail-conseil avec les parents ne les influençait pas à mieux accepter l'enfant.

NICOLAS — TROIS ANS

Refus de dormir dans sa chambre

Le personnel de nuit nota que Nicolas n'avait pas dormi depuis 6 nuits. Il pleurait pour qu'on le sorte de sa chambre: parfois il appelait sa mère. Les médicaments ne l'aidaient pas à dormir. À quelques occasions, on le transporta à la salle de jour où il s'endormait rapidement sur une chaise ou dans un fauteuil. Le jour, Nicolas était chancelant et aimait se rouler en boule pour dormir comme un chat n'importe où, sauf dans son unité. Il était difficile de le garder dans sa chambre, sauf quand sa famille était présente. La plupart du temps, il fermait la porte et demeurait à l'extérieur, demandant à tout le monde de faire de même.

Ce comportement se manifesta après l'opération pour réparation d'hypospadias. Sa mère croyait qu'il s'agissait d'angoisse de séparation; Nicolas était, de façon évidente, beaucoup plus calme et coopératif en sa présence. Cette possibilité fut envisagée, mais ne justifiait pas son sommeil la nuit quand on le changeait de chambre. On supposa que les difficultés de Nicolas étaient peut-être reliées à l'association entre dormir dans son lit et aller à la salle d'opération. Il avait reçu sa médication préopératoire dans sa chambre et avait été transporté à la salle d'opération dans son lit.

On décida d'observer le jeu de Nicolas dans l'hôpital miniature. L'hôpital miniature fut utilisé comme moyen de diagnostic afin d'extérioriser le problème de l'enfant; on utilisa le jeu dramatique comme instrument thérapeutique pour soulager ses tensions et établir des frontières entre la réalité et le fantasme.

Dans la première séance, il évacua toutes les poupées malades et

les meubles des chambres; il plaça les poupées au poste des infirmières, dans le coffre à jouets et en dehors du secteur de l'hôpital.
Quand on lui demanda ce que faisaient les poupées à ces endroits,
il répondit qu'elles dormaient. Quand on lui demanda: « Pourquoi
là? », il répondit que c'était mieux ainsi. Nous lui demandâmes ce
qui arrivait aux garçons et aux filles quand ils demeuraient dans
leurs chambres. Il répondit que des feux survenaient là et il étiqueta
alors les salles d'anesthésie et de traitement comme étant aussi des
secteurs à incendie.

Cet épisode nous permit de lui indiquer souvent où se trouvaient
les chambres présentant un danger d'incendie (salles d'anesthésie
et de traitement). Nous lui avons expliqué qu'il n'y avait aucun danger
de feu dans les chambres et que c'était un endroit sûr pour dormir.
Nous avons établi la distinction entre le sommeil de la nuit et le sommeil provoqué par les drogues. Nicolas mit brusquement fin à son
jeu expliquant qu'il n'aimait pas jouer parce que cela faisait des feux.
Quand on lui demanda où se trouvaient les feux, il saisit son pénis.
On invita le personnel et la mère, qui était une participante intéressée,
à renforcer les explications données pendant le jour. Après la première séance, on ne nota aucun changement dans le comportement de
Nicolas. Cependant, il était encore intéressé à jouer dans l'hôpital
miniature. Les mêmes thèmes dominèrent essentiellement pendant la
seconde séance; i.e. retirer les lits et les poupées des chambres de
« bobo ». À cette occasion, on lui demanda ce qui avait amené les
petits garçons à l'hôpital. Il donna une réponse rapide: « parce qu'ils
faisaient pipi dans leurs culottes et touchaient leur pénis ». En conséquence, comme antérieurement, le personnel saisit l'occasion pour
faire ressortir la réalité.

Cette fois, la séance se termina différemment. Avant de quitter la
salle de jeux, Nicolas replaça les poupées et les lits dans les chambres.
Par la suite, son problème de sommeil disparut et nous sûmes qu'il
comprenait nos explications.

Cependant, nous avons eu plus tard un autre motif de préoccupation. Juste avant le congé de Nicolas, on décida de lui enlever, sous
anesthésie, des sutures profondes. Nous avons pris des précautions
afin d'éviter la récurrence du problème ancien. Cette fois, on l'amena
à la salle de traitement pour lui administrer sa médication et il fut
transporté à la salle d'opération sur une civière. Cette méthode s'avé-
ra la meilleure puisqu'il n'y eut plus de difficulté.

Le soulagement éprouvé par Nicolas pourrait n'être que temporaire
en raison du mode de penser égocentrique de cet âge. Ses parents
furent encouragés à renforcer la réalité en gardant ouvert à la discussion le sujet de l'hospitalisation et du traitement et en l'assurant qu'il
n'était pas responsable de son état.

JACQUES — QUATRE ANS

Souffrait d'une dépression aiguë

Jacques fut hospitalisé pour réparation d'une malformation du thorax. Il contracta, après l'opération, une infection à staphylocoques et fut isolé pendant 2 semaines; il recevait une médication intramusculaire toutes les 6 heures.

Après la période d'isolement, une sérieuse dépression le porta à l'attention de la consultante en santé mentale. Elle constata que Jacques n'avait pas été préparé à l'hospitalisation. Les parents semblaient accablés par cette épreuve et tentaient de cacher l'information à leur fils afin de le protéger. Comme réaction, Jacques se retirait de toutes les activités, évitait la compagnie de ses parents et vomissait souvent quand ses parents le nourrissaient de force.

Sur la base des informations fournies lors d'une conférence d'équipe, le plan suivant fut élaboré.

1. Lui affecter d'une manière conséquente un personnel infirmier.

2. Déterminer comment Jacques comprenait son hospitalisation et le traitement et clarifier les malentendus; communiquer avec lui en se servant de dessins et l'encourager à exprimer ses sentiments en reproduisant les traitements sur son ourson.

3. Tenter de résoudre l'angoisse de séparation en (a) incitant ses parents à le visiter régulièrement; (b) permettant à Jacques de téléphoner à sa famille quotidiennement; (c) demandant aux parents d'apporter des photographies de la famille et (d) lui parlant en des termes de retour prochain à la maison.

4. Expliquer aux parents la nécessité de donner des explications à l'enfant et de le visiter régulièrement afin de conserver la confiance de l'enfant.

5. Gagner la coopération des parents afin qu'ils considèrent le problème d'alimentation avec moins d'emphase.

Au début, Jacques ne parlait à personne; il n'était donc pas possible d'élucider sa compréhension de ce qui lui était arrivé. Son infirmière expliqua plutôt à l'ourson, qui jouait le rôle du malade, la nature de l'opération et les sortes d'examens et d'interventions que Jacques avait lui-même subis. Elle donna à l'ourson sa première injection et le fit protester très fort et demander une bonne explication pour la piqûre douloureuse. Par la suite, Jacques donna aussi des injections, mais resta silencieux jusqu'à ce qu'il reçût lui-même une autre injection intramusculaire. Les premiers mots qu'il lança à l'infirmière furent: « Maintenant, tu me mets vraiment en colère ».

On laissa du matériel non dangereux, comme des seringues sans aiguille, des pansements et des diachylons, près de son lit, pour qu'il pût jouer à loisir. Une fois, il attacha l'ourson sur le côté du lit et expliqua que l'ourson était puni pour n'avoir pas mangé. Quand on lui demanda pourquoi il ne mangeait pas, Jacques répliqua: « Teddy ne mange pas parce qu'il se sent étouffé ».

Peu après, Jacques nous disait combien sa mère lui manquait, bien qu'il continuât d'ignorer sa présence quand elle le visitait. Sa mère croyait qu'il n'avait pas besoin d'elle et décida de cesser tout-à-fait les visites. Quand elle expliqua ce sentiment à l'infirmière de Jacques, cette dernière saisit l'occasion pour expliquer le comportement de l'enfant. Elle expliqua que le comportement de Jacques était une mannière de représailles envers ce qu'il percevait comme un abandon de la part de sa mère (en fait, il n'est pas rare que les jeunes enfants réagissent de cette manière). On lui répéta que l'enfant la demandait souvent et que personne ne pouvait la remplacer adéquatement.

Comme conséquence de cette discussion, un modèle régulier de visites fut établi et d'autres mesures furent prises pour alléger l'angoisse de séparation d'avec la mère. On fit participer les parents à l'enseignement de Jacques et on les incita à le renforcer. Ils consentaient à s'éloigner au moment des repas parce qu'ils étaient incapables de s'empêcher de le forcer à manger.

En 2 jours, les vomissements de Jacques cessèrent, même lorsque les parents l'incitaient à manger (en dehors des repas). Il commençait à parler aux autres enfants et était capable de protester verbalement contre ce qu'il considérait comme un traitement « étouffant ».

Le personnel était enchanté de son comportement et ne croyait pas que les parents le seraient moins. Apparemment, ses parents ne considéraient pas la manifestation d'expression de l'enfant comme une chose dont on peut tirer avantage. Lors de la conférence du personnel, nous avons discuté des motifs de l'attitude hostile des parents envers ce que nous appelions l'amélioration de Jacques. Nous avions pris pour acquis que l'ancien comportement de Jacques représentait un problème pour les parents, quand effectivement, ce n'était pas le cas. Après un examen rétrospectif, personne ne se souvenait avoir entendu les parents exprimer quelque préoccupation. Nous étions d'accord qu'il n'y avait pas eu suffisamment de travail fait auprès des parents afin d'étudier leurs idées et leurs sentiments à l'égard de ce qui se passait. Nous n'avions pas considéré adéquatement la croyance de la mère voulant que Jacques n'ait plus besoin d'elle. Cela signifiait probablement pour elle qu'elle n'avait plus de fonction et que le personnel pouvait faire mieux qu'elle.

L'évaluation psychiatrique de la mère constitue la meilleure recommandation pour ce genre de problème. Nos relations avec la famille auraient-elles été meilleures, cela aurait pu être possible. Dans les circonstances, cependant, nous ne pouvions pas espérer que le comportement de Jacques persiste après son congé.

ROBINSON — CINQ ANS

Extériorisait son fantasme de castration

Non circonscis alors qu'il était bébé, Robinson, âgé de 5 ans, fut admis pour l'intervention chirurgicale élective, à la demande de son père, afin de corriger la situation.

On expliqua à Robinson que l'intervention consistait à enlever le prépuce et que, par la suite, son pénis serait douloureux, mais intact. Toutefois, il n'était pas un candidat facile; avant l'opération, il était hyperactif et peu coopératif.

Après l'opération, Robinson était agité et pleurait beaucoup. On le vit, en plusieurs occasions, assis sur le bord d'une chaise, dans le corridor, relevant son vêtement pour exhiber son pénis au personnel qui circulait. Chaque fois, on lui répéta que son pénis semblait douloureux, mais qu'il était intact et qu'avant longtemps il s'apercevrait aussi qu'il était mieux. Au début, on l'incita à réparer des jouets brisés (jeu de reconstitution) et ensuite à se servir de seringues et de pistolets à eau pour représenter le plaisir de la fonction du pénis. Avec ce régime, il s'améliorait et le personnel était grandement soulagé. Cependant, peu avant son congé, Robinson était à côté de son lit et examinait son pénis quand, par hasard, une visiteuse s'approcha de lui. Elle réagit nerveusement — appelant une infirmière afin qu'elle voit ce qui était arrivé au pauvre enfant. La réaction de Robinson fut encore plus intense. Il commença à hurler comme un animal blessé et était inconsolable. Peu après, on l'aperçut portant la robe d'une fille. On lui confirma plusieurs fois que son pénis était intact et qu'il était toujours un garçon. Le personnel fut unanime à recommander un traitement plus suivi. Il fut transféré en psychiatrie infantile dans le service externe.

Quoique la réaction de cet enfant fût plus longue et plus intense que d'ordinaire, ce n'est pas atypique chez les enfants de 3 à 6 ans; les préoccupations de mutilation et de castration prédominent à cet âge. De façon idéale, l'étape du développement émotionnel constitue un des critères de sélection des malades pour une opération élective. Le personnel peut affirmer qu'un enfant, quel que soit son âge, aura des peurs de castration provoquées par les interventions impliquant les organes génitaux.

Robinson, pour sa part, était prédisposé au problème. À une période vulnérable de sa vie, il devait subir une intervention chirurgicale dans une région fortement symbolique de son corps où il n'y avait aucun défaut apparent. Les motifs invoqués par les parents pour une circoncision à ce moment particulier et les facteurs qui prédisposaient l'enfant à une perturbation grave n'étaient pas clairs. Le plan de soins élaboré pour cet enfant impliquait: (a) une explication minutieuse de l'opération et des événements qui y sont reliés, (b) une affirmation souvent répétée de la réalité de son pénis intact, (c) l'utilisation du jeu de reconstitution et (d) des soins psychiatriques suivis.

ALEXIS — CINQ ANS

Démontrait de la privation et des sentiments de culpabilité

Alexis était un garçon de 5 ans dont la mère était morte 3 mois avant son hospitalisation pour la correction d'une malformation congénitale du pénis (hypospadias). Il se cramponnait à toutes les infirmières qui venaient près de son lit, pleurait et pleurnichait continuellement. Malgré cela, tout le personnel le trouvait aimable et lui était sympathique. À un interne en particulier, il parla de sa mère et à quel point elle lui manquait. Cependant, sa conversation manquait de logique, il s'arrêtait souvent au milieu d'une phrase ou changeait de sujet.

Lors d'une conférence du personnel, on conclut qu'un garçon de cet âge, ayant déjà subi 2 épreuves angoissantes (perte de sa mère et chirurgie), pourrait tenter d'établir un lien entre ces deux épreuves. Le personnel croyait qu'il devait verbaliser ses pensées sur la mort de sa mère, s'il se croyait responsable de sa mort ou s'il comprenait l'hospitalisation et l'opération comme des preuves de sa méchanceté et une punition pour la mort de sa mère et pour ses mauvaises actions. On nomma une personne pour s'occuper d'Alexis, lui parler et lui faire exprimer ses pensées par le jeu: sur sa propre mortalité et sur le fait que sa mère ne l'aurait peut-être pas abandonné s'il avait été plus aimable.

Malheureusement, Alexis eut son congé avant qu'on pût exécuter le plan. Lors d'une visite à la clinique externe de chirurgie, on remarqua qu'Alexis était déprimé, plus taciturne et qu'il refusait de fréquenter l'école. À ce moment, l'infirmière en santé mentale repassa la plupart des questions qui avaient été discutées lors de la conférence. Alexis devint tout de suite plus loquace et d'humeur plus gaie. La tante d'Alexis fut informée de la conférence et on lui demanda de renforcer la confiance d'Alexis en lui disant, chaque fois que l'occasion se présentait, combien sa mère l'aimait, que les mauvaises manières n'entraînaient pas de conséquences horribles, qu'il était peu probable qu'il meurt et que sa mère serait heureuse qu'il puisse exprimer ses préoccupations. On lui donna une photographie de sa mère et une carte de l'hôpital sur laquelle étaient inscrits les noms des membres du personnel qu'il pouvait rencontrer dans les prochains mois.

RUTH — CINQ ANS

Faisait des cauchemars après la chirurgie cardiaque

Ruth était une enfant docile et coopérative. Elle avait participé à la préparation élaborée recommandée pour la chirurgie cardiaque et avait paru supporter remarquablement bien la tension.

Après l'opération, Ruth fit un séjour de 48 heures aux soins intensifs; ses problèmes ne se manifestèrent que lorsqu'elle revint à sa chambre. Sa mère, qui restait continuellement avec elle, rapporta que Ruth faisait de si terribles cauchemars qu'elle luttait contre le sommeil. Le réconfort habituellement prodigué, comme lui dire que les rêves ne sont pas vrais et laisser une veilleuse ainsi que la présence de sa mère ne furent d'aucun secours. Les somnifères furent essayés sans succès.

Le jour, Ruth était irritable, accapareuse et non coopérative. Sa mère était inquiète et demanda conseil aux infirmières.

Il n'y avait aucun doute que Ruth réagissait à l'épreuve qu'elle avait subie et essayait de résoudre ses expériences pendant son sommeil. Il fallait l'aider à maîtriser le problème durant le jour. On aide habituellement les enfants à faire face à l'hospitalisation en leur permettant de reconstituer leurs expériences à travers le jeu dramatique, mais Ruth rejeta complètement cette méthode. Elle refusait tout contact avec ses poupées sur lesquelles elle avait si volontiers pratiqué ces interventions qu'elle devait elle-même subir. C'était une approche trop directe pour elle. Le personnel utilisa plutôt une méthode que Ruth pouvait supporter et qui mettait aussi à profit les talents artistiques de sa mère.

Nous évitions les mots et le jeu qui concernaient directement Ruth. Nous avons plutôt détourné l'attention vers un personnage fictif, nommé Évelyne, qui devait être admis en pédiatrie pour une opération thoracique. Ruth et sa mère s'occupèrent elles-mêmes à préparer un livret sur les choses qu'Évelyne devait savoir — les personnes qu'elle rencontrerait, les interventions qu'elle subirait et les activités amusantes auxquelles elle participerait. En plus, les autres enfants de l'unité furent distingués comme des malades ayant des épreuves semblables ou différentes de celle d'Évelyne, et leurs réactions furent discutées ouvertement. Par la suite, Ruth put s'identifier avec Évelyne et parler d'elle-même et d'Évelyne indifféremment. Après cela, elle n'eut aucune difficulté à jouer avec ses poupées — insérant et retirant les tubes pectoraux, les perfusions, les pansements et donnant nombre d'injections — dans les rôles appropriés, parfois celui du médecin ou de l'infirmière et parfois dans le rôle de la victime. En 2 jours, les cauchemars disparurent. La convalescence se poursuivit de façon satisfaisante. On encouragea la mère à continuer les activités de jeu après le congé.

Le plan de soins était orienté de façon à aider cette enfant à surmonter les épreuves traumatiques en les rendant conscientes. Cela impliquait: (a) rappeler les événements et alléger son anxiété en utilisant des méthodes indirectes (*i.e.*, substitution de personnages fictifs et d'autres enfants comme sujets); (b) faire passer les expériences passives en expériences actives afin de les maîtriser et de donner des significations successives aux événements réels; (c) utiliser sa mère comme thérapeute parce qu'elle est la personne la plus digne de confiance dans sa vie; et, (d) encourager l'expression des sentiments et la reconstitution des événements à travers le jeu après l'hospitalisation.

VALÉRIE — CINQ ANS

Une championne en manipulation

Bien que Valérie nous arrivât avec une variété de problèmes de comportement en plus de sa maladie rénale, rien ne provoquait davantage de réactions de la part du personnel hospitalier que son refus de manger aux repas. En peu de temps, elle s'arrangea pour capter l'attention des personnes de plusieurs unités différentes — médecins, infirmières, diététiciennes, personnel du ménage et de la buanderie et les différents visiteurs. Elle était si sympathique — gentille, petite, malade et délaissée par sa mère. Chacun voulait la dédommager en lui donnant tout ce qu'elle voulait. Il semblait y avoir autant d'idées pour résoudre le problème qu'il y avait de personnes impliquées. Elle était séduite, priée, cajolée et punie inutilement. Valérie n'avait jamais eu autant d'attention et elle n'était pas prête à abandonner.

Après quelques semaines de lutte, il était évident que Valérie ne mangeait pas mieux et était visiblement amaigrie. L'infirmière-chef décida de mettre fin à tous les remèdes personnels et demanda l'intervention de l'équipe de santé mentale. Malgré la désapprobation de quelques membres du personnel, la consultante en santé mentale décida de suspendre toutes les satisfactions que Valérie recevait et de leur substituer d'autres plaisirs. Le plan suivant fut adopté.

1. Lui servir de petites portions, sans commentaires; éviter de la féliciter lorsqu'elle mangeait ou de la gronder parce qu'elle ne man-

geait pas; lui retirer son cabaret à l'heure habituelle.

2. Lui offrir une collation comme aux autres enfants et rien de plus.

3. Lui affecter une personne comme figure maternelle conséquente.

4. Organiser des activités plaisantes à l'intérieur et à l'extérieur du milieu hospitalier.

Notre but était d'amener Valérie à manger parce qu'elle avait faim et non pour plaire à quiconque. Nous voulions aussi qu'elle cesse d'utiliser l'heure des repas à titre de représailles ou pour exprimer sa colère. Nous devions lui montrer que ses habitudes alimentaires ne nous dérangeaient en aucune façon.

Ce ne fut pas facile. Quelques membres du personnel pensaient que c'était un plan sadique: une forme d'inanition. Quelques personnes lui glissaient des friandises juste avant les repas. Il fallut quelques jours avant que tous, y compris les visiteurs, comprennent ce qu'on exigeait d'eux.

Vaillamment, Valérie tint le coup pendant 10 jours. Il lui était difficile de croire ce qui lui arrivait. Elle était abasourdie par les petites quantités de nourriture et le manque d'intérêt apparent pour ses bouffonneries. À plusieurs occasions, elle réclama différentes sortes de nourriture et fut ignorée; elle renversa son cabaret et fut renvoyée de la salle à manger; elle déclara qu'elle mangerait si on la faisait manger, mais personne ne voulut la faire manger.

Quand toutes les tactiques de Valérie furent contrecarrées et toutes les sources illégales de nourriture coupées, elle capitula. Elle mangeait avec voracité. Il fut difficile d'empêcher le personnel de la louanger.

Peu après, Valérie retirait beaucoup de joie de ses promenades et de l'attention concentrée d'une infirmière. Le problème d'alimentation était disparu, sauf quand un nouveau membre du personnel arrivait sur l'étage. Elle tentait alors de le manipuler en refusant de manger, mais cela ne réussissait pas. Le personnel était enfin unanime sur cette question.

FRANCE — SEPT ANS, ANITA — SEPT ANS, BARBARA — CINQ ANS

Réaction à la mort de Geneviève

France, Anita et Barbara formaient un groupe très uni. Elles partageaient la même chambre depuis plusieurs mois et réagissaient ensemble comme des sœurs querelleuses. Les deux choses qu'elles détenaient en commun étaient une maladie chronique, débilitante et (à l'exception d'Anita) l'abandon virtuel par leurs familles. Malheureusement pour elles, les congés n'étaient pas possibles, même pendant les courtes périodes de rémission.

Une crise grave se déclara chez ces enfants et au sein du personnel pédiatrique quand l'état de Geneviève se détériora inopinément exigeant son transport à l'unité des soins intensifs. France fut la première à réagir par une forte dépression. Elle se retira des adultes et du groupe, se bouchant les oreilles à toute mention de Geneviève. Le personnel tenta de garder le sujet ouvert à la discussion en informant les enfants du cours des événements, mais France persista dans son silence et son immobilité. Après consultation, on décida de tenter une nouvelle approche. On prit pour acquis que France se sentait coupable de ce qui se produisait parce qu'elle était la plus agressive des amies de Geneviève et qu'on les avait souvent vues se disputer ce qu'elles possédaient.

On recommanda à son infirmière de lui parler, pendant les soins de la matinée, des réactions du personnel et des autres enfants devant l'état grave de Geneviève: «Nous sommes très inquiets au sujet de Geneviève — plus que jamais. Nous ne savons pas si elle se rétablira; nous l'espérons, mais il est trop tôt pour le dire. Quelques infirmières et médecins se rappellent maintenant qu'ils étaient très fâchés contre elle l'autre jour. Très souvent, ils l'ont grondée et punie pour avoir pris des choses qui ne lui appartenaient pas. Tu sais comment elle se comporte; cela irrite les gens parce qu'une enfant de 8 ans devrait avoir une meilleure conduite. Mais comme l'a dit une infirmière: ‹C'est une bonne chose que nous ne puissions pas rendre les enfants malades en se mettant en colère et en leur souhaitant du mal, ce serait affreux pour nous si nous croyions avoir provoqué la maladie de Geneviève›. Des enfants que j'ai connus pensaient qu'ils pouvaient faire survenir des choses en le souhaitant; mais ils ont appris que c'était l'impossible. Les désirs ne sont pas des actes ». France répondit: « Oui? » avec un large sourire. Des variations sur le même thème furent aussi appliquées par d'autres membres du personnel. France redevint ce qu'elle était auparavant.

L'obstacle suivant survint après la mort de Geneviève. Les enfants et les parents discutaient ensemble. Plusieurs fantasmes furent mis en lumière. Barbara pensait que Geneviève avait été punie pour avoir été méchante; Anita blâmait le diable; France dit que Geneviève était morte parce qu'elle refusait de manger; un autre enfant croyait qu'elle était morte parce que sa mère ne l'aimait pas. Nous avons consacré beaucoup de temps à rétablir les faits pour ces enfants. Nous avons mis l'accent sur la maladie rénale congénitale de Geneviève. Nous avons expliqué qu'elle avait un problème que personne d'autre dans l'unité n'avait; que les médecins avaient beaucoup travaillé pour la guérir; et que, heureusement, nous savions comment aider tous les autres enfants. En plus, nous avons parlé de Geneviève, notant qu'elle était une bonne amie, même si parfois nous étions en colère contre elle, et que nous étions tristes de ne plus la voir.

Pendant les jours qui suivirent, nous avons eu d'autres occasions de faire ressortir la réalité. Quand le lit de Geneviève fut replacé dans l'unité, Anita fut la première à parler: « Le diable l'a eue et tu es la suivante France ». On dut travailler très fort avant qu'Anita puisse comprendre que le personnel ne croyait pas à l'intervention du diable, pas plus qu'il n'était de connivence avec lui. Anita échangeait un fantasme contre un autre. Dans les jours qui suivirent, elle commença à manger en grande quantité; c'était un changement radical d'avec ses habitudes normales. On découvrit que la mère d'Anita était préoccupée par son manque d'appétit et lui avait dit que Geneviève était morte d'inanition.

France extériorisait la plupart de ses sentiments à travers les jeux de marionnettes et la peinture. Dans le jeu de marionnettes, elle cherchait des poupées manquantes; elle peignait des tableaux où les personnes s'interrogeaient sur les personnes égarées. Ces situations nous procuraient des occasions supplémentaires de la réconforter.

Barbara réagit en pleurant beaucoup, surtout la nuit. Une fois, elle fut déménagée dans le corridor afin qu'elle ne dérangeât pas les autres enfants. France crut que Barbara était conduite à l'unité des soins intensifs. Heureusement, le personnel de nuit était au courant du plan de traitement et comprit le problème. Il put alors continuer le régime de jour.

Ce fut une période difficile pour les infirmières de même que pour les résidents en pédiatrie. En plus de soutenir les réactions des enfants, ils avaient de la difficulté à supporter leurs propres sentiments. La mort de Geneviève provoqua beaucoup de tension au sein du personnel. Il y eut un mouvement sourd de blâme qui, au début, était subtil; cependant, à mesure que les jours s'écoulaient, les infirmières firent des remarques carrément hostiles qui indiquaient qu'elles croyaient que Geneviève avait été soignée de manière incompétente. Sur la défensive, les médecins accusèrent les infirmières de surimplication et de subjectivité. La tension ressentie par plusieurs devint le sujet d'une conférence médecins-infirmières. En conséquence, les doutes et les antagonismes concernant les soins médicaux furent dissipés parce qu'ils n'étaient pas fondés sur les faits. La révision du dossier indiquait que des mesures héroïques avaient été prises en faveur de Geneviève. Quand les membres du personnel purent voir que la déformation de leur pensée était une réaction à la peine et à la perte, ils redevinrent amicaux les uns envers les autres.

Les enfants se replacèrent aussi. Quelques jours plus tard, elles accueillaient une autre enfant dans leur groupe. Le jeu continua et elles purent parler de Geneviève avec chaleur et vivacité.

GERMAIN — SEPT ANS

Épisodes postopératoires violents

Germain accepta avec sérénité son hospitalisation pour une greffe de la jambe; mais il exprimait quelque préoccupation au sujet du masque à anesthésie qui l'avait effrayé dans le passé. Il avait été hospitalisé auparavant pour des interventions chirurgicales multiples et pour la correction d'une ptose de la paupière. Toutes ces interventions s'étaient avérées des échecs.

Dans la préparation opératoire de Germain, les facteurs physiques et psychologiques furent considérés. On utilisa beaucoup le jeu dramatique en mettant l'emphase sur l'anesthésie. Il semblait comprendre ce qui devait se produire.

Le lendemain de l'opération, une situation d'urgence apparut au sujet de Germain. Il accusait les infirmières et les médecins de lui avoir menti — d'avoir prétendu faire une greffe de sa jambe quand en réalité ils avaient fait quelque chose d'autre. Il tentait de retirer les pansements compressifs, les attelles et les perfusions; il lançait son bassin de lit et son urinal sur les aides et réussissait effectivement à déménager des pièces d'équipement dans différentes parties de la chambre tout en restant dans son lit. Il terrorisait les enfants et le personnel sans trop de difficulté. Dans l'agitation immédiate, on dit à Germain que sa colère était évidente à la façon dont il avait réagi et à ce qu'il avait fait. Comme il n'avait pas pu, sans raison, être destructeur, tout le monde voulait savoir pourquoi il était en colère. Il était clair que Germain était mal à l'aise au sujet de ce qui venait de lui arriver parce qu'il avait bandé les deux yeux de la poupée utilisée dans l'enseignement préopératoire. De plus, le personnel remarqua que son apparence postopératoire était très différente de ce qui avait été prévu. Une attelle et un bandage compressif furent appliqués inopinément afin de prévenir la détérioration de la région opératoire.

On lui rappela ce qui lui avait été dit avant l'opération et que ses attentes étaient différentes; que parfois les garçons et les filles étaient confus, après l'opération, quand les choses ne leur étaient pas familières. On lui assura que personne ne lui avait menti, mais plutôt qu'on n'avait pas prévu correctement son aspect postopératoire et qu'on le regrettait. On l'invita à poser des questions sur ce qu'il voulait savoir. Il répondit en exposant ses parties génitales et attendit une réaction. On lui répondit que tout était bien et que sa jambe était le seul endroit où il avait été opéré. Rassuré, Germain sauta hors de son lit dans la chaise roulante, sans aide, et déclara qu'il s'en allait à la salle de jeux.

Plus tard, lors d'une conférence, le personnel discuta des indices que Germain avait donnés avant l'opération et qui annonçaient ses difficultés. On établit un plan de soins pour l'avenir.

1. Lui affecter une infirmière de manière conséquente.

2. Lui répéter tout l'enseignement préopératoire, incluant les changements; utiliser le jeu dramatique, si nécessaire, pour communiquer avec lui; confirmer la région opératoire parce que les enfants de 3 à 6 ans craignent les blessures dans la région génitale.

3. Lui montrer que le personnel n'a pas peur de lui; lui faire savoir que nous pouvons l'arrêter s'il perd contrôle.

4. Demander une évaluation psychiatrique et une médication.

Avec la médication, Germain fut coopératif pendant 2 jours. Cependant, il y eut un violent épisode provoqué par un désaccord avec un visiteur; cette fois, il lançait les meubles. Le personnel et les malades s'enfuirent et plusieurs mères se barricadèrent dans une chambre. L'atmosphère était chaotique.

Cette fois, le personnel approcha Germain en lui disant que la loi (la consultante en santé mentale) était là pour voir à ce qu'il ne se blesse pas et qu'il ne blesse personne. Heureusement, il ne fut pas nécessaire d'utiliser la contrainte physique, il cessa immédiatement ses activités et s'en alla doucement vers un bureau voisin. Rendu là, il raconta ses fantasmes de persécution à la consultante en santé mentale — comment les gens essayaient de lui faire mal, particulièrement par l'opération. On profita de l'occasion pour étudier les raisons de ses croyances et pour rétablir les faits réels.

Il était important de montrer à cet enfant que les gens n'en avaient pas peur, et que les autres étaient sous contrôle. En le confrontant avec la loi, il y avait maintenant des contrôles extérieurs pour remplacer ses faibles contrôles intérieurs. En lui demandant de justifier ses fantasmes de persécution, ces derniers purent être dissipés et les événements de l'hospitalisation purent lui être expliqués.

Cependant, toutes ces mesures étaient des palliatifs. Germain avait besoin d'un traitement à long terme. Des dispositions furent prises afin qu'il soit vu comme malade externe en psychothérapie et pour que la travailleuse sociale s'occupe de la mère.

RENÉ — HUIT ANS

Réaction d'anxiété à un changement dans ses rapports avec ses parents

À son admission, le personnel médical croyait que René souffrait de pneumonie, mais des recherches plus poussées leur démontrèrent que son état était plus grave. Les conclusions suggéraient fortement une tumeur maligne du poumon.

Les parents furent informés de cette possibilité et on leur présenta un projet d'investigation .plus élaborée et l'éventualité de la chirurgie et des radiations. Ils furent complètement abasourdis en apprenant cela et perdirent leur sang-froid. Ils étaient incapables de cacher leur réaction en présence de leur fils. Les parents vivaient dans l'anticipation d'un deuil et ne tentaient pas de le cacher ni d'offrir à René une explication de leur comportement, lequel était excessif, considérant ce que l'enfant comprenait de sa maladie. Au lieu de cela, ils firent venir, de différents endroits éloignés, leur nombreuse famille. La parenté se rassembla et visitait l'enfant, lui apportant des cadeaux coûteux. René s'affola et fit appel à son infirmière pour avertir tout le monde qu'il n'était pas assez malade pour justifier toutes ces cérémonies.

Le personnel tenta d'intervenir, mais sans succès. Une conférence fut organisée afin de déterminer comment nous pourrions aider cette famille. Le projet suivant fut élaboré.

1. Affecter une infirmière pour soutenir les parents et les inciter à exprimer leurs sentiments envers l'hospitalisation de René et le diagnostic.

2. Expliquer à la famille comment son comportement affectait René et comment sa négation des perceptions de l'enfant ne pouvait que contribuer à le confondre et à l'alarmer.

3. Restreindre le nombre des visiteurs et les cadeaux et réinstaurer les anciennes mesures disciplinaires.

Après une série d'entrevues avec les infirmières, les parents purent examiner leurs réactions devant les événements. Ils se blâmèrent pour l'état de l'enfant — pour n'avoir pas insisté sur des examens plus complets quand René avait été hospitalisé antérieurement avec un diagnostic de pneumonie. Ils croyaient que s'ils avaient été plus avisés, leur enfant aurait pu être traité plus tôt. On leur fit remarquer que la responsabilité du diagnostic ne reposait pas sur eux, et que, vraisemblablement, l'éventualité de malignité n'aurait pas pu être considérée plus tôt par quelque médecin que ce soit. Le personnel médical avait suffisamment d'influence sur les parents pour transmettre cette information.

Les parents de René purent montrer une attitude plus normale en sa présence parce qu'ils pouvaient discuter de leurs sentiments en dehors de sa chambre. Ils lui expliquèrent qu'il leur était pénible de le voir souffrir et qu'ils avaient probablement réagi de manière exagérée. Le plus important était qu'ils pouvaient de nouveau communiquer avec lui. Subséquemment, ils purent aider à le préparer à d'autres examens et à l'opération et lui apporter le réconfort dont il avait besoin. La confusion et l'anxiété de René diminuèrent de façon appréciable et il put supporter son épreuve avec un courage remarquable quand il constata que ses parents le soutenaient et que ses relations familiales les plus importantes seraient maintenues comme d'habitude.

CATHERINE — HUIT ANS

Fut récompensée pour son comportement positif

Personne ne pouvait douter que Catherine fût malade au moment de son admission pour le traitement de l'arthrite rhumatoïde et de complications causées par les médicaments. Elle ne pouvait pas marcher et vomissait souvent. On dut utiliser la thérapie intraveineuse pour rétablir l'équilibre électrolytique et une hydratation adéquate. Malgré la gravité de son état, le personnel montrait peu de compassion pour cette misérable enfant. Il était difficile d'ignorer son apparence et son comportement: elle criait pour attirer l'attention de sa mère et des infirmières, refusait de manger et de coopérer à ses traitements, vomissait ses médicaments à volonté et accusait le personnel de la faire souffrir délibérément; et, malheureusement, les effets secondaires d'une thérapie médicale prolongée avaient déformé son visage et son corps de manière grotesque.

Quoique son traitement physique représentât un défi pour chacun, l'aspect émotionnel de sa maladie occasionna encore plus de difficulté. Une approche comportant plusieurs aspects était nécessaire. Lors d'une conférence, on traça le plan suivant.

1. Récompenser le comportement positif (quand elle parlait sur un ton normal, quand elle ne vomissait pas et qu'elle manifestait des attitudes de comportement acceptables) en (a) lui montrant plus d'attention; (b) lui lisant des histoires, participant à des jeux avec elle et lui faisant écouter des disques; (c) lui donnant le prestige d'une relation spéciale avec une personne.

2. Diminuer les avantages secondaires dérivés de la maladie en (a) ignorant le problème d'alimentation et retenant les louanges ou les réprimandes; (b) procédant aux soins physiques dans un minimum de temps et aussi naturellement que possible; (c) prévoyant ses demandes et les rencontrant avant qu'elle n'ait la chance de demander.

3. Administrer des tranquillisants afin de diminuer l'anxiété et la rendre plus sensible aux aspects positifs de l'environnement.

4. La recommander à l'unité de physiothérapie pour un programme quotidien de mouvement et de marche.

5. Aider et conseiller les parents en ce qui concerne la maladie de l'enfant et ses effets sur la vie familiale.

Les effets des tranquillisants furent immédiatement perceptibles. Les cris cessèrent et il était possible de retenir l'attention de Catherine pendant de courtes périodes. Quand elle fut calme et abordable, on affecta quelqu'un spécialement pour elle; cette personne lui tenait compagnie et lui procurait des activités plaisantes aussi longtemps qu'elle restait sociable. Aussitôt que Catherine commençait à vomir ou à se plaindre, son amie spéciale la quittait, lui expliquant qu'elle appellerait quelqu'un d'autre pour s'en occuper. Alors, un ou deux membres du personnel venaient la laver et la retourner aussi rapidement que possible et avec peu de sollicitude. On procédait de cette manière environ 4 fois par jour.

Au début, Catherine pouvait jouir de l'attention spéciale qu'elle recevait pendant environ 2 minutes avant de retourner à son rôle de malade. Cependant, vers la fin de la première semaine, les périodes agréables s'étaient allongées à 15 minutes; il était évident, bien qu'elle ne s'en rendît pas compte, que son comportement positif lui procurait plus d'attention que les courts épisodes de maladie qu'elle provoquait elle-même.

Les parents de Catherine étaient désireux de coopérer et cette approche les soulageait. Pendant ce temps, ils devinrent épuisés par les demandes, cependant légitimes, de leur fille. Ils manifestaient de la colère envers Catherine à cause du fardeau financier qu'imposait sa maladie et de la perturbation provoquée dans la vie familiale. Subséquemment, ils se sentaient coupables de cette colère et essayaient de se racheter en la gâtant. En retour, cette façon d'agir entraînait Catherine à rechercher plus de satisfaction à travers son rôle de malade. Ils ne purent pas briser ce cercle vicieux avant que l'approche de l'environnement ne donnât des résultats.

En 3 semaines, la communication de Catherine s'est améliorée de façon spectaculaire. Elle pouvait demander ce qu'elle désirait de manière raisonnable; elle exprimait sa colère envers le traitement, l'hospitalisation et le fait d'avoir à partager sa mère avec deux frères plus jeunes. De plus, elle coopérait à sa physiothérapie au point de marcher de façon satisfaisante et d'accepter de bonne grâce son programme.

Son amélioration étant évidente, il était ainsi possible au personnel de socialiser avec elle. Elle souriait spontanément, ne vomissait plus et démontrait un sens de l'humour. De manière regrettable, son amélioration fit surgir une réaction inattendue chez quelques membres du personnel. Il y eut la malheureuse connotation que cette approche niait la maladie de l'enfant, quand jamais il n'y avait eu d'intention telle. Ce fut une notion difficile à chasser et qui influença les soins futurs.

À la maison, Catherine alla bien pendant environ une semaine.

Après 10 jours, cependant, elle fut réadmise pour vomissements et léthargie. À la maison, sans aide, il était difficile pour les parents de poursuivre le régime de l'hôpital à cause de la tension des autres enfants et la routine ménagère. Le traitement de Catherine était très différent lors de cette seconde hospitalisation; elle était traitée au point de vue physique uniquement; les aspects du comportement furent laissés de côté à cause de l'opposition manifestée. On transféra plutôt Catherine, absolument inchangée, dans un hôpital pour malades chroniques.

MICHEL — NEUF ANS

Était la terreur de l'unité pédiatrique

Michel, de même que sa sœur jumelle, était le plus jeune d'une famille de 8 enfants. Le personnel était mystifié par sa violence envers les autres malades et les infirmières durant la nuit. Le jour, il menaçait les médecins et disait que son père le vengerait pour toutes les injections qu'il recevait pour le traitement d'une inflammation massive de la jambe. Il fallait ordinairement 4 adultes pour le retenir au moment de ses injections. Son langage était violent. Il ajustait ses crachats d'une manière implacable et était beaucoup plus fort que ne l'indiquait sa grandeur. Il volait souvent dans les tables de nuit des autres enfants et on le retrouva une fois avec un billet de 10 dollars qui appartenait à un des parents visiteurs.

Une petite conférence du personnel fut tenue avec le psychiatre de liaison et on découvrit à ce moment qu'il y avait beaucoup à apprendre sur cette famille au département du Service social et de la part du travailleur social de la Cour municipale. On apprit que le père, un travailleur de la construction, était violent et grossier; que sa mère était aussi violente que lui; et que les frères aînés, qui atteignaient environ 15 ans, avaient eu des problèmes avec la loi. Lors de l'interview, cet enfant dit au psychiatre de liaison qu'il était très jaloux de sa sœur jumelle, qui était docile et qu'on préférait, et que souvent, il se comportait mal pour attirer l'attention. Il raconta que son père et son frère aîné le louangeaient pour sa robustesse et lui donnaient souvent des coups de poing pour lui montrer qu'il devait être encore plus solide avant de pouvoir affronter le monde. Michel avoua que les combats, dans lesquels il était impliqué à la maison, lui manquaient.

Un plan de soins fut élaboré de manière à établir de solides contrôles extérieurs sur son comportement. Le personnel devait utiliser la force, si nécessaire, pour montrer à l'enfant qu'il n'avait pas peur de lui. Il devait éviter que l'enfant ne le provoque à des actions agressives, mais devait l'appréhender rapidement au premier indice de mauvais comportement et prendre des mesures punitives adéquates (avec l'aide de la famille). On espérait que lorsqu'il aurait acquis une apparente maîtrise de soi, on pourrait tenter avec lui des relations tendres et réciproques afin de l'aider à apprendre à devenir plus sociable. On posa un diagnostic de personnalité antisociale; *i.e.*, il réalisait une excellente adaptation et l'identification avec un modèle familial antisocial à l'intérieur duquel il avait une conscience (quoique ce fut une conscience différente de celle de la culture américaine dominante).

Peu après la conférence, il se présenta une occasion d'exécuter le traitement. Michel tentait d'interdir sa chambre au personnel médical en le menaçant de transpercer, avec son trocart, quiconque s'approcherait de lui. Ses cris et ses jurons attiraient un vaste auditoire. Il accablait les spectateurs de sarcasmes, les défiant d'entrer.

La consultante en santé mentale, qui se tenait tout près, demanda aux gens de quitter le secteur afin de diminuer la satisfaction de Michel. Elle demeura aux alentours. Par hasard, un psychiatre qui passait regarda dans la chambre et Michel lui dit de ne pas s'approcher davantage ou il le frapperait. Le médecin le prit au dépourvu en lui répondant qu'il y avait trop d'arbres dans son chemin. Cette réponse décontenança tellement Michel qu'il laissa tomber le trocart et permit à la consultante en santé mentale d'entrer dans sa chambre. Quand il s'opposa à sa présence, elle lui ordonna de s'enlever de son chemin, déclarant qu'elle était là pour refaire un lit vacant et qu'il la dérangeait dans son horaire. Le garçon se retira vers son lit, criant des obscénités et essayant de provoquer une réaction, mais elle l'ignora. Quand il se tranquillisa, elle lui raconta une histoire y incorporant les faits qu'elle connaîssait de sa vie à la maison. Elle dit: « Tu sais, tu me rappelles un garçon qui était ici récemment, il s'appelait Jean. Il se promenait avec une pelle. Chaque fois que quelqu'un lui disait quelque chose qu'il n'aimait pas, il tentait de le frapper avec la pelle. Bien entendu, il était plus petit que toi et il n'était pas très brillant, nous avons donc pensé qu'il ne pouvait pas agir autrement. Les gens se demandaient les uns les autres ce qui pouvait bien pousser Jean à agir ainsi. Quelques-uns disaient que c'était parce que sa mère ne l'aimait pas, que son père le battait, et que ses frères et sœurs étaient cruels envers lui. D'autres ont même dit que parce que sa famille le traitait ainsi, il croyait que tous les autres allaient faire la même chose. C'est pourquoi il transportait une pelle pour se protéger. Tu t'imagines, il pensait que le monde entier était comme sa mère, son père, ses sœurs et ses frères! Bien entendu, il était petit, et n'était pas très brillant; en fait, il était vraiment stupide. Il ne savait pas que tout le monde n'était pas comme les personnes chez lui ».

Tout en faisant le lit, elle lui racontait des variations de l'histoire. En quelques minutes, il laissa tomber son arme et déclara qu'il allait rejoindre les autres enfants pour le lunch.

Il est regrettable que cette approche n'ait pas été bien acceptée par quelques membres du personnel médical qui la considéraient comme négative et extrêmement punitive. Ils demandèrent d'autres consultations en psychologie. Le psychologue recommanda une autre approche plus douce qui diminuerait l'anxiété de Michel et augmenterait ainsi sa sécurité. On expliqua que Michel percevait l'anxiété et la colère du personnel comme menaçantes pour lui et que son comportement était une réaction à ces menaces. En conséquence, on cessa toutes ses injections; on le laissa jouer, manger, jurer et errer à son gré; on lui donna aussi plusieurs jouets.

Le personnel se divisa en deux factions — l'une soutenant que les menaces et les angoisses du personnel étaient communiquées à l'enfant, l'autre maintenant que l'enfant et sa famille constituaient le problème.

À vrai dire, avec l'approche douce, Michel n'était soumis à aucune frustration. Il devint angélique et fut choisi par l'unité pour être présenté lors de la visite médicale spéciale comme exemple de thérapie d'extinction de comportement. Juste au moment où Michel devait monter sur le podium, le vaste auditoire entendit plusieurs bruits de fracas et un torrent de jurons provenant de la chambre de service. Michel ne se montra pas. Sa seringue favorite, qu'il apportait partout avec lui avait disparue juste avant la conférence, provoquant la colère de Michel et une perte totale de contrôle.

Cet incident enseigna au personnel que la tolérance n'avait rien accompli dans ce cas. Le premier plan de traitement fut réintroduit. Par la suite, Michel fut soumis à la pression de l'environnement entier. Quand il eut constaté qui détenait l'autorité dans l'unité, il se comporta remarquablement bien et fut capable d'établir des relations constructives avec plusieurs personnes.

Les membres du Service social tentèrent de demeurer en contact avec la famille afin de maintenir la discipline et l'orientation qui avaient débuté à l'hôpital. Après un mois de visites hebdomadaires, aucun des parents ne vint à d'autres rendez-vous.

BERTHE — NEUF ANS

Sa personnalité changea après qu'elle fut heurtée par une voiture

Berthe fut heurtée par une voiture alors qu'elle traversait la rue avec sa jeune sœur de 5 ans. Elle avait une fracture de la jambe, mais aucune autre blessure, tandis que sa sœur souffrait de lésions internes multiples et était dans un état critique. La mère, une femme intelligente et volage fit savoir au personnel qu'elle était en instance de divorce et qu'il y avait eu beaucoup de maladies dans la famille depuis la dernière année. Un changement radical de la personnalité de Berthe attira l'attention du personnel; de petite fille douce, obéissante, presque guindée, elle était devenue criarde, une sorte de souffre-douleur, chaque fois que sa famille la visitait. De plus, malgré ses éraflures légères, elle garda l'infirmière de nuit sur le qui-vive en demandant du secours tout en se tordant de douleur. En raison de tout ce chahut, le psychiatre l'interviewa à son lit, en présence du personnel et de sa mère. Berthe révéla qu'elle voulait ardemment être plus blessée qu'elle ne l'était effectivement. Si elle était aussi mal en point que sa sœur, cela pourrait l'aider à expier son péché de négligence qu'elle avait commis en traversant la rue et reconquérir l'amour de sa mère. Elle ne pouvait pas croire que sa mère pût continuer à l'aimer après l'accident. Elle dévoila aussi qu'elle soupçonnait depuis longtemps la préférence de sa mère pour sa jeune sœur et elle croyait que tout le monde pensait qu'elle avait provoqué l'accident. Enfin, elle démontrait une pensée désordonnée par laquelle elle se sentait poussée par une emprise magique à causer toutes sortes de tragédies et d'événements éloignés, par le seul pouvoir de son esprit.

Le personnel imagina le plan suivant pour les soins de Berthe.

1. Montrer à l'enfant la différence entre penser et agir.

2. Mettre en doute l'énorme pouvoir magique de Berthe et lui dire que la seule manière de devenir puissante était de développer ses capacités.

3. Appuyer sur le fait que ce qui lui est arrivé à elle ou ce qui a pu se produire à l'intérieur de sa famille peut être discuté dans une atmosphère de sympathie et examiné sans blâmer qui que ce soit.

4. Faire remarquer que d'autres personnes ont ressenti des sentiments semblables et qu'elle pouvait se mettre en colère contre sa sœur et sa mère sans perdre l'affection de sa mère.

Après 3 jours de ce régime, Berthe devint plus serviable, calme, plaisante, moins difficile pour sa famille et heureuse de se rétablir rapidement. Elle ne redevint pas la petite fille artificielle et guindée qu'elle était avant l'accident. Lors d'une consultation ultérieure, la mère rapporta que le changement émotionnel s'était maintenu. Le personnel croyait qu'il avait, en l'espace de quelques semaines, écarté la nécessité d'une longue psychothérapie qui, au départ, semblait indiquée pour cette enfant, se basant sur le traumatisme actuel et les difficultés émotionnelles de longue date.

ROBERT — DIX ANS

Refusait de prendre ses médicaments

Robert fut hospitalisé pour le traitement d'une maladie rénale. C'était un enfant plutôt peu sympathique, obèse qui avait de la difficulté à se faire des amis; il servait souvent de bouc-émissaire. Il était intelligent, mais manquait de maturité et d'ambition. Le problème majeur à l'hôpital était son incapacité ou son refus d'avaler des pilules. Plusieurs enfants le taquinaient pour cela. Le personnel était tolérant et patient au début, mais s'exaspéra et ordonna à Robert d'obéir, lui faisant remarquer qu'il était assez vieux et assez grand et qu'on s'attendait à ce qu'il coopère.

Robert réagit en vomissant, expliquant qu'il était trop malade pour prendre des médicaments. Le personnel constata qu'il était dangereux et vain de le forcer parce qu'il était trop gros pour qu'on pût le retenir. Quand on parvenait à lui faire absorber ses médicaments, il les vomissait aussitôt.

On en discuta lors d'une conférence du personnel et le plan suivant fut accepté.

1. Lui affecter une infirmière afin de promouvoir une relation particulière et soutenir une façon d'agir plus raisonnable. (Mlle K. s'en occupa, elle joua avec lui, le visita et gagna sa confiance.)

2. L'encourager à exprimer ses sentiments à l'égard de son hospitalisation et de son traitement; lui parler des attitudes de sa famille envers la maladie et des genres de réactions que sa maladie suscite chez chacun des membres de la famille.

3. Demander à Robert de donner son idée sur la façon de résoudre son problème de médicament. Par la suite, accepter ses suggestions, contribuant ainsi à lui rendre son hospitalisation plus agréable.

Robert a réagi rapidement à l'attention qu'on lui portait. Il exprimait sa confiance envers son infirmière en parlant des difficultés qu'il éprouvait à se faire des amis et de la solitude qu'il ressentait. Il parla du modèle familial de maladie — qu'il était comme sa mère pour la fréquence de la maladie; que sa famille lui portait beaucoup d'attention à cause de son affection chronique; que son frère ne préoccupait pas particulièrement les parents parce qu'il était en santé comme son père. Il était évident que cette famille récompensait la maladie, laquelle était aussi perçue comme une caractéristique féminine.

Pour solutionner son problème de médication, Robert demanda qu'on lui donne des injections intramusculaires. Par bonheur, c'était la mesure alternative que le personnel médical songeait à prendre. Cette voie fut acceptée et on demanda à Robert d'avertir son infirmière quand il serait assez bien pour changer de traitement. Il en avait la responsabilité. Nous avons été très attentifs à éviter une connotation punitive envers ce plan.

Son infirmière maintenait tout le temps une relation de personne à personne dans le but d'affermir l'amour-propre de Robert en le félicitant pour les travaux raisonnablement bien faits et pour la maîtrise de nouvelles activités. Il faisait aussi l'admiration des enfants et du personnel parce qu'il acceptait bien ses injections. L'accent était placé sur le comportement viril.

Toutes les taquineries cessèrent et il commença à devenir ami avec ses compagnons de chambre. Après quatre jours de thérapie intramusculaire, Robert annonça à l'infirmière qu'il était maintenant prêt à prendre des pilules parce qu'il était beaucoup mieux. Ce fut un succès instantané: il n'y eut ni hésitation ni vomissement.

Quand Robert éprouva un sentiment de satisfaction dans ses nouvelles relations et dans ses réalisations, il n'eut plus besoin du rôle de malade qu'il jouait dans sa famille pour obtenir de l'attention. Il retirait plus d'avantages de sa maîtrise et de sa nouvelle situation.

ANNE — DIX ANS

Rivalisait pour obtenir de l'attention dans un rôle de malade

Anne fut hospitalisée pour une investigation approfondie pour une possibilité de dyscrasie sanguine ou d'arthrite. Tous les examens s'avérèrent négatifs, mais Anne persistait à se plaindre de douleur dans les bras. Le personnel remarqua que les analgésiques et les placebos étaient également efficaces pour la soulager, sauf en présence de sa mère. À ce moment, aucune médication ne pouvait l'aider. Plusieurs membres du personnel soupçonnaient la simulation. Bien que Anne ne fût pas affrontée ouvertement, le personnel lui transmettait son scepticisme par un manque d'intérêt et d'attention. Malheureusement, cette attitude ne fit qu'intensifier les symptômes de l'enfant et accroître l'anxiété de la mère. Le pédiatre demanda à la consultante en santé mentale une évaluation de la situation.

Nous n'avons pas eu de difficulté à parler à Anne après lui avoir assuré que nous (le personnel) comprenions qu'il pouvait lui être difficile d'être hospitalisée et d'éprouver tant de douleur. Nous lui avons dit que nous allions continuer à rechercher la cause de son problème afin de pouvoir l'aider. Cette approche élimina son besoin de prouver sa maladie. Une fois convaincue qu'elle avait un auditeur sympathique, elle parlait librement de l'école, de ses amis et de ses passe-temps et rien ne lui plaisait particulièrement. Au début, elle hésitait à parler de ses relations familiales, mais avec de l'aide, elle pouvait discuter de son problème. Depuis la naissance de sa sœur de 5 mois, elle croyait que sa mère n'avait plus le temps de s'occuper d'elle et qu'elle ne l'aimait plus. La discussion porta sur les sentiments autant positifs que négatifs qu'éprouvaient les membres de la famille les uns envers les autres et sur la difficulté d'exprimer ouvertement quelques-uns de ces sentiments.

À partir de cette interview avec Anne, les suggestions suivantes furent présentées au personnel et à son pédiatre.

1. Accepter comme vrais ses symptômes parce qu'ils indiquaient l'existence d'un problème. (Les symptômes disparaissent après la résolution d'un problème. Attaquer de front les symptômes peut avoir pour conséquence une intensification ou une substitution des symptômes.)

2. Porter l'attention sur le problème. (a) Conseiller aux parents de parler ouvertement de la rivalité fraternelle — combien il est difficile à Anne de partager ses parents avec un jeune bébé; à quel point elle doit penser qu'ils n'ont plus de temps pour elle; les sentiments négatifs qu'elle doit ressentir envers sa petite sœur qui, croit-elle, l'a supplantée, aussi bien que ses sentiments positifs; qu'elle ne peut faire de mal à personne en pensée, mais seulement par des actes. En résumé, dire à Anne qu'elle peut dire ce qu'elle pense sans crainte. (b) Demander aux parents de consacrer du temps à Anne, à la maison, quand elle n'a pas à les partager ou à rivaliser pour obtenir leur attention. (c) Encourager Anne à nouer des relations avec ses pairs et développer de nouvelles aptitudes (sociale, scolaire, physique). À mesure qu'Anne acquerrera plus d'habiletés, elle s'appuiera moins sur ses parents pour un soutien émotionnel et des sentiments de valeur, utilisant plutôt ses propres réalisations comme fondement à son estime de soi.

Heureusement, ses parents étaient ouverts aux suggestions et pouvaient adopter le plan. Cette attitude rendit inutile d'autres interventions. Quelques semaines après son congé de l'hôpital, son pédiatre rapportait qu'elle s'était replacée.

JULIE — DIX ANS

Confusion postopératoire

Julie était une fille pensive et distinguée qui devint une énigme pour le personnel de la maison et une épreuve pour les infirmières à cause de son comportement en période postopératoire: pleurs continuels, cris, langage incohérent et explosions de colère pendant plusieurs jours. Les recherches du neurologue ne démontraient rien de particulier et une révision de son anesthésie ne laissait rien voir d'inhabituel. Les examens psychologiques ne montraient rien de spécifique.

On demanda une consultation psychiatrique. Quand le psychiatre de liaison vit Julie au lit, il remarqua qu'elle était immobile, avait un regard terrifié et gardait la tête tournée vers le mur. Un étudiant en médecine remarqua au clignement de ses paupières que Julie suivait de près la conversation entre les infirmières et les médecins. Lors de l'interview, elle parla de façon cohérente des jours heureux de sa vie: la visite de sa grand-mère, un voyage chez une tante, les anniversaires, les parties et les activités scolaires. Chaque fois qu'elle parlait de ses parents, de la maladie et des événements reliés à l'hospitalisation et à l'opération, elle recommençait immédiatement son baragouin et ses cris. Souvent, lorsqu'on orientait la conversation sur les sujets que Julie n'associait pas à l'anxiété, un changement radical s'opérait dans son humeur et elle pouvait plus facilement raconter les faits.

Lors d'une conférence d'équipe, on apprit que la maladie de Julie avait réuni ses parents pour la première fois depuis leur divorce, que le père, que Julie avait rarement vu, veillait constamment à son chevet. Les infirmières décrivirent leurs tentatives inutiles pour obtenir la coopération de la mère à l'enseignement préopératoire et à la discussion de la maladie avec l'enfant. Tous se demandaient si une préparation adéquate aurait pu prévenir ce comportement excessif.

Un diagnostic provisoire de réaction psychotique fut posé et le plan suivant fut élaboré pour le personnel.

1. Parler à Julie simplement, comme si elle réagissait adéquatement, être positif avec elle, causeur et amical, mais quand elle retournait à son baragouin, lui dire qu'elle devait avoir des pensées pénibles: qu'en partageant ses pensées, on se sent mieux.

2. Structurer l'environnement en expliquant tous les bruits, l'activité et les rôles du personnel.

3. Administrer de la Stelazine et une médication anti-psychotique.

4. Établir un modèle de visites régulier pour les parents et leur expliquer (a) que leur présence constante laisse supposer à l'enfant une maladie grave; (b) la nécessité de parler de la maladie et du traitement avec Julie.

On espérait que cette approche ramènerait Julie à des modes de communication plus réguliers et en même temps qu'elle retirerait le moins de satisfaction possible de son comportement aberrant.

En 2 jours, sa communication changea au point qu'elle pouvait exprimer sa colère envers sa mère. Celle-ci avait caché l'opération à Julie et lui avait laissé entendre qu'on ferait seulement des examens afin de trouver comment faire disparaître la douleur, la somnolence et la léthargie. Lors de consultations subséquentes avec le psychiatre de liaison, le chagrin désespéré et la dépression de Julie émergèrent et un traitement psychiatrique à long terme fut recommandé.

SYLVESTRE — DOUZE ANS

Un hémophile manipulateur

Sylvestre s'arrangeait pour que sa famille le gâte de toutes les manières possibles. Ce n'était pas difficile parce que les parents étaient en conflit marital constant, et cet adolescent utilisait la situation à son propre avantage. Il ne faisait jamais de travaux à la maison, ne contrôlait jamais son caractère et pensait avoir le droit de regarder continuellement la télévision. Si jamais ses machinations échouaient, il utilisait son arme ultime, il se plaignait de douleurs aux articulations.

Cette façon d'agir des parents et de l'enfant se poursuivait à l'hôpital et excédait tellement le personnel de la salle d'urgence que plusieurs infirmières et médecins redoutaient d'être de service. Lors d'une de ses visites habituelles de 3 heures à l'urgence, pendant que Sylvestre donnait des ordres à tout le monde, sa mère révéla que l'enfant avalait tout analgésique qu'il pouvait trouver, même quand il ne souffrait pas de douleurs articulaires. L'armoire à pharmacie familiale contenait des tranquillisants prescrits pour la mère, des somnifères et des antispasmodiques utilisés par le père et des analgésiques pour Sylvestre.

Étrangement, malgré la mauvaise adaptation évidente de ce garçon et de sa famille, et la connaissance du fait qu'il vivait presque renfermé à la maison et qu'il était en voie de devenir un toxicomane, personne à l'hôpital ne pouvait lui manifester de la sympathie. Plusieurs conférences furent tenues autant en clinique externe que dans les unités pédiatriques pour déterminer la façon d'agir avec ce garçon. Différents membres du personnel, l'institutrice, la jardinière ou la physiothérapeute pouvaient s'occuper de lui pendant un certain temps, mais par la suite, il se les aliénait. Les membres du personnel reconnaissaient que ce malade les manipulait d'une manière si subtile qu'il provoquait leur colère, malgré leur intention de résister à la provocation.

On tint une importante conférence pour discuter du cas de Sylvestre. Le personnel croyait qu'avec les années, Sylvestre était devenu psychopathe; i.e., qu'il n'avait pas de conscience. À moins que tous, dans son entourage, ne parviennent à réaliser l'unité sur une seule politique, il continuerait à les exploiter et à retirer assez de satisfaction pour résister au changement. Le personnel combina un plan de soins. Les membres du personnel devaient lui dire que son comportement était exécrable, contrecarrer les manipulations qui réussissaient, utiliser l'isolement social et la punition pour ses actions antisociales grossières, le féliciter uniquement pour ses véritables réalisations et défier son attitude de « je sais tout ». Le travailleur social expliqua aux parents cette approche. Sylvestre devint plus agréable pendant son hospitalisation. Cependant, le changement de comportement de Sylvestre n'était qu'une complaisance superficielle devant le fait qu'il avait été confondu par le plan de traitement. Il persista à être sournois, à tricher aux jeux et à éprouver les nouveaux médecins et les visiteurs.

Il reçut son congé de l'hôpital au début de l'été et on ne le revit que rarement à l'urgence pendant le reste de la saison. Le personnel se félicitait de son influence bénéfique jusqu'à ce que les visites habituelles de 3 heures reprennent en septembre. Il était évident qu'il n'y avait aucun changement fondamental dans le comportement de Sylvestre.

À ce moment, les parents voyaient un psychiatre pour leur problème marital. Le manque d'harmonie culturelle s'ajoutait à leur incompatibilité individuelle. Le père venait d'une famille expansive et émotionnelle d'origine étrangère; la mère provenait d'une famille rigide et puritaine. Chacun craignait d'abandonner l'autre; de plus, ils se haïssaient trop pour tenter un rapprochement valable. Pour autant que nous le sachions, il n'y eut aucun changement dans la famille ou chez Sylvestre.

GEORGES — TREIZE ANS

A maîtrisé ses craintes et acquis de la maturité durant son hospitalisation

Après une opération à cœur ouvert, Georges était renfermé, passif et peu coopératif. Dans l'espoir d'éviter les interventions et le contact avec le personnel, il feignait souvent de dormir ou d'ignorer ce qu'on attendait de lui. En cela, il avait l'aide de ses parents qui, dans leur langue maternelle, l'autorisaient à s'opposer à ce qu'ils percevaient comme des traitements barbares. Ils croyaient être les seuls à le comprendre et insistaient pour s'occuper de tous ses besoins (alimentation, bain et toilette) bien que Georges fût physiquement apte à s'occuper lui-même de ces activités. Le personnel se sentait impuissant devant le comportement infantilisant de la famille et le retrait progressif de Georges.

On eut une image très nette du caractère de l'enfant lors d'une conférence en santé mentale. Le résident en pédiatrie expliqua qu'au début Georges tentait faiblement de se débrouiller dans les situations difficiles; il ajouta que l'enfant abandonnait dès qu'il rencontrait un obstacle. Par exemple, il s'était montré intéressé à l'enseignement préopératoire jusqu'à ce qu'on lui parle de ce qui se déroulait aux soins intensifs; par la suite, il refusait littéralement d'écouter. Il était visiblement irrité par la sollicitude exagérée de sa famille et essayait, au début, de la repousser ou de lever les yeux en signe d'exaspération; ensuite il se résigna à leur prévenance étouffante. Par la suite, il ne faisait que grogner ou indiquer par des gestes ce qu'il voulait et était écouté.

Le personnel des soins intensifs (où Georges avait passé 48 heures après son opération) nota que Georges avait été témoin de plusieurs situations urgentes, incluant un arrêt cardiaque chez un malade voisin; cependant il n'en avait jamais parlé.

Le personnel traça le plan suivant afin d'encourager et d'aider une communication plus efficace et favoriser son indépendance.

1. Faire savoir à Georges que le personnel comprenait qu'il était difficile d'accepter l'hospitalisation, l'opération et les interventions constantes. Reconnaître sa bravoure et lui parler des soins intensifs; i.e., les réactions des autres malades, en des termes indirects.

2. L'encourager à exprimer verbalement sa colère plutôt que par le négativisme et le refus de coopérer à son traitement; lui faire savoir sur un ton badin que lorsqu'il fait semblant de dormir, le personnel constate qu'il tente d'éviter l'interaction; lui dire que cette manière d'agir n'entraîne aucun changement et que pour apporter un changement, il doit participer activement aux interventions.

3. Lui expliquer que le personnel ne peut pas savoir ce qu'il pense, à moins qu'il ne s'exprime verbalement; que personne ne peut lire dans sa pensée. Faire mine de ne rien comprendre quand il s'attend à ce que ses besoins soient comblés sans qu'il ait à demander. Cette façon d'agir ignore sa passivité inacceptable et le force à agir avec plus de maturité.

4. Lui donner le choix de décider quand et où auront lieu les traitements. Lui démontrer clairement que tous les traitements ont un but et qu'ils ne sont pas punitifs. Demander aux parents de quitter pendant les traitements.

5. Parler de l'attitude de ses parents en ce qui concerne le plan de soins. Lui faire des suggestions d'ordre pratique sur la façon d'agir avec sa famille quand elle le domine. Par exemple, un membre du personnel peut dire: « Georges, tes parents ont de bonnes intentions, mais peut-être qu'ils essaient trop de t'empêcher d'agir par toi-même. Si tu abandonnes, comment est-ce que cela pourra changer? » On peut encourager Georges à essayer de dire à ses parents: « C'est assez

maintenant, » ou « Je veux le faire moi-même, » ou « Si vous le faites pour moi, comment puis-je apprendre? »

6. Demander à un travailleur social de rencontrer les parents afin de les conseiller et les amener à changer leurs relations avec Georges.

Les membres du personnel étaient peu préparés à la réaction immédiate et inattendue provoquée par cette approche. Quand ils lui exprimèrent leur sympathie et eurent parlé de l'unité des soins intensifs (selon les expériences des autres), Georges sortit un flot de jurons. Il n'y avait aucun doute, Georges trouvait diaboliques les événements qui s'y déroulaient — des personnes folles accomplissant des choses folles. Il parla des bruits étranges et continuels; il raconta qu'il était incapable de dormir, qu'il avait l'impression que plusieurs personnes battaient un homme dans le lit voisin et qu'il n'avait cessé de penser que tout cela ne finirait jamais. Quand Georges fut capable de raconter les incidents apeurants, le personnel put les mettre en perspective, avec la connotation d'un personnel aidant le malade plutôt que lui faisant mal. L'expression de ses sentiments eut pour effet une plus grande tolérance envers les traitements quoiqu'il continuât à protester verbalement.

La soi-disant incompréhension des infirmières devant ses demandes et ses humeurs très évidentes — leur refus de comprendre ses signes en direction des objets ou ses réactions au traitement — eurent un côté humoristique. Georges les accusait de stupidité — « Qu'est-ce qui vous arrive? Je veux de l'eau, non pas mes souliers. » Leur seule défense était qu'elles ne lisaient pas les pensées. Sa sœur aînée renforçait cette façon d'agir par sa complicité volontaire à cette ruse. Elle développa une stupidité soudaine qu'il ne pouvait pas comprendre. Quand elle lui demanda s'il avait besoin d'aide pour se lever, il répondit par son grognement habituel. Elle lui demanda, « Qu'est-ce que cela signifie au juste? Je ne peux pas lire dans ton esprit ». Très ennuyé, il répondit: « Pourquoi ne sais-tu pas; tu es un professeur, n'est-ce pas? » Toutes ces occasions fournirent l'avantage de nier le pouvoir de divination des adultes que les parents nourrissaient et le forcèrent à exprimer clairement ses sentiments et ses demandes.

Les parents de Georges étaient déroutés par sa nouvelle expressivité et se demandaient s'il ne s'agissait pas d'une complication chirurgicale. Son franc-parler était frappant. Il lui fallut quelque temps pour raffiner ses exposés afin que son assurance pût se manifester sans les obscénités qui scandalisaient le couple incrédule. Il avait besoin de l'aide du personnel qui encourageait son indépendance tout en lui suggérant des manières de communiquer plus acceptables. Les membres du Service social contribuèrent à aider les parents à accepter un changement dans les relations, après plusieurs années de surprotection justifiée.

Le personnel se demandait ce qu'il avait bien pu déclencher chez Georges quand ses préoccupations sexuelles se manifestèrent. Il lisait des revues de « filles », pinçait et tentait de caresser les infirmières et demandait des baisers. De nombreuses consultations avec l'équipe de santé mentale soulagèrent les infirmières de leur embarras. Les discussions révélèrent qu'il essayait tout bonnement d'éprouver différentes formes d'expression. Les infirmières dirent à Georges que même si ses sentiments et sa curiosité étaient positifs, ses actions étaient en train de lui aliéner les personnes. Elles lui dirent qu'il pouvait poser les questions qu'il désirait; qu'il était clair qu'il réfléchissait beaucoup pour trouver une façon acceptable de manifester sa curiosité; que, cependant, son intérêt envers les femmes était naturel, mais que son comportement pouvait facilement être interprété comme une attaque grossière parce qu'il n'était pas autorisé à toucher. Le personnel lui fit remarquer qu'il avait le même droit à l'intimité de son corps.

En 2 semaines, tout le monde put constater les effets bénéfiques de ce plan. Le personnel croyait que le maintien et le développement des nouvelles aptitudes de Georges — indépendance, responsabilité et communication — étaient tributaires de la bonne volonté des parents à poursuivre le même régime après son congé. On discuta avec les parents de la possibilité d'un séjour dans un hôpital pour convalescent (dans le but de consolider ses réalisations). Les parents refusèrent cette alternative; cependant, ils consentirent à poursuivre les rencontres avec les travailleurs sociaux dans l'intérêt de Georges.

HÉLÈNE — QUATORZE ANS

Était passablement suicidaire

Hélène avait 14 ans quand elle vint pour la première fois à notre unité pédiatrique, mais elle avait été hospitalisée plusieurs fois dans d'autres hôpitaux à cause d'une névrose qui durait depuis 6 ans. Elle avait une récidive de sa maladie rénale chaque fois qu'elle souffrait d'un rhume; alors elle fut admise pour une évaluation en profondeur et un traitement.

Cette jolie rousse redoutait de façon peu commune le moindre inconfort et lorsqu'une perfusion lui causait une légère inflammation de la veine, elle devenait sérieusement déprimée et se mettait à passer la main sur ses cheveux à plusieurs reprises. Au début, même si ses sautes d'humeur étaient inscrites dans les notes quotidiennes, on ne s'en préoccupait guère. Cependant, vers le 3e jour, sa mère fit remarquer à l'infirmière de service qu'Hélène était déprimée et qu'elle avait

fait allusion au suicide. Une idée si forte, provenant d'une adolescente si douce, alerta le résident et l'infirmière-chef; ils conclurent
que c'était pour elle une façon de demander de l'aide.

Lors de la conférence de liaison, on apprit qu'Hélène avait déjà
souffert dans le passé de plusieurs crises dépressives; chacune avait
duré quelques semaines et était disparue spontanément. Elle était la
benjamine de la famille et sa naissance était survenue après plusieurs
avortements de la mère. Ses parents et ses aînés l'adoraient. Tous les
membres de la famille habitaient le voisinage et formaient un groupe
social restreint. Elle ne s'était jamais le moindrement efforcée à se
faire des amis ou à réussir à l'école, même si elle nourrissait l'humble
ambition de devenir aide-institutrice. Cette image fut tracée selon
l'information recueillie par les divers membres du personnel et celle
donnée par la malade au cours d'une interview, lors de la conférence. Ses réponses douces et tristes laissaient voir une fille peu
communicative qui se sentait en droit de mener une existence indo-
lente et d'être indifférente aux besoins des autres. Hélène était visiblement égocentrique et gâtée et elle était émotionnellement passive
parce que tout avait été fait pour elle. Étant maintenant forcée de
subir des interventions désagréables et en dehors de sa volonté, elle
était furieuse et ne voyait aucune raison de continuer à vivre, à
moins de pouvoir vivre seulement selon son bon vouloir.

On décida, après la conférence, de provoquer un impact intensif
sur Hélène en brisant sa passivité et son égocentricisme par des sou-
missions plus avantageuses. Le plan fut établi sur une période de
24 heures en étant très plaisant avec elle, mais en ne lui parlant que
lorsqu'elle commencerait la conversation; ne recevant les félicitations
des infirmières que lorsqu'elle accomplissait activement quelque
chose; et en restreignant sérieusement la générosité des médecins à
lui donner de l'assurance. Selon le plan, on devait aussi inciter Hélène
à s'aider elle-même le plus possible et à aider les enfants plus jeunes,
insistant sur les avantages et les joies d'être plus vieille et plus responsable.

En moins d'une semaine, l'humeur d'Hélène commença à changer.
Elle parlait d'une carrière dans le nursing et offrait ses services dans
l'unité. Cependant, six semaines après son congé, même si les parents
avaient été informés du traitement du milieu, on remarqua, lors d'une
visite à la clinique, qu'Hélène retournait à son rôle de petite fille.
Malheureusement, les parents étaient incapables de prévoir l'avenir
au-delà de son comportement égocentrique, de ses ambitions limitées
et de sa dépendance vis-à-vis d'eux.

ANGÈLE — QUINZE ANS

Était à la recherche de son identité

Angèle avait une excellente réputation comme malade. Nous avions prévu quelque insubordination parce que son état (endocardite bactérienne subaiguë) exigeait une thérapie intraveineuse prolongée et le repos au lit. Sa guérison fut lente et compliquée de revers. Elle continua malgré tout à coopérer et à comprendre.

Rétrospectivement, il était clair que tout n'allait pas de façon idéale comme nous l'avions cru. Le problème devint évident juste avant son congé. Au lieu de manifester de la joie devant la perspective du retour à la maison, elle était impassible. Peu après, nous apprenions qu'Angèle recherchait les visiteurs et le personnel, sans discernement, pour raconter des histoires de sa vie sociale complexe — les nombreux substituts de la mère qu'elle avait eus depuis la mort de sa mère, il y a 2 ans, les infidélités de son père et des histoires indiquant qu'elle n'était pas aimée.

Deux jours avant son congé, un incident impliquant Yves, âgé de 3 ans, alerta davantage le personnel. L'accessoire d'iléostomie de Yves était égaré. Au début, cela causa peu de préoccupation. Nous cherchions dans ses choses personnelles, dans les draps et dans la corbeille à rebuts, sans succès. Nous savions qu'il y avait un duplicata, ce n'était donc pas un problème jusqu'à ce que le second accessoire disparût aussi. Une autre recherche minutieuse fut faite et on demanda à Angèle, qui était aux alentours, si elle savait ce que Yves avait bien pu en faire. Elle voulut savoir si cela était très important. Quand on lui assura que cela l'était, elle admit l'avoir pris et le retira à contrecœur de sa valise. Le personnel tenta de ne pas intimider Angèle, mais lui demanda simplement de montrer le contenu de la valise. Elle refusa, faisant remarquer que c'était son « grand sac aux secrets ».

L'infirmière-chef demanda au personnel de nuit de vérifier le contenu de la valise comme mesure de sécurité; l'examen de la valise révéla une collection assortie de matériel utilisé dans les traitements génito-urinaires — scalpels, aiguilles et cathéters — dont la plupart avait été refusé à Angèle quand elle l'avait demandé.

Une conférence fut tenue et nombre d'autres incidents furent mis en lumière. Chacun des membres du personnel ignorait que d'autres, antérieurement, avaient eu des expériences similaires. Angèle avait démontré plusieurs accès de colère quand on l'avait admonestée pour son comportement envers Yves qu'elle avait adopté comme son propre malade. Par exemple, on avait vu Angèle lui donner du jus avec une seringue contaminée. Quand on l'arrêta, elle fut indignée et fit remarquer que la seringue appartenait à Yves et que son infection était dans ses reins et non dans sa bouche. Elle ajouta qu'elle pouvait prendre soin de cet enfant mieux que quiconque. Son implication avec plusieurs mères dans l'unité et ses demandes de vivre avec elles révélaient d'autres problèmes.

On discuta du comportement d'Angèle avec le psychiatre de liaison. Il croyait que cette jeune fille tolérait peu la frustration, qu'elle n'avait pas encore résolu le problème causé par la mort de sa mère et qu'elle était aussi à la recherche de son identité. Pendant les 2 mois qu'a duré son hospitalisation, elle avait une certaine stabilité dans sa vie et s'était identifiée aux médecins et aux infirmières. En conséquence, toute critique qui la touchait dans ces rôles encourageait sa colère. Le congé imminent menaçait aussi sa sécurité.

Voici le plan de soins qui fut élaboré pour elle: (a) la féliciter de ses efforts dans les rôles du personnel médical, (b) prendre des mesures pour une psychothérapie à long terme, avec l'aide de son pédiatre et (c) maintenir un contact avec une des infirmières après son congé.

Après son congé, il ne semblait pas y avoir urgence pour la mise en marche de ce plan jusqu'à ce que la mère de Yves reçut une lettre d'Angèle dans laquelle elle menaçait de se suicider. À ce moment, le psychiatre de liaison entra en communication avec le père d'Angèle qui accepta le traitement sans hésitation.

De plus amples informations fournies par le père d'Angèle corroboraient l'impression que le « grand sac aux secrets » (*secret sack*, un jeu de mots sur son nom de famille) se rapportait à des secrets de famille. Nous avons aussi appris que chez-elle, on la laissait libre de faire ce qu'elle voulait. Elle était égoïste et narcissique et elle alimentait les commérages familiaux au sujet de son père et de sa fiancée. Son père prit des dispositions afin qu'Angèle subît une psychothérapie intensive. Après quelques mois, elle obtenait un humble succès social à l'école et envisageait une carrière de vétérinaire.

NORMAND — SEIZE ANS

Était entouré de chaos

Normand, un adolescent obèse et nonchalant, était hospitalisé pour le traitement d'une colite ulcéreuse. De façon générale, il était antipathique parce qu'il ne parlait à personne, refusait de fréquenter l'école, regardait la télévision pendant des heures et ignorait la routine hygiénique quotidienne. De plus, il prenait plaisir à contrecarrer le travail du personnel par des plaisanteries grossières, comme tirer la chasse d'eau avant qu'on puisse vérifier ses selles.

Chacune des hospitalisations faisait voir au personnel le chaos qui entourait Normand. Le mariage de ses parents se résumait à une série de mésententes. Nullement ébranlés par l'organisation de l'hôpital et la présence d'étrangers, ils poursuivaient sans interruption leurs combats quotidiens. Aucune question domestique n'était trop sacrée ou trop personnelle pour être cachée. La mère, avec son calme extérieur et sa façade douce, commençait habituellement le drame. Une fois, elle gronda le père pour avoir oublié leur anniversaire de mariage. Il rétorqua qu'en 20 ans de mariage il n'avait eu que 6 bons mois, de sorte qu'elle ne méritait pas de cadeau.

Normand réagissait à ces épisodes de querelles par un saignement accru. L'intervention du personnel était nécessaire pour mettre un frein aux scènes les plus violentes. L'équipe de santé mentale tenta de trouver la meilleure méthode d'approche pour cette famille. On élabora un plan afin de protéger Normand des batailles continuelles des parents en suggérant fortement au père et à la mère de faire de courtes visites à tour de rôle. On recommanda Normand au psychiatre et les parents au travailleur social. Malheureusement, ils refusèrent de participer pleinement à la solution du problème. Les saignements de Normand continuaient et ne répondaient plus à la thérapie par les stéroïdes. En conséquence, une iléostomie dut être pratiquée.

La guerre ouverte recommença quand le père découvrit que la mère avait accepté l'intervention chirurgicale sans qu'il le sût. L'ulcère peptique chronique du père fut exacerbé provoquant son hospitalisation dans un hôpital du voisinage. De façon paradoxale, la mère était calme devant toutes ces difficultés. Elle comparait Normand à son père et les considérait tous deux comme le résultat d'une faiblesse génétique.

À la suite de son opération, Normand fit une dépression qui exigea les visites quotidiennes de son psychiatre. Après plusieurs semaines, Normand devint plus communicatif et éveillé. À peu près à ce temps, le père, qui avait eu son congé de l'hôpital, s'adonna à visiter Normand quand sa femme était au chevet de son fils. Cela provoqua de nouvelles difficultés. Normand devint négligent dans les soins de son iléostomie et irritable envers ses compagnons de chambre. Il afficha un nouveau comportement; il exigeait l'attention exclusive des infirmières et cherchait des occasions de les retenir.

Comme à ce moment là le psychiatre ne pouvait le voir que 2 fois par semaine, l'infirmière de jour et le résident en pédiatrie profitèrent de toutes les occasions pour lui permettre d'exprimer ses sentiments sur les querelles de ses parents. D'après les informations qu'il a apportées, il a été facile de rassembler les éléments et d'avoir une image d'un garçon si préoccupé par les luttes maritales que les premières tâches de développement — la résolution du combat œdipien ayant pour résultat une identification sexuelle appropriée — ne furent jamais maîtrisées. Toutes les réalisations qui auraient dû avoir lieu pendant les années subséquentes ne se produisirent pas; il était comme un enfant de 5 ans. Parce qu'il n'avait jamais pu apprendre à vivre avec ses pairs ni trouver de la joie dans ses talents et ses réalisations, Normand nécessita un long programme de soins post-hospitalisation où le personnel des cliniques interne et externe de pédiatrie, de psychiatrie, d'école et de camp d'été était impliqué.

Quand Normand quitta l'hôpital, il aidait au poste des infirmières, s'amusait à diagnostiquer les affections des nouveaux malades et socialisait aisément avec ses compagnons de chambre.

La réaction du personnel envers Normand était mixte. Il était content de voir que le milieu hospitalier pouvait être si efficace, mais consterné d'apprendre que cette amélioration serait de courte durée parce que Normand était incapable de soutenir le climat émotionnel toxique de la maison.

Il devenait de plus en plus important de traiter le problème familial. Cependant, on ne put persuader les parents de chercher de l'aide à leur malheur. Normand souffrit d'une série de complications qui nécessitèrent de nombreuses réhospitalisations. Par la suite, il accepta d'être placé dans un hôpital pour convalescents où il pouvait poursuivre ses études.

Bibliographie

Abram, H. S.: Psychological aspects of the intensive care unit. *Hospital Medicine,* 5:94, 1969.

Ackerman, N. W.: *Treating the Troubled Family.* New York, Basic Books, 1966.

Adams, M. L. et Berman, D. C.: The hospital through a child's eyes. *Children,* 12:102, 1965.

Bates, B.: Doctor and nurse: changing roles and relations. *New Eng. J. Med.,* 283:129, 1970.

Berger, Gaston: *Traité pratique d'analyse du caractère.* 6ᵉ éd. P.U.F. 1967.

Bergeron, Dr Marcel: *Psychologie du premier âge.* P.U.F. 1970.

Bergeron, Maurice: *Psychologie du premier âge.* « Paideia », Paris, P.U.F. 1961.

Bergmann, T. et Freud, A.: *Children in the Hospital.* New York, International Universities Press, 1965.

Bernstein, N. R., Sanger, S. et Fras, I.: The functions of the child psychiatrist in the management of severely burned children. *In* Chess S. et Thomas, A. (éds.): *Annual Progress in Child Psychiatry and Child Development.* New York, Brunner/Mazel, 1970.

Binger, C. M. *et al:* Childhood leukemia. Emotional impact on patient and family. *New Eng. J. Med.,* 280:414, 1969.

Bize, Pierre: *L'Évolution psycho-physiologique de l'enfant.* Paris, P.U.F. 1950.

Blake, F.: *The Child, His Parents and the Nurse.* Philadelphia, J. B. Lippincott, 1954.

Blom, G. E.: The reactions of hospitalized children to illness. *Pediatrics,* 22:590, 1958.

Blos, P.: *The Young Adolescent, Clinical Studies.* New York, The Free Press, 1970.

Bowlby, J.: *Child Care and the Growth of Love.* 2ᵉ éd. Baltimore, Penguin Books, 1965.

Bowlby, J.: *Attachment and Loss.* Vol. 1. *Attachment.* New York, Basic Books, 1969.

Brazelton, T. B. et Robey, J. S.: Observations of neonatal behavior. The effect of perinatal variables, in particular that of maternal medication. *J. Amer. Acad. Child Psychiat.,* 4:613, 1965.

Browne, W. J., Mally, M. A. et Kane, R. P.: Psychosocial aspects of hemophilia. *Amer. J. Orthopsychiat.,* 30:730, 1960.

Brunet, Odette et Lezine, Irène: *Le Développement psychologique de la première enfance.* Paris, P.U.F. 1951.

Cahier d'éducateurs : *Les Univers de l'enfant de la naissance à l'adolescence.*

Caplan, G. (éd.): *Prevention of Mental Disorders in Children.* New York, Basic Books, 1961.

Carmichael, Léonard: *Manuel de Psychologie de l'enfant.* Paris, P.U.F. 3 vol. 1959.

Cassel, S.: The effect of brief puppet therapy upon the emotional responses of children undergoing cardiac catheterization. *J. Consult. Psychol.*, 29:1, 1965.

Chazaud, Dr J. et Bray Dr P.: *Précis de psychologie de l'enfant.* Privat, Toulouse, 1971.

Chess, S.: Psychiatric disorders of childhood: healthy responses, developmental disturbances, and stress or reactive disorders, Part 1: Infancy and childhood. *In* Freedman, A. M. et Kaplan, H. T.: *Comprehensive Textbook of Psychiatry.* Baltimore, Williams & Wilkins, 1967.

Chombart de Lauwe, M-J.: *Un monde autre: l'enfance.* Payot, Paris, 1971.

Clausen, J. A.: Family structure, socialization and personality. *In* Hoffman, L. W. et Hoffman, M. L. (éds.): *Review of Child Development Research.* Vol. 2. New York, Russell Sage Foundation, 1966.

Corman, .: *Psychopathologie de la rivalité fraternelle.* Charles Dessart, Bruxelles.

Danilowicz, D. A. et Gabriel, H. P.: Postoperative reactions in children: « normal » and abnormal responses after cardiac surgery. *Amer. J. Psychiat.*, 128:185, 1971.

Davenport, H. T. et Werry, J. S.: The effect of general anesthesia, surgery and hospitalization upon the behavior of children. *Amer. J. Orthopsychiat.*, 40(5):806, 1970.

David, Myriam: *L'enfant de 2 à 6 ans.* Édouard Prévot, Toulouse, 1960.

Debesse, Maurice: *Psychologie de l'enfant (de la naissance à l'adolescence).* Cahiers de Pédagogie moderne, Collection Bourrelieu, A. Colin, 5e éd. Paris, 1961.

Debesse, Maurice: *La crise d'originalité juvénile.* Paris, 2e éd. P.U.F. 1941.

Deconchy, Jean-Pierre: *Le développement psychologique de l'enfant et de l'adolescent.* Collection « Point d'appui », éditions ouvrières, Paris 1966.

Deutsch, Hélène: *La Psychologie des femmes.* Paris, P.U.F. 1953.

Dodson, F.: *Tout se joue avant six ans.* Robert Laffont, Collection « Réponses » Paris, 1972.

Donovan, E. et Gold, M.: Modal patterns in American adolescents. *In* Hoffman, L. et Hoffman, M.: *Review of Child Development Research.* Vol. 2. New York, Russell Sage Foundation, 1966.

Duyckaerts, F., Hindley, C. B., Lezine, I., Reuchlin, M. et Zempleni, A.: *Milieu et Développement.* P.U.F. Paris, 1972.

Erikson, E. H.: *Enfance et société.* Delachaux et Niestlé, Neuchatel, Suisse, 1966.

Erikson, E. H.: *Adolescence et crise; la quête de l'identité.* Paris, Flammarion, 1972.

Erikson, F.: Nurse specialist for children. *Nurs. Outlook,* 16:34, 1968.

Escalona, S. K.: *The Roots of Individuality.* Chicago, Aldine Publishing Co., 1968.

Finch, S. M. et McDermott, J. F., Jr.: *Psychiatry for Pediatrician.* New York, W. W. Norton, 1970.

Foley, J. M.: Some psychological aspects of hospitalization. *In* Schulman, J.: *Management of Emotional Disorders in Pediatric Practice.* Chicago, Yearbook Medical Publishers, 1967.

Fontana, V. J.: The maltreatment syndrome in children. *Hospital Medicine,* 7:7, 1971.

Frank, L. K.: Play in personality development. *Amer. J. Orthopsychiat.,* 25:576, 1955.

Freud, A.: *The Psychoanalytical Treatment of Children.* New York, International Universities Press, 1965.

Freud, A.: *Le Moi et les mécanismes de défense.* 4ᵉ éd. Paris, P.U.F. 1967.

Freud, A.: *Normality and Pathology in Childhood: Assessments of Development.* New York, International Universities Press, 1965.

Galemiard, Dr Pierre: *L'enfant de 6 à 11 ans.* Privat, 1962.

Gardner, R. A.: The guilt reaction of parents of children with severe physical disease. *Amer. J. Psychiat.* 126:636, 1969.

Garner, A. M. et Wenar, C.: *The Mother-Child Interaction in Psychosomatic Disorders.* Urbana, University of Illinois Press, 1959.

Geist, H.: *A Child Goes to the Hospital.* Springfield, Ill., Charles C. Thomas, 1965.

Gemelli, Fr. Agostino: *Psychologie de l'enfant à l'homme.* Centre d'études pédagogiques, Éditions Rousset, 1965.

Georgopoulos, B. S. et Christman, L.: The clinical nurse specialist: a role model. *Amer. J. Nurs.,* 70:1030, 1970.

Gesell, Arnold et Ilg, Frances: *Le jeune enfant dans la civilisation moderne.* Paris, P.U.F. 1957.

Gesell, Arnold: *L'enfant de 5 à 10 ans.* Paris, P.U.F. 1967.

Gesell, Arnold: *L'adolescent de 10 à 16 ans.* Bibliothèque scientifique internationale, P.U.F. 1970.

Gesell, Arnold: *The First Five Years of Life.* New York, Harper & Row, 1940.

Glaser, H. H. *et al.:* Physical and psychological development of children with early failure to thrive. *J. Pediat.,* 73:690, 1968.

Godfrey, A. E.: A study of nursing care designed to assist hospitalized children and their parents in their separation. *Nurs. Res.,* 4:52, 1955.

Goldfarb, W.: Psychological privation in infancy and subsequent adjustment. *Amer. J. Orthopsychiat.,* 15:247, 1945.

Goldfarb, W. *et al.:* The concept of maternal perplexity, *In* Anthony, E. J. et Benedek, T. (éds.): *Parenthood, Its Psychology and Psychopathology.* Boston Little, Brown & Co., 1970.

Gordon, M.: The clinical specialist as a change agent. *Nurs. Outlook,* 17:37, 1969.

Gordon, B.: A psychoanalytic contribution to pediatrics. *In* Eissler, R. *et al.: The Psychoanalytic Study of the Child,* Vol. 25. New York, International Universities Press, 1970.

Green, M.: Comprehensive pediatrics and the changing role of the pediatrician. *In* Solnit, A. J. et Provence, S. A. (éds.): *Modern Perspectives in Child Development.* New York, International Universities Press, 1963.

Greenblatt, M. *et al.:* Poverty and mental health: implications for training. *Psychiat. Res. Rep. Amer. Psychiat. Ass.,* 21:151, 1967.

Grocchi, Charles: *La personnalité humaine.* Éditions Paulines, Sherbrooke, 1967.

Hall, C. S.: *A Primer of Freudian Psychology.* New York, World Publishing

Co., 1954.

Hammar, S. L. et Eddy, J. A.: *Nursing Care of the Adolescent.* New York, Springer Publishing Co., 1966.

Hamovitch, M. B.: *The Parent and the Fatally Ill Child.* Los Angeles, Delmar Publishing Co., 1964.

Hannaway, P. J.: Failure to thrive: a study of 100 infants and children. *Clin. Pediat.,* 9:96, 1970.

Harrisson, S. I. *et al:* Social class and mental illness in children: choice of treatment. *Arch. Gen. Psychiat.,* 13:411, 1965.

Hartley, R. E., Frank, L. K. et Goldenson, R. M.: *Understanding Children's Play.* Chap. 1, 2, 3. New York, Columbia University Press, 1952.

Hellersberg, E. F. *et al.:* Developmental phases of play. *In* Haworth, M. R. (éd.): *Child Psychotherapy: Practice and Theory.* New York, Basic Books, 1964.

Heuse, .: *Guide de la mort.* Masson et cie.

Hirschberg, J. C.: The basic functions of a child psychiatrist in any setting. *J. Amer. Acad. Child Psychiat.,* 5:360, 1966.

Hollitscher, W.: *Sigmund Freud, An Introduction.* Freeport, New York, Books for Libraries Press, 1970.

Ilg, F. et Ames, L.: *Child Behavior.* New York, Harper & Row, 1951.

Inhelder, B. et Piaget, Jean: *De la logique de l'enfant à la logique de l'adolescent.* Paris. P.U.F. 1955.

Irelan, L. (éd.): *Low-income Life Styles.* Washington, D. C., Dept. of Health, Education and Welfare, 1966.

Isaacs, Suzan: *Les premières années de l'enfant.* Delachaux et Niestlé S. A. Paris.

Jessner, L. *et al.:* Emotional implications of tonsillectomy and adenoidectomy on children. *In* Eissler, R. *et al.* (éds.): *The Psychoanalytic Study of the Child.* Vol. 7. New York, International Universities Press, 1952.

Jessner, L.: Some observations on children hospitalized during latency. *In* Jessner, L. et Pavenstedt, E. (éds.): *Dynamic Psychopathology in Childhood.* New York, Grune & Stratton, 1959.

Johnson, D. E., Wilcox, J. A. et Moidel, H. C.: The clinical specialist as a practitioner. *Amer. J. Nurs.,* 67:2298, 1967.

Jolly, H.: Play and the sick child. *Lancet,* 2:1286, 1968.

Josselyn, I. M.: *The Happy Child: A Psychoanalytic Guide to Emotional and Social Growth.* New York, Random House, 1955.

Josselyn, I. M.: Passivity. *J. Amer. Acad. Child, Psychiat.,* 7:569, 1968.

Kennell, J. H., Slyter, H. et Klaus, M. H.: The mourning response of parents to the death of a newborn infant. *New Eng. J. Med.,* 283:344, 1970.

Klaus, M. H. et Kennell, J. H.: Mothers separated from their newborn infants. *Pediat. Clin. N. Amer.,* 17:1015, 1970.

Klinkhamer-Steketée: *Psychothérapie par le jeu.* Dessart, Bruxelles, 1968.

Korsch, B. M. *et al.:* Experiences with children and their families during extended hemodialysis and kidney transplantation. *Pediat. Clin. N. Amer.,* 18:625, 1971.

Kubler-Ross, E.: *On Death and Dying.* New York, Macmillan, 1970.

Lachapelle, Paul: *L'enfant.* Éditions Paulines, Sherbrooke, 1958.

Langford, W. S.: The child in the pediatric hospital: adaptation to illness and hospitalization. *Amer. J. Orthopsychiat.,* 31:667, 1961.

Le Moal, .: *Parents séparés, enfants perturbés.* J. Duculot.

Levy, D. M.: Oppositional syndromes and oppositional behavior. In Hoch P. et Zubin, J. (éds.): *Psychopathology of Childhood.* Vol. X. New York, Grune & Stratton, 1955.

Levy, D. M.: Psychic traumas of operations in Children. *Amer. J. Dis. Child.,* 69:7, 1945.

Levy, D. M.: *The Demonstration Clinic: For the Psychological Study and Treatment of Mother and Child in Medical Practice.* Springfield, Ill., Charles C. Thomas, 1959.

Lewis, M. *et al.:* An exploration study of accidental ingestion of poison in young children. *J. Amer Acad. Child Psychiat.,* 5:255, 1966.

Lickorish, J. R.: The psychometric assessment of the family. In Howells, J. G., (éd.): *Theory and Practice of Family Psychiatry.* New York, Brunner/ Mazel, 1971.

Lidz, T.: *The Person: His Development Throughout the Life Cycle.* New York, Basic Books, 1968.

Lidz, T. *et al.:* Schism and skew in the families of schizophrenics. In Bell, N. W. et Vogel, E. F. (éds.): *Modern Introduction to the Family.* Éd. rev. New York, The Free Press, 1968.

Lindemann, E.: Symptomatology and management of acute grief. *Amer. J. Psychiat.,* 101:141, 1944.

Lolli, G. *et al.: Alcohol in Italian Culture.* New Haven, Conn., College and University Press, 1958.

Lorenz, K.: *On Aggression.* New York, Harcourt Brace Jovanovich, 1966.

Lourie, R. S.: The teaching of child psychiatry in pediatrics. *J. Amer. Acad. Child Psychiat.,* 1:477, 1962.

Lowenfeld, M.: *Play in Childhood.* New York, John Wiley & Sons, 1967.

Lutte, Gérard: *Le moi idéal de l'adolescent.* Dessart, Bruxelles, 1971.

Mack, J. E.: *Nightmares and Human Conflict.* Boston, Little, Brown & Co., 1970.

Mahler, M. S. et Furer, M. S.: *On Human Symbiosis and Vicissitudes of Individuation.* Vol. 1: *Infantile Psychoses.* New York, International Universities Press, 1968.

Male, Pierre: *Psychothérapie de l'adolescent.* Collection « Paideia », Paris, P.U.F. 1964.

Mantoy, Jacques: *Les 50 mots-clés de la psychologie de l'enfant.* Privat, Toulouse, 1971.

Marlow, David, Leclerc: *L'infirmière et l'enfant.* Éditions HRW Ltée., Montréal et W. B. Saunders Co., 1972.

McDermott, J. F. *et al.:* Social class and mental illness in children. The diagnosis of organicity and mental retardation. *J. Amer. Acad. Child Psychiat.,* 6:309, 1967.

McDonald, M.: The psychiatric evaluation od children. *J. Amer. Acad. Child Psychiat.,* 4:569, 1965.

McDonald, N. F. et Adams, P. L.: The psychotherapeutic workability of the poor. *J. Amer. Acad. Child Psychiat.,* 6:663, 1967.

Meeks, J. E.: Dispelling fears of the hospitalized child. *Hospital Medicine,* 6:77, 1970.

Meili, Richard: *Le développement du caractère chez l'enfant.* Dessart, Bruxelles, 1957.

Mendousse, Pierre: *L'Âme de l'adolescente.* Paris, P.U.F. 2ᵉ éd., 1955.

Mendousse, Pierre: *L'Âme de l'adolescent.* Paris, P.U.F. 4ᵉ éd., 1954.

Mucchielli, Roger: *La personnalité de l'enfant. Son édification de la naissance à la fin de l'adolescence.* Les éditions sociales françaises, 5ᵉ éd. 1964.

Murphy, L. B.: Assessment of infants and young children, *In* Chandler, C. et al.: *Early Child Care: The New Perspectives.* New York, Atherton Press, 1968.

Murphy, L. B.: Individualization of child care and its relation to environnement. *In* Chandler, C. et al.: *Early Child Care: The New Perspectives.* New York, Atherton Press, 1968.

Nagera, H.: Children's reactions to death of important objects: a developmental approach. *In* Eissler, R. et al. (éds.): *The psychoanalytic Study of the child.* Vol. 25. New York, International Universities Press, 1970.

Osterrieth, Paul: *Introduction à la psychologie de l'enfant.* Paris, P.U.F. 1966.

Petrillo, M.: Preventing hospital trauma in pediatric patients. *Amer. J. Nurs.,* 68:1468, 1968.

Piaget, Jean: *La psychologie de l'enfant.* Paris, P.U.F. « Que sais-je? », 1968.

Piaget, Jean: *Le développement de la notion du temps chez l'enfant.* 1946.

Piaget, Jean et Inhelder, Bärbel: *La représentation de l'espace chez l'enfant.* P.U.F. 1972.

Piaget, Jean: *La génèse des structures logiques élémentaires.* 1959.

Porot, M.: *L'enfant et les relations familiales.* Paris, P.U.F. 1954.

Provence, S. A. et Lipton, R.: *Infants in Institutions.* New York, International Universities Press, 1962.

Prugh, D. G. et al.: A study of the emotional reactions of children and families to hospitalization and illness. *Amer. J. Orthopsychiat.,* 23:70, 1953.

Read, K.: *The Nursery School: A Human Relations Laboratory.* 3ᵉ éd. Philadelphia, W. B. Saunders, 1960.

Redl, F. et Wineman, D.: *The Agressive Child.* New York, The Free Press, 1957.

Report of the Joint Commission on Mental Health: Crisis in Child Mental Health: Challenge for 1970's. Chap. 8, Social-psychological aspects of normal growth and development: adolescents and youth. Chap. 2, Contemporary American society: its impact on the mental health of children and youth. Chap. 4, Poverty and mental health. New York, Harper & Row, 1969.

Rey-Herme, P-A.: *L'enfant et son devenir.* Tomes I et II, éd. Taqui, Paris.

Reymond-Rivier, Berthe: *Le Développement social de l'enfant et de l'adolescent.* Dessart, Bruxelles, coll. « Psychologie et Sciences humaines », 1965.

Richmond, J. B.: Child development: a basic science for pediatrics. *Pediatrics,* 39:649, 1967.

Richmond, J. B. et Waisman, H. A.: Psychological aspects of management of children with malignant diseases. *Amer. J. Dis. Child.*, 89:42, 1955.

Rochlin, G.: *Griefs and Discontents: The Forces of Change.* Boston, Little, Brown & Co., 1965.

Robertson, .: *Jeunes enfants à l'hôpital.* Centurion.

Rouart, Julien: *Psychopathologie de la puberté et de l'adolescence.* Coll. « Paideia », Paris, P.U.F. 1954.

Sander, L. W.: Adaptive relationships in early mother-child interaction. *J. Amer. Acad. Child Psychiat.* 3:231, 1964.

Sander, L. W. *et al.:* Early mother-infant interaction and 24-hour patterns of activity and sleep. *J. Amer. Acad. Child Psychiat.*, 9:103, 1970.

Schaeffer, A. J.: Advantages of mother living in with her hospitalized child. *In* Haller, A. *et al.: The Hospitalized Child and His Family.* Baltimore, John Hopkins Press, 1967.

Schulman, J. L.: *Management of Emotional Disorders in Pediatric Practice.* pp. 109 à 239. Chicago, Yearbook Medical Publishers, 1967.

Senn, M. J. E. et Solnit, A. J.: *Problems in Child Behavior and Development.* Chap. 8 Pediatric evaluation. Chap. 3 The newborn and young infant. Philadelphia, Lea & Febiger, 1968.

Sheldon, W. H.: *Les variétés du tempérament.* Paris, P.U.F. 1951.

Shirley, H. F.: *Pediatric Psychiatry.* pp. 642 à 645. Cambridge, Harvard University Press, 1963.

Shore, M. F., Geiser, R. L. et Wolman, H. M.: Constructive uses of a hospital experience. *Children*, 12:3, 1965.

Shore, M. F. (éd.): *Red is the Color of Hurting: Planning for Children in the Hospital.* Bethesda, Md., National Institute for Mental Health, 1967.

Silberstein, R. M. *et al.:* Autoerotic head banging; a reflection on the opportunism of infants. *J. Amer. Acad. Child Psychiat.*, 5:235, 1966.

Smith, M.: Ego support for the child patient. *Amer. J. Nurs.*, 63:90, 1963.

Snyder, C. R.: *Alcohol and the Jews.* New Haven, Conn., College and University Press, 1958.

Solnit, A. J. et Provence, S. A.: *Modern Perspectives in Child Development.* New York, International Universities Press, 1963.

Solnit, A. J. et Stark, M. H.: Mourning and the birth of a defective child. *In* Eissler, R. *et al.* (éds.): *Psychoanalytic Study of the Child.* Vol. 16, p. 523. New York International Universities Press, 1961.

Solnit, A. J. et Green, A.: The pediatric management of the dying child, Part II: The child's reaction to the fear of dying. *In* Solnit, A. J. et Provence, S. A. (éds.): *Modern Perspectives in Child Development.* New York International Universities Press, 1963.

Solnit, A. J. et Green, M.: Psychologic considerations in the management of deaths on pediatric hospital services, Part I: The doctor and the child's family. *Pediatrics*, 24:106, 1959.

Solnit, A. J.: Hospitalization, an aid to physical and psychological health in childhood. *Amer. J. Dis. Child.*, 99:155, 1960.

Sperling, M.: Asthma in children. An evaluation of concepts and theories. *J. Amer. Acad. Child Psychiat.*, 7:44, 1968.

Spitz, R. A.: *De la naissance à la parole.* Paris, P.U.F. 1968.

Stechler, G. et Latz, E.: Some observations on attention and arousal in the human infant. *J. Amer. Acad. Child Psychiat.*, 5:517, 1966.

Szurek, S., Johnson, A. et Falstein, E.: Collaborative psychiatric treatment of parent-child problems. *Amer. J. Orthopsychiat.*, 12:511, 1942.

Tanner, J. M. et Inhelder, B.: *Entretiens sur le développement psychobiologique de l'enfant.* Éditions Delachaux et Niestlé, Neuchatel, Suisse, 1953.

Thomas, A. *et al.:* The origin of personality. *Sci. Amer.*, 223:102, 1970.

Tisza, V. B. et Angoff, K.: A play program and its function in a pediatric hospital. *Pediatrics*, 19:293, 1957.

Toulemonde, Jean: *La caractérologie.* Payot, Paris, 1961.

Tramer, M.: *Manuel de psychiatrie infantile générale.* Paris, P.U.F. 1949.

Vernon, D. T. *et al.: The Psychological Responses of Children to Hospitalization and Illness: A Review of the Literature.* Springfield, Ill. Charles C. Thomas, 1965.

Vincent, Rose: *Connaissance de l'enfant.* Collection « Comprendre-Savoir-Agir », Centre d'Étude et de Promotion de la lecture, Paris, 1969.

von Bertalanffy, L.: General system theory and psychiatry. *In* Arieti, S.: *American Handbook of Psychiatry.* Vol. 3. New York, Basic Books, 1966.

Wallon, Henri: *L'évolution psychologique de l'enfant.* Colin, Paris, 1968.

Wallon, Henri: *Les origines de la pensée chez l'enfant.* Paris, P.U.F. 2 vol. 1947.

Watzlawick, P.: A review of the double bind theory. *In* Howells, J. G. (éd.): *Theory and Practice of Family Psychiatry.* New York, Brunner/Mazel, 1971.

Weakland, J. H.: The « double bind » hypothesis of schizophrenia and three-party interaction. *In* Jackson, D. D. (éd.): *The Etiology of Schizophrenia.* New York, Basic Books, 1960.

Wessel, M. A.: Training in neonatal pediatrics. *In* Solnit, A. J. et Provence, S. A. (éds.): *Modern Perspectives in Child Development.* New York, International Universities Press, 1963.

White, B. et Held, R.: Plasticity of sensorimotor development in the human infant. *In* Rosenblith, J. et Allinsmith, W.: *The Causes of Behavior: Readings in Child Development and Educational Psychology.* 2ᵉ éd. Rockleigh, N. J., Allyn & Bacon, 1966.

Wiener, J. M.: Response of medical personnel to the fatal illness of a child. *In* Schœnberg, B. *et al.* (éds.): *Loss and Grief: Psychological Management in Medical Practice.* New York, Columbia University Press, 1970.

Winnicott, D. W.: *Collected Papers, Through Pediatrics to Psychoanalysis.* pp. 229 à 242, London, Tavistock Publications, 1958.

Winnicott, P. W.: *L'enfant et le monde extérieur.* Payot.

Witvrouw, M. et Remouchamps, R.: *Le comportement humain.*

Wolf, A. W. M.: *Helping Your Child Understand Death.* New York, Child Study Association of America Publications, 1958.

Wolf, R. E.: The hospital and the child. *In* Solnit, A. J. et Provence, S. A. (éds.): *Modern Perspectives in Child Development.* New York, International Universities Press, 1963.

Wolff, P. H.: *The Developmental Psychologies of Jean Piaget and Psychoanalysis. Psychological Issues*, vol. 2, nº I. New York, International Universities Press, 1960.

Wolff, P. H.: The role of biological rhythms in early psychological development. *Bull. Menniger Clin.*, 31:197, 1967.

Work, H. H. et Call, J. D.: *A Guide to Preventive Child Psychiatry.* New York,
McGraw-Hill, 1965.

Wynne, L. C. *et al.:* Pseudo-mutuality in the family relations of schizophrenics. *In* Bell, N. W. et Vogel, E. F. (éds.): *Modern Introduction to the
Family.* éd. rev. New York, The Free Press, 1960.

Zaggo, Bianca: *Psychologie différentielle de l'adolescence. Paris, P.U.F.
1966.*

Film: *La Fureur de vivre.* (Rebel without a cause) Film américain 1955. Drame
de N. Ray avec James Dean, Nathalie Wood et Sal Mineo. Le drame d'adolescent en mal d'affection.